LA PREUVE DES CONTRAIRES

CAITLIN WAHRER

Caitlin Wahrer est née dans le Maine, où elle vit actuellement. Elle est avocate.
En 2022, elle publie son premier roman chez Sonatine, *La Preuve des contraires*, en partie inspiré des affaires sur lesquelles elle a travaillé pendant ses études.

CAITLIN WAHRER

LA PREUVE DES CONTRAIRES

Traduit de l'anglais (États-Unis)
par Karine Lalechère

Titre original :
THE DAMAGE

Éditeur original : Pamela Dorman Books/Viking
pour l'édition américaine ; Michael Joseph pour l'édition anglaise

Le Code de la propriété intellectuelle n'autorisant, aux termes de l'article L. 122-5, 2° et 3° a, d'une part, que les « copies ou reproductions strictement réservées à l'usage privé du copiste et non destinées à une utilisation collective » et, d'autre part, que les analyses et les courtes citations dans un but d'exemple et d'illustration, « toute représentation ou reproduction intégrale ou partielle faite sans le consentement de l'auteur ou de ses ayants droit ou ayants cause est illicite » (art. L. 122-4).
Cette représentation ou reproduction, par quelque procédé que ce soit, constituerait donc une contrefaçon, sanctionnée par les articles L. 335-2 et suivants du Code de la propriété intellectuelle.

© Caitlin Wahrer, 2021

© Sonatine Éditions, 2022, pour la traduction française

L'extrait du poème « Clarice » p. 9, tiré du recueil
I Am Not Your Final Girl de Claire C. Holland, est reproduit
avec l'aimable autorisation de l'auteure (www.clairecholland.com).
© Claire C. Holland, 2017. Première publication à compte d'auteur
par GlassPoet Press, Los Angeles, CA, 2017.

ISBN : 978-2-266-33387-0

Dépôt légal : novembre 2023

À Ben

PREMIÈRE PARTIE

MONSTRES

J'ai connu des monstres et j'ai connu des hommes.
Je me suis tenue dans leur ombre longue,
et je les ai redressés de mes deux mains,
j'ai palpé leur visage indéchiffrable dans le noir.
Il est plus difficile de les distinguer qu'on pourrait le croire.
Plus que vous ne le saurez jamais.

Claire C. HOLLAND, « Clarice »,
I Am Not Your Final Girl

1

Julia Hall, 2019

Le policier mourant habitait une haute bâtisse bleu foncé, aux corniches et aux volets écaillés. La maison se découpait sur le ciel lumineux, derrière une rangée de congères. Les chutes de neige de la nuit précédente avaient poudré la façade. Seul le numéro 23 noir au-dessus de la porte était parfaitement net. Il y avait de la place dans l'étroite allée, mais la jeune femme préféra se garer dans la rue.

Julia Hall se tortilla sur son siège pour attraper le bout de papier plié au fond de la poche de son gros manteau d'hiver. Une part d'elle espérait s'être trompée d'adresse et pouvoir continuer à rouler sans jamais arriver à destination. Mais non, sur la note froissée, il était bien écrit *23 Maple Drive, Cape Elizabeth*.

« Allez, vas-y », dit-elle à voix haute. Elle coula un regard vers la maison. Les stores des deux fenêtres qui encadraient la porte étaient baissés et il semblait n'y avoir personne derrière. Au moins, il ne l'avait pas vue en train de parler toute seule.

Surprise par une rafale au moment où elle sortait de la voiture, elle lâcha la portière. L'hiver avait été rude. Avec l'âge, elle avait de plus en plus de mal à supporter le froid. Elle enfonça son bonnet sur ses oreilles et se retourna vers le SUV. Sans réfléchir, elle claqua violemment la portière. Le bruit retentit comme une détonation dans la rue paisible. Elle n'avait pas fait ça depuis des années. Elle pensa à son vieux Subaru Baja, qui demandait une main plus ferme. Le véhicule qu'elle avait trois ans plus tôt, quand les circonstances l'avaient mise en relation avec l'homme qui l'attendait à l'intérieur.

En dépit de la neige qui était tombée dans la nuit, l'allée était déblayée. L'avait-il dégagée pour elle ? Le sol était couvert de sel qui craquait sous ses pas. Elle s'approcha de la maison, se concentrant sur le bruit. En haut des marches, elle secoua ses mains engourdies et sonna. La porte s'ouvrit alors que le tintement résonnait encore à l'intérieur de la maison.

« Julia. Comment allez-vous ? »

Certainement mieux que lui. Car l'inspecteur Rice n'était plus que l'ombre de lui-même. Sa haute silhouette s'était ratatinée comme une fleur fanée. Son visage était cireux et il avait des poches sous les yeux. La casquette des Red Sox vissée sur son crâne dissimulait une calvitie presque totale.

« Je vais bien, je vais bien. »

Ils se serrèrent la main gauchement, car il s'était avancé vers elle comme pour l'étreindre.

« Si vous voulez bien vous donner la peine d'entrer.

— Merci, inspecteur », répondit-elle en souriant, alors qu'elle pensait : *Je veux partir. Tous les jours depuis votre appel, je vomis mon petit déjeuner.*

Il recula en boitillant pour la laisser passer.
« S'il vous plaît, appelez-moi John. »
Il semblait avoir vieilli de dix ans depuis la dernière fois qu'ils s'étaient vus. Le cancer, sans doute. Enfin, Julia n'avait pas rajeuni non plus. Elle avait toujours paru plus jeune que son âge. Mais le temps avait fini par la rattraper. Désormais, elle faisait ses trente-neuf ans.
Tout en retirant ses bottillons, elle examina l'entrée. Une petite voix dans sa tête lui soufflait que c'était bizarre d'être ici, chez l'inspecteur Rice. Le banc sur lequel elle était assise était solide et fonctionnel. En dessous s'alignaient plusieurs paires de chaussures basses et montantes. À droite, il y avait un seau de sel et une pelle mouillée contre le mur. Le seul élément qui détonnait était la collection de livres de jardinage, sur une étroite étagère à gauche. Elle ne l'imaginait pas en jardinier. C'était un passe-temps qui suggérait une rusticité qu'elle n'avait pas perçue à l'époque.
« Je ne sais pas si j'y arriverai, dit-elle en se levant. Je crois que pour moi vous resterez toujours l'inspecteur Rice. »
Il lui sourit avec un petit haussement d'épaules.
Elle le suivit dans un couloir exigu. Son regard balaya les murs : plusieurs portraits de Rice jeune en compagnie d'une femme, certainement son épouse décédée, et de trois enfants ; un crucifix et une palme séchée ; un bébé, sans doute un de ses petits-enfants, à côté d'une image de Jésus.
Devant elle, il marmonna quelques mots indistincts.
« Pardon ?
— Vous avez une nouvelle voiture, répéta-t-il en tournant la tête.

— Ah oui. Je suppose que je suis montée en gamme depuis la dernière fois qu'on s'est vus. »

Il était toujours grand, mais la maladie lui avait ôté quelques centimètres, constata-t-elle.

« J'ai pensé qu'on pourrait s'installer ici. »

Il la fit entrer dans la première pièce. Un salon comme Julia n'en avait vu que chez les personnes âgées. Ce genre de pièce avait toujours quelque chose de guindé, et celle-ci ne faisait pas exception à la règle, bien qu'elle ait manifestement été aménagée pour recevoir. L'espace était organisé autour de deux grands fauteuils relax, entre lesquels se trouvait une table basse.

L'inspecteur lui indiqua le siège de droite et la laissa seule un instant.

Elle attendit quelques secondes, puis jeta un coup d'œil dans le couloir. Une autre porte à droite. La cuisine au bout. Elle tendit l'oreille, mais n'entendit rien.

Elle se retourna vers la pièce. Inspire, s'ordonna-t-elle.

Elle se planta devant la baie vitrée, qui donnait sur Maple Drive et la grande maison d'en face. Le verre du panneau diffusait des ondes glacées. Julia approcha un doigt tremblant. Elle ne connaissait pas grand-chose de plus déprimant que le Maine en février.

La saison des frimas était rude, ici, ce n'était pas nouveau. Pourtant, chaque année, la brutalité du froid la prenait au dépourvu, chamboulait les visions nostalgiques auxquelles elle avait tendance à s'accrocher. Il commençait généralement à neiger en décembre et cela durait jusqu'en avril. Et depuis ce fameux hiver, l'hiver où elle avait vu l'inspecteur Rice pour la dernière fois, la saison était empreinte d'une forme de mélancolie existentielle qu'il fallait balayer en même temps que la neige.

« On a l'impression que ça ne finira jamais, hein ? »

Elle sursauta.

Il lui souriait du seuil, deux tasses à la main.

Il était simplement allé chercher du café. Elle expira sans doute avec un soulagement trop flagrant.

Il l'invita de nouveau à prendre un fauteuil, et cette fois elle obéit. Elle accepta la tasse qu'il lui tendait et le regarda s'asseoir. L'arôme qui parvenait à ses narines n'était pas celui du café, tout compte fait. Elle but une gorgée de thé et constata qu'il était très sucré. Étonnant.

« Comment vont les enfants ? demanda Rice.

— Bien, merci.

— Ça leur fait quel âge, maintenant ?

— Dix et huit ans.

— Ils grandissent toujours trop vite. »

Il était facile d'oublier qu'il avait des enfants, lui aussi. Des enfants aujourd'hui adultes, et aussi des petits-enfants, à en croire les photos dans le couloir. Ce n'était pas une question de personnalité : c'était à cause de son métier. Une part d'elle avait du mal à admettre qu'il ait pu avoir une existence en dehors de la police.

Julia hocha la tête, attendant qu'il lui demande des nouvelles de Tony.

« Je suppose que vous avez été surprise de recevoir mon coup de fil, la semaine dernière. »

Cette omission lui fit l'effet d'une rebuffade, surtout après ce qui s'était passé, et elle retint un froncement de sourcil.

Elle avait effectivement été surprise, le jeudi où elle avait trouvé son message sur son portable, à l'issue d'une longue matinée de travail. Le croassement qui s'était échappé de son téléphone l'avait arrêtée net. Le débit était plus lent, mais la voix parfaitement reconnaissable. Une voix qu'elle en était venue à redouter. À une époque, elle sentait monter la panique chaque fois que son portable sonnait ou qu'elle découvrait un message.

« Surprise, oui. Et peinée d'apprendre que vous étiez malade. »

Elle se pencha vers lui, consciente qu'elle n'y avait pas fait allusion depuis qu'il lui avait demandé de passer chez lui.

« Quel est le… pronostic ? »

Il n'y avait pas de mot approprié, aucun ne lui venait, en tout cas.

« Ma foi, ce n'est pas très encourageant, dit-il du ton qu'il aurait employé pour parler de la probabilité d'une nouvelle tempête de neige. Mon médecin pense que ma "qualité de vie" va beaucoup baisser au cours des deux prochains mois, et qu'après, ça risque d'aller très vite. »

Julia avait l'impression d'entendre les guillemets autour de l'expression « qualité de vie » et elle imaginait très bien le policier assis dans le cabinet du médecin, grognant : « Qualité de vie ? Qu'est-ce que c'est que cette connerie ? Dites-moi juste quand je vais crever. »

Elle lui adressa un sourire chaleureux.

« En tout cas, c'est bien que vous puissiez continuer à vivre chez vous.

— Oh, on verra ce que ça durera. »

Ils plongèrent tous les deux le nez dans leur tasse.

« Bon… », dit-il avec un petit rire.

Était-il nerveux ?

« Je vous suis reconnaissant d'être venue. Je voulais vous parler avant de…

— Tant que vous avez encore votre "qualité de vie" ? »

Le rire de l'inspecteur se transforma en quinte de toux. Il tendit le bras derrière son fauteuil. Une roue mal huilée grinça et il tira vers lui une bouteille d'oxygène portable. Il plaqua le masque contre son visage et leva l'index pour signifier *une minute*.

Zut, je n'ai pas intérêt à le faire rire.

Il releva la tête.

« Gardez-le si vous préférez. Je ne…

— Non, répliqua-t-il d'une voix ferme. Merci. »

Le masque replacé sur la bouteille, il redressa le dos. Le vent sifflait de l'autre côté de la vitre.

« Je n'étais pas sûr que vous accepteriez mon invitation, mais je désirais vous parler. J'ai des choses à vous dire. Et je pense que vous aussi. »

Julia fit un effort pour soutenir son regard. Il avait les yeux roses et humides, et les siens à elle ne voulaient rien avoir à faire avec eux.

« Je n'étais vraiment pas sûr que vous viendriez, répéta-t-il. Mais vous êtes trop gentille pour envoyer promener quelqu'un. »

Le ventre de Julia se noua. Qu'était-elle censée répondre ?

Rien, manifestement, car il poursuivait déjà.

« Alors ? On reprend du début ? »

2

John Rice, 2015

La première fois que John Rice avait vu Julia Hall, elle se trouvait chez elle, dans la cuisine, pieds nus, en train de laver la vaisselle dans l'évier.

Il était sur l'affaire depuis une vingtaine d'heures. Vingt heures d'horreur, jusque-là. Le genre d'horreur que seul l'être humain est capable de commettre.

La veille, il était à l'hôpital auprès de la victime, un jeune homme du nom de Nick Hall. Un gamin, avait-il presque envie de dire. À vingt ans, il aurait dû encore avoir quelque chose de l'enfance. Mais il avait le regard de quelqu'un qui s'était réveillé à genoux, dans un lieu inconnu, dépouillé de son innocence.

Il comptait le laisser souffler avant de l'interroger, car le jeune Nick avait déjà raconté son histoire à une infirmière et à un agent. Rice voulait simplement se présenter, lui expliquer qu'il était l'inspecteur chargé de l'affaire et lui demander de mettre les événements par écrit. Ça avait toujours l'air un peu cruel, d'exiger de l'agressé qu'il revive son calvaire alors qu'il n'était même pas rétabli. Mais c'était mieux pour tout le monde. Mieux pour l'enquête, mieux pour fixer les souvenirs, mieux pour la victime. La plupart du temps, juste après les faits, on n'a pas encore totalement assimilé ce qui s'est passé. L'esprit est en état de choc, le corps en mode survie, les affects réduits à zéro ou presque. C'est ainsi qu'il avait trouvé Nick : surpris, un peu dérouté, mais surtout engourdi. Quitte à revivre les événements, autant le faire le plus vite possible.

Nick avait donc écrit ce qu'on lui demandait. Quand Rice avait récupéré les deux pages à l'hôpital, Tony, le frère aîné, était là. Il était déjà présent la veille, et il avait sous les yeux des valises qui laissaient penser qu'il avait passé la nuit sur une chaise d'hôpital. Il était sorti de la chambre pour lui remettre le document, et lui avait dit que Nick dormait. Rice avait répondu qu'il le verrait plus tard.

Il n'avait eu aucun mal à trouver la maison des Hall. C'était une fermette pimpante, dans la campagne vallonnée aux abords d'Orange. Elle paraissait modeste à côté des résidences qu'on voyait en ville. La belle-sœur de Rice habitait là, elle aussi, mais plus près du centre. Comme beaucoup d'agglomérations du Maine, comme beaucoup d'agglomérations tout court, probablement, Orange avait deux faces. La ville même attirait une population aisée, établie dans de belles villas toutes identiques, serrées dans des impasses (c'était le cas de la belle-sœur de Rice) ou dans des demeures plus imposantes, dotées d'une bonne superficie de terrain (là, on était chez les très, très riches). Et il y avait la périphérie composée de terres agricoles, pour la plupart inexploitées. Les Hall vivaient à deux parcelles d'une grande ferme délabrée presque entièrement livrée aux oies, et dont la grange semblait s'enfoncer dans le sol. La maison des Hall, par comparaison, était minuscule, mais bien entretenue et charmante, du moins à ce qu'il paraissait. Ne voyant pas de place dans l'allée, le policier se gara le long de la route.

Il gravit les marches et sonna. Il entendit des voix pardessus le carillon, puis la porte en bois s'ouvrit. Une petite femme alerte, les cheveux poivre et sel, apparut. Elle devait avoir à peu près son âge, la cinquantaine avancée.

« Oui ? »

Rice se présenta et elle hocha gravement la tête. Son fils Tony était encore à l'hôpital au chevet de son frère.

« Je ne suis pas la maman de Nick, précisa-t-elle. Seulement celle de Tony.

— Votre fils me l'a expliqué. J'arrive de l'hôpital. Je voulais parler à Julia, en fait. Si elle peut me recevoir. »

L'intérieur révélait une aisance inhabituelle compte tenu des foyers où le menait le plus souvent son travail. Un parquet lustré qui cédait la place à du carrelage dans la cuisine, des moulures de bois chaleureuses dans l'entrée. Un lieu où l'on se sentait à l'abri, et qui donnait l'impression d'abriter une famille fonctionnelle. À cette pensée, les oreilles de Rice s'enflammèrent. À partir des maigres informations en sa possession, il s'était déjà fait une idée des Hall. L'adresse dans une zone agricole, les frères de deux mères différentes. L'absence des parents de la victime à l'hôpital… Le stage de sensibilisation culturelle et sociale qu'il avait dû suivre au printemps n'avait pas fait disparaître ses préjugés. La seule différence, c'était qu'il en était conscient, à présent, et qu'il se sentait odieux.

Le petit couloir débouchait sur une cuisine, où une jeune femme faisait la vaisselle. Le soleil qui se déversait par la fenêtre en face d'elle illuminait son chemisier blanc et révélait des reflets blonds et roux dans ses cheveux bruns. Elle aurait eu l'air presque éthérée, sans ses sourcils froncés et le plat à gratin qu'elle tenait à la main.

« Pardon, dit-elle. Pardon, je... »

Elle ferma le robinet et posa le plat en verre dans l'égouttoir déjà plein.

« Voilà. Je vous avais entendu, mais je voulais rincer ça. »

Elle prit un torchon sur la cuisinière et s'essuya rapidement avant de lui tendre une main humide et chaude.

« Julia.

— Inspecteur John Rice. De la police de Salisbury. »

Il y eut un choc étouffé à l'étage, comme des pieds qui frappaient le sol.

« Tu veux que je termine la vaisselle ou que je monte ? demanda la mère de Tony du couloir.

— Si tu pouvais les distraire pendant qu'on discute, ce serait parfait.

— Bien reçu.

— Merci, Cynthia ! lança Julia à la femme qui se trouvait déjà dans l'escalier. Les enfants sont contents d'avoir leur grand-mère, ajouta-t-elle à l'intention de Rice. C'est tout ce qui leur importe. Ils ne savent pas ce qui s'est passé. »

Elle avait l'air jeune, et Rice en conclut que les enfants devaient l'être aussi.

« Ils ont quel âge ?

— Chloe a sept ans, Sebastian cinq. On leur a dit que leur oncle était malade et que leur père allait prendre soin de lui, mais... Ils sont trop petits pour comprendre, ajouta-t-elle en secouant la tête. Et c'est tant mieux, si vous voulez mon avis.

— Je suis bien d'accord. »

« Que puis-je faire pour vous ? » demanda Julia en offrant un café au policier.

Il faisait frais dehors, à cette heure encore matinale. C'était Rice qui avait proposé qu'ils s'installent sous la véranda, là où les enfants ne risquaient pas de les entendre. Ils s'assirent dans des fauteuils de jardin à coussins rayés bleu et blanc. Rice posa sa tasse sur la petite table entre eux. L'arôme du café se mêlait à l'odeur de la bougie à la citronnelle. Acide sur acide.

« Nick dormait quand je suis passé ce matin et votre mari avait l'air de ne pas avoir fermé l'œil de la nuit. J'ai pensé qu'il valait mieux leur laisser une heure ou deux de répit. Tony m'a dit que vous pourriez me faire un topo sur l'histoire de la famille. »

Le soulagement se lut sur son visage.

« Ah, ça, je peux le faire. »

Rice sortit un petit bloc-notes et un stylo de son coupe-vent. Il faudrait qu'il l'interroge sur Nick, mais d'abord, il voulait la mettre à l'aise.

« Je commence où ?

— Où vous le souhaitez », dit-il, content d'avoir une excuse pour l'examiner pendant qu'elle parlait. Après avoir fait la connaissance de Tony, qui avait un physique de tombeur, il s'attendait à voir une femme d'une beauté exceptionnelle. Julia Hall était jolie, mais, maintenant qu'elle n'était plus auréolée de soleil, il voyait qu'elle avait des traits assez quelconques. Son visage était rond, sans signe distinctif, et restait le même, quel que soit l'angle sous lequel on le regardait. Elle avait l'air sincère et honnête : une femme dépourvue d'artifices. Cela la rajeunissait aussi, sans doute. Sans les fines rides en patte d'oie autour de ses yeux et les plis qui encadraient sa bouche, Rice ne lui aurait pas donné plus de trente ans. Elle devait avoir le rire et le sourire faciles.

« Donc, les parents de Tony sont Cynthia, dit-elle en indiquant la maison, et Ron. Ils étaient mariés depuis un certain temps quand ils ont eu Tony. Ron est… Ron n'a pas eu une enfance facile et il n'a pas été un père très fiable. Tony avait sept ans au moment de la séparation. »

Elle choisissait ses mots avec soin, comme une politicienne ou peut-être une avocate. Deux professions qui ne cadraient pas avec la vision qu'il avait d'elle.

« Ron n'était pas… violent ni rien. Ou peut-être que… »

Elle s'interrompit encore. Rice leva son stylo.

« Et si je posais ça deux minutes et que vous vous détendiez un peu au sujet de Ron ? »

Elle rit et porta sa main à son visage, comme pour se cacher.

« J'ai simplement besoin d'un peu de contexte, pour me faire une idée de la dynamique familiale. C'est toujours utile. »

Il ne se renseignait pas systématiquement sur les proches de la victime, mais assez souvent quand même. En particulier dans ce genre d'affaires, sachant que la vie de Nick allait être décortiquée par la défense, dans l'espoir de trouver des éléments pour décrédibiliser son témoignage.

« Je comprends. J'ai eu l'occasion de voir toutes les dynamiques familiales possibles et imaginables dans mon travail.

— Vous faites quoi ?

— Je réalise des études pour les décideurs politiques, maintenant. Mais j'ai été avocate : principalement du pénal et des dossiers impliquant des mineurs. »

Rice croisa sa jambe droite sur la gauche.

« Dans ce cas, vous comprenez. »

Elle acquiesça.

« Et franchement, Ron est un cas d'école. Il est alcoolique – Tony l'a toujours connu comme ça –, et quand Cynthia et lui se sont séparés, il a plus ou moins disparu de la vie de son fils. Cynthia est une femme très chaleureuse, très affectueuse, Tony a eu de la chance. Nick, lui, n'en a pas eu autant.

— Alors, Nick, justement ?

— Oui. Ron est leur père à tous les deux. Tony avait dix-sept ans à la naissance de Nick, donc il en avait quinze ou seize quand son père s'est mis en ménage avec Jeannie.

— Et c'est quoi, le problème de Jeannie ?

— La drogue. Et des fois elle est un peu… »

Julia agita la main au-dessus de sa tête. Le mot « hystérique » vint à l'esprit de Rice.

« Ils sont au courant ? »

Elle secoua la tête.

« Ils ne savent même pas qu'il est à l'hôpital. Il ne veut pas le leur dire. »

Sa voix s'éteignit et elle haussa les épaules. Son visage se crispa, une grimace qu'il avait l'habitude de voir quand les gens essayaient de retenir leurs larmes.

« Il s'en remettra, Julia. Ça prendra du temps, mais Nick s'en remettra. »

Il sortit des mouchoirs en papier de sa poche.

« C'est un garçon adorable, dit-elle, se servant dans le paquet. Et Tony est très proche de lui. D'une certaine manière, c'est Nick qui a fait de Tony l'homme qu'il est aujourd'hui. Dieu sait ce qu'il serait devenu sans lui.

— Comment ça ?

— Cynthia dit toujours que la naissance de Nick l'a adouci. Adolescent, c'était un petit caïd macho, en colère contre son père, en colère contre le monde entier, en fait. Et vous l'avez vu, avec sa gueule d'ange : le type même du connard irrésistible. »

Rice gloussa. Elle avait raison. Non seulement Tony Hall était grand et musclé, mais il avait un physique de mannequin. Le genre de visage qui donnait envie de le détester simplement parce qu'il avait ce que vous n'aviez pas. Rice se demanda ce que Julia aurait pensé de lui quand il avait l'âge de son mari. Il avait gardé des cicatrices d'acné discrètes sur les joues, mais, plus jeune, ce visage grêlé lui donnait l'air d'un dur. C'était ce que prétendait sa femme, en tout cas.

« Nick l'a fait fondre, reprit Julia, se tamponnant les yeux. Aujourd'hui, Tony est un homme tendre, capable d'exprimer ses émotions, communicatif. Je suppose que c'est horriblement cliché de dire ça de son mari, ajouta-t-elle en riant. Quoi qu'il en soit, j'ai de la chance. Même si Cynthia a clairement sa part, c'est surtout grâce à Nick. Il est drôle, plein d'humour, charmant, sincère. Mais après ça, je ne sais pas… »

Derrière eux, Rice entendit les enfants bondir dans l'escalier. Quelques secondes plus tard, il reconnut les pas de la mère de Tony. La cavalcade s'éloigna dans le couloir en direction de la cuisine. Il rangea les mouchoirs en papier dans sa poche, et en tira un petit enregistreur argenté.

« Je suis conscient que c'est dur, mais je vais devoir vous poser des questions à propos d'hier.

— D'accord, dit Julia avec un soupir. Nick ne nous a appelés qu'après dîner. »

3

Tony Hall, 2015

C'était un samedi soir comme tant d'autres. Assis sous la véranda, Tony et Julia regardaient le ciel rosir. Leurs voisins avaient jeté une couverture de foin dorée sur le champ d'en face, et ils avaient l'impression de contempler un tableau. Puis le téléphone avait sonné.

Dans la salle d'attente, il essayait de se remémorer les mots exacts de la femme à qui il avait parlé. Elle avait dit son nom… le Dr Lamba ? Elle appelait du centre médical du comté d'York.

La première pensée de Tony avait été pour son père. Il a fini par se tuer en conduisant en état d'ivresse, songea-t-il. Par pitié, faites qu'il n'y ait pas d'autre victime. Mais il ne s'agissait pas de Ron. C'était Nick.

« Votre frère a été blessé », lui avait-elle annoncé sans plus de précisions.

Tony avait demandé s'il y avait eu un accident de voiture.

« Non. Vous pouvez venir tout de suite ? »

Il avait fait aussi vite que possible : il avait couru à la voiture, foncé sur la voie rapide et traversé le parking au pas de course, pour devoir finalement s'arrêter à la réception. La décharge nerveuse causée par l'appel était toujours là, prisonnière de son corps, et il se sentait électrique.

Il sortit son téléphone et écrivit à Julia.

Tu arrives quand ?

Elle gardait les enfants, en attendant l'arrivée de Cynthia. Il se sentirait mieux quand elle serait à ses côtés. Ou quand on l'autoriserait à voir Nick. Encore que. Se sentirait-il réellement mieux ?

« Votre frère a été blessé. » Ces mots étranges avaient résonné dans sa tête pendant tout le trajet. Vagues et pourtant graves. Ce n'était pas un accident ; on ne lui avait rien dit d'autre. Mais quoi, alors ? Intoxication alcoolique ? Rixe de bar ? Ça n'était pas le genre de Nick, mais quand on était étudiant, les fêtes pouvaient dégénérer pour un rien. Pourvu qu'il n'y ait pas eu de fusillade à l'université. Mais non, il en aurait entendu parler à la radio sur la route. Malgré tout, il ouvrit le navigateur de son téléphone. *Infos université de Maine Salisbury*. Rien. *Informations Salisbury Maine*. Rien non plus.

Qu'avait dit d'autre la docteure ? Son âge. Elle voulait connaître l'âge de Nick. Quand Tony lui avait dit qu'il avait vingt ans, elle lui avait expliqué qu'il avait de faux papiers sur lui. Nick ne souhaitait pas qu'on appelle ses parents et elle désirait simplement s'assurer qu'elle n'était pas légalement obligée de les prévenir.

« Monsieur Hall ? » Une femme d'un certain âge en blouse blanche se tenait sur le seuil. Il bondit de sa chaise et s'avança pour lui serrer la main. Elle se présenta : Dr Lamba. Ils s'étaient parlé au téléphone. Sa voix était basse et ferme. Ses yeux marron bienveillants n'exprimaient pas de condoléances, constata-t-il avec soulagement. Ce n'était peut-être pas si grave.

Il la suivit dans un long couloir, tandis qu'elle lui expliquait que Nick était arrivé à l'hôpital en fin de matinée.

« Comme je vous l'ai dit au téléphone, il a insisté pour qu'on vous appelle, vous et personne d'autre. »

Tony l'écoutait, les yeux fixés sur le chouchou dans ses cheveux. En velours noir, bas sur la nuque. Ils s'approchaient d'une double porte. Au-dessus il lut : « SERVICE DE SANTÉ MENTALE ».

« Attendez, dit-il, le regard rivé sur les lettres. Nick est là-dedans ? »

Ils se retrouvèrent dans une pièce exiguë, entourée de vitres en verre armé. Une lourde porte permettait d'accéder au service. Le Dr Lamba l'invita à s'asseoir sur l'une des deux petites chaises noires dans le coin à droite.

« Votre frère a été victime d'une agression sexuelle la nuit dernière », dit-elle, posant la main sur son avant-bras.

Il la dévisagea sans mot dire.

« Il a été bien amoché. Je voulais vous préparer. Nous avons…

— Attendez. Arrêtez. Arrêtez. »

Elle s'interrompit.

« Non. Non, personne ne lui ferait un truc pareil. Ce n'est pas… C'est absurde. »

Alors qu'il s'écoutait parler, une voix étrangement détachée dans sa tête murmurait : *Non, c'est toi qui es absurde*.

« Je compatis, monsieur Hall. »

Il enfouit son visage dans ses mains.

« S'il vous plaît, non. »

Il sentit sa main sur son épaule.

« Les urgences ont soigné ses blessures. La bonne nouvelle, c'est qu'il pourrait sortir dès maintenant, s'il le souhaitait. Et l'autre bonne nouvelle, c'est qu'il a suivi mon conseil et qu'il a demandé à être admis dans notre service de santé mentale, où il pourra passer deux ou trois nuits.

— Arrêtez de parler de bonnes nouvelles, s'il vous plaît !

— Bien sûr. »

La main massait son épaule, décrivant des petits mouvements circulaires.

S'il a été agressé, il y a un agresseur. La prise de conscience fut aussi brutale qu'une claque. Il releva la tête.

« Où est le putain d'enfoiré qui lui a fait ça ?

— Nick s'est déjà entretenu avec un policier. S'il vous plaît, vous devez vous concentrer sur votre frère, le sermonna le Dr Lamba en le regardant dans les yeux. Il a besoin de vous. Ne vous focalisez pas sur celui qui s'en est pris à lui. La police s'en charge. Votre priorité, c'est Nick. »

Le visage de Nick était fichu.

Ce fut la première pensée de Tony. Son frère était étendu sur les couvertures. Il aurait pu être en train de regarder la télé à l'hôtel. Mais son visage n'était pas normal. C'était lui et ce n'était pas lui : les lèvres étaient fendues et enflées, un sourcil était entaillé. Il avait des bleus sur une joue, le front et le menton, comme s'il était tombé dans l'escalier.

« Nick ? »

Il sourit, puis tressaillit et lécha la croûte sur sa lèvre.

« Putain, dit Tony, au bord des larmes.

— Je vais bien, répondit Nick d'un air rassurant.

— Je peux ? »

Il indiquait le torse du jeune homme, qui leva docilement les bras. Tony se pencha vers lui, les yeux luisants, glissa les mains sous son dos et posa sa joue contre la sienne. Lorsqu'il s'écarta, le visage de Nick était humide. C'étaient les larmes de Tony. Son regard à lui était sec.

« Pardon.

— Pourquoi ? »

Parce que je pleure devant toi. Parce que je suis dans tous mes états alors que tu me dis que ça va. Parce que je n'ai pas pu être là plus vite. Pour ce qui s'est passé.

Mais il se tut. Quand il se retourna pour prendre une chaise, il constata que le Dr Lamba avait refermé la porte derrière lui. Ils étaient seuls.

« Donc… »

Les pensées se bousculaient dans sa tête. Devait-il lui demander ce qui s'était passé ? Et comment ? Voulait-il réellement savoir ? Était-ce égoïste de sa part ? Quels étaient les mots à ne pas prononcer ?

« Où est Julia ? »

Cette simple question chassa toutes les autres.

« À la maison, avec les enfants. Elle attend ma mère pour nous rejoindre à l'hôpital.

— Elle va venir ce soir ?

— Oui, si tu veux. Uniquement si tu veux.

— Oui, bien sûr. J'ai failli donner son nom à la place du tien. »

Tony leva les yeux au ciel.

« Super.

— Elle, au moins, elle n'aurait pas pleuré, dit Nick avec un sourire qui lui arracha un petit cri. Merde », ajouta-t-il, portant un doigt à sa lèvre fendue.

Tony examinait son frère. Il devait y avoir un malentendu, ce n'était pas quelqu'un qui avait subi une agression sexuelle. Il s'était pris une sacrée dérouillée, ça ne faisait aucun doute. Peut-être avait-il essayé de draguer un connard homophobe qui l'avait démoli ? Ou alors il avait été dévalisé. Mais pas ça, pas ce que le Dr Lamba avait dit. Ils se taquinaient, fidèles à leurs habitudes. Comme quand Nick était petit et que Tony faisait exprès de perdre contre lui aux dames. Et il était calme – tellement calme. Il avait dû dire qu'il avait été agressé et on avait mal compris. Ça devait être ça. Nick semblait…

Un coup à la porte interrompit le cours de ses réflexions. « Pardon de vous déranger », fit une voix grave. Un homme de haute taille se tenait sur le seuil. Il était en civil, mais il aurait aussi bien pu arborer un tee-shirt avec les mots : « JE SUIS FLIC » sous son coupe-vent, au lieu d'une chemise blanche sans cravate.

« Inspecteur John Rice, se présenta-t-il en entrant dans la chambre. Police de Salisbury. Je pense que l'agent Merlo vous a prévenu de ma visite. »

Nick se redressa sur le lit.

« Oui. Bonsoir. »

Il y eut un silence, et Tony sentit l'atmosphère se tendre d'un coup.

L'inspecteur traversa la pièce en deux enjambées. Il devait faire deux mètres, peut-être plus. Son visage était tanné et ridé, la petite soixantaine. Le géant sortit deux cartes de visite de sa poche et leur en donna chacun une.

Puis il serra la main de Nick, chaleureusement, comme s'il avait affaire à une nouvelle recrue.

« Enchanté. Et vous êtes le frère ?

— Oui. Tony, dit celui-ci en lui tendant la main.

— Enchanté. Je ne fais que passer, ajouta-t-il en se tournant vers Nick. Je voulais juste vous donner les formulaires.

— C'est quoi ? »

Devançant son frère, Tony s'empara des feuilles. Il s'agissait de documents avec en haut quelques lignes à remplir : *nom, date de naissance, date de l'agression.*

« L'agent Merlo a déjà pris la déposition de Nick et l'infirmière SAS l'a examiné.

— L'infirmière quoi ?

— Pardon, dit l'inspecteur en toussant. L'infirmière spécialiste des agressions sexuelles. Aux urgences.

— Ah, fit Tony, abasourdi.

— Son compte rendu est généralement assez complet, donc je préfère vous laisser vous reposer encore un peu. Mais il faudra que je repasse demain. Ça vous convient, Nick ?

— Oui.

— Pourquoi est-ce que vous devez revenir ? demanda Tony, feuilletant les formulaires qui se révélèrent tous identiques.

— Pour l'interroger. Obtenir un récit détaillé aussi rapidement que possible après les faits est essentiel, dans ce genre d'affaires. Plus vite vous mettrez des mots dessus, Nick, mieux vous vous en souviendrez ensuite, et ça m'aidera à faire mon travail. Pour ce soir, je voudrais juste que vous écriviez tout ce que vous vous rappelez, en commençant par la journée de vendredi. On était bien vendredi, hier ?

— Quand ça s'est passé ?

— Oui.

— Hier soir, tard dans la nuit. Je raconte toute ma journée ?

— Pas besoin de vous attarder sur ce que vous avez fait avant dîner. Et s'il y a besoin, je vous demanderai des détails supplémentaires demain. Je récupérerai les papiers dans la matinée et je prendrai le temps de les lire avant qu'on se parle. Vous pensez pouvoir faire ça ce soir ? »

Tony regarda de nouveau son frère. Pour la première fois depuis qu'il avait pénétré dans la chambre, il semblait sur le point de pleurer.

« Oui.

— Merci. Tony, est-ce que ça vous embêterait de sortir deux secondes avec moi pour me confirmer quelques numéros ? »

Il hocha la tête.

« À demain, Nick. »

Les deux hommes sortirent et Tony referma la porte de la chambre derrière lui.

« Est-ce que ce témoignage écrit est réellement indispensable, inspecteur ? Parce que je ne pense pas…

— Écoutez. C'est un moment pénible, j'en suis conscient, mais je vous promets que je ne demande jamais rien qui ne soit vraiment indispensable à une victime de viol. »

Tony tressaillit. *Victime de viol*. C'était brutal d'entendre ça au lieu du nom de Nick. Comme si le policier l'avait blessé intentionnellement pour lui rabattre le caquet.

« Nous montons un dossier. Vous devez garder ça en tête. Dans le meilleur des cas, on met la main sur l'agresseur, mais l'attraper ne sert à rien si on n'a pas d'éléments solides pour qu'il soit jugé. Le récit de Nick fait partie des preuves.

— Est-ce que je… »

La voix de Tony se brisa. Il allait fondre en larmes devant cet inconnu. Il écarquilla les yeux pour s'empêcher de pleurer. Il expira bruyamment et réessaya.

« Est-ce que je peux l'aider à remplir ces papiers ?

— C'est mieux s'il le fait seul. Dans ce genre d'affaires, le plus souvent, la balance penche du côté de celui qui présente la version la plus crédible. Ça ne nous avancera à rien si vous rédigez l'histoire à sa place. Mais vous pouvez être présent à ses côtés pendant qu'il l'écrit. »

Tony donna aux policiers les noms, téléphone et adresse des parents de Nick et ses propres coordonnées, mais pendant ce temps, les mots « victime de viol » tournaient inlassablement dans sa tête.

Après le départ de l'inspecteur, il retourna dans la chambre. Nick fronça les sourcils en le voyant.

« Pourquoi est-ce que tu as fermé la porte ? »

Tony sentait la migraine qui lui vrillait les tempes s'étendre, un linge humide brûlant qui lui enveloppait le crâne et redescendait sur sa nuque.

« Je n'en sais rien… comme ça.

— Pourquoi ? fit le jeune homme, si vite qu'il n'avait pas pu entendre sa réponse.

— Nick… » Il s'interrompit, pris au dépourvu. « Excuse-moi. Je n'essaie pas de te materner, je voulais juste lui demander si tu avais vraiment besoin de remplir ces documents ce soir.

— Donc, tu me maternais. Il s'agit simplement d'écrire des mots sur du papier et j'ai dit que je le ferais.

— Bon sang, Nick, est-ce que je n'ai pas le droit de te couver un peu, un jour comme aujourd'hui ? »

Tony criait presque maintenant. Les deux frères se toisèrent.

« Qu'est-ce que tu veux ? Que je fasse comme si tout allait bien ?

— Mais je vais bien. »

Tony secoua la tête et regarda les formulaires dans sa main. Il lut les mots : *Déclaration de la victime décrivant les dommages corporels, moraux, matériels ou financiers*.

Nick le dévisageait.

« Je ne sais pas comment te demander ce qui s'est passé. »

4

Nick Hall, 2015

Voici ce qui s'était passé.

Le premier vendredi d'octobre, Nick Hall avait reçu un SMS du garçon dont il était amoureux.

Pendant son cours d'introduction à l'économie, il avait jeté un coup d'œil discret au téléphone dans sa poche. Les notifications affichaient : ELLA, MAMAN et CHRIS. Il s'arrêta sur le dernier nom. Un frémissement d'anticipation le parcourut. Il n'y avait pas à réfléchir : pour un message de Chris, il était prêt à se faire prendre avec son portable en classe.

Nick sortit complètement le téléphone et le posa sur sa cuisse. Il fit rapidement défiler les autres SMS.

Chris : *Hé*

Rien d'autre. Pas de ponctuation, pas de réponse au dernier texto de Nick. Aucun effort. Mais au moins il avait écrit. Et ce *Hé* avait quelque chose de sexy – tout dépendait de la façon dont on le disait. Chris l'aurait dit comme il le fallait, un *Hé* suggestif. Le SMS avait à peine vingt minutes. Nick ne pouvait pas répondre tout de suite : il aurait l'air trop accro. En même temps, ça montrerait à Chris qu'il ne jouait pas, qu'il assumait ses désirs. Oui, peut-être qu'il devrait répondre maintenant. Il leva les yeux. Le professeur parlait, le regard rivé sur lui. Nick lui adressa un sourire penaud et fourra le portable dans sa poche.

Parce qu'il était en troisième année et jouissait d'une bonne réputation à l'université Maine Salisbury, Nick avait le privilège de louer un taudis miteux en ville au lieu d'habiter sur le campus. Une société possédait un certain nombre de maisons sur Spring Street, rebaptisée « rue de la Fraternité » par des générations d'étudiants. Bien qu'à l'UMS il n'y ait pas de club de type fraternité, les fêtes étaient fréquentes sur Spring Street. Nick et trois amis avaient loué la maison jaune. Des portes poisseuses, un sous-sol à la moquette moisie et des placards minuscules : c'était le prix à payer pour échapper à la tyrannie de la résidence universitaire.

Alors que la nuit tombait sur ce premier vendredi d'octobre, Nick étudiait son reflet dans le miroir bon marché accroché à la porte de l'un desdits placards. Il portait un jean ajusté et une chemisette à pois. Avec ses baskets bleu marine et sa parka grise, c'était sa tenue fétiche du moment. Il l'avait mise pour dîner avec Julia et Tony quinze jours plus tôt, et tous les deux s'étaient extasiés devant son élégance. Et ils avaient raison. Alors, pourquoi se trouvait-il aussi moche ce soir ? Il s'approcha de sa commode et ouvrit un tiroir, passa les doigts sur le coton doux de sa collection de tee-shirts rock à gauche, se demandant s'il ne devrait pas opter pour un look plus cool. Chris, lui, affichait en toute circonstance l'élégance naturelle du mec qui n'en a rien à foutre. Afro courte, boucle dans le nez, jean usé juste ce qu'il faut, et une allure qui tenait de l'aura. Nick voyait bien que tout chez lui indiquait l'effort, et c'était nul. Il sortit son vieux tee-shirt Bruce Springsteen : il était blanc terni, avec la pochette de *Born in the USA* dessus. Rien qu'en le regardant, il entendait un grésillement, le tressautement du saphir, et « Dancing in the Dark » sur l'électrophone de son père. Il avait huit ans, Ron était éméché et faisait tournoyer une Jeannie hilare dans le salon. Ils s'étaient disputés, mais si quelqu'un pouvait les rabibocher, c'était le Boss. Peu importaient les menaces lancées par Jeannie (appeler les flics, demander le divorce, « emmener Nick chez ma mère et tu ne le reverras jamais »), et ce que son père avait pu casser (une assiette, une bière, la vitre de la porte du jardin). Ron Hall n'avait qu'à déposer le saphir de l'antique électrophone sur le vinyle pour qu'ils se réconcilient.

Ce tee-shirt charriait un mélange de nostalgie, de vague à l'âme et de regret. Il lui permettrait de passer de la catégorie *appliqué* au style *ténébreux*.

Alors qu'il déboutonnait sa chemise, la porte de sa chambre s'entrouvrit et Mary Jo, l'une de ses colocataires, apparut dans l'embrasure.

« Tu es décent ?

— Qu'est-ce que ça peut faire ?

— J'espérais te surprendre la quéquette à l'air, pouffa-t-elle.

— Beurk ! Dehors ! dit-il en la fouettant avec son tee-shirt qu'elle attrapa avec un glapissement.

— Si tu veux toujours qu'on te dépose, Eric vient me chercher dans dix minutes, un quart d'heure. »

Il prit son téléphone sur la commode. Trois heures après que Nick avait répondu au SMS laconique de Chris, celui-ci lui avait proposé qu'ils se retrouvent « pour boire un verre ».

Chris était en master, il avait vingt-deux ans et il était blasé. Les fêtes étudiantes le soûlaient, il préférait les bars. Nick n'aurait vingt et un ans qu'en mars prochain. Il en était donc réduit à utiliser de faux papiers pour sortir et consommer de l'alcool.

Il avait répondu : *Le Jimmy's ?*

Salisbury n'était pas très loin d'Ogunquit, une proximité tentante, car on y trouvait quelques-uns des bars et des boîtes les plus cool du Maine. C'était ce que Nick avait entendu dire, en tout cas. Lui n'avait jamais pu mettre les pieds dans un établissement de la ville. Avec son faux permis de conduire, il suffisait d'un coup d'œil pour le recaler. Le Jimmy's Pub, en revanche, l'avait laissé entrer deux fois. Et il se trouvait à deux pas du campus. C'était un bouge, mais il y avait tout ce qu'on pouvait demander à un bar : des lumières tamisées, de l'alcool pas cher et une petite piste de danse poisseuse. Chris n'avait pas encore répondu, ce qui n'avait rien de vraiment surprenant.

« Je ne sais pas si je vais en avoir besoin, tout compte fait, répondit Nick à Mary Jo en désignant son téléphone.

— Chris ? Envoie-le chier. Il t'a assez fait tourner en bourrique. Pourquoi tu ne nous retrouverais pas après dîner ? Eric et moi, on ira au Jimmy's avec toi ! »

Le téléphone de Nick vibra dans sa main. C'était Chris.

Un choix intéressant. 22 h ?

Nick ne put s'empêcher de sourire. Mary Jo avait raison. Chris le faisait tourner en bourrique, mais à cet instant, il s'en moquait.

« J'adorerais tenir la chandelle, mais on dirait que j'ai un rencard. »

Mary Jo leva les yeux au ciel.

« Qu'est-ce qu'il dit ?

— Il pense que je suis intéressant et on se retrouve à 22 heures.

— Hein ? Il est à peine plus de 19 heures, tu lui as écrit cet après-midi, et il te donne rendez-vous à 22 heures ? Quel chien ! Il n'essaie même pas de faire comme si c'était autre chose qu'un plan cul. »

La tête d'Ella apparut derrière Mary Jo.

« Ce n'est pas mon genre d'écouter aux portes, mais si ça avait été le cas, dit-elle en contournant l'autre fille, j'aurais une proposition à te faire. »

Ella s'assit sur le lit défait de Nick et passa une main dans ses cheveux noirs soyeux.

« On va au Jimmy's tous les deux, on se boit un ou deux verres, peut-être un shot, juste histoire d'avoir un coup dans le nez, pas plus. Et quand Chris se pointe après 22 heures – vu qu'il sera en retard comme d'habitude –, je vous laisse en tête à tête, et tu pourras l'engueuler !

— Je ne vais pas l'engueuler. Et tu te trompes à propos de Chris. Je veux dire, tu as raison, mais tu te trompes. C'est génial, quand on est ensemble.

— Mais il te rend malheureux quand il n'est pas là », répliqua Mary Jo.

Elle avait raison. Ils avaient tous raison. Même Johnny, leur autre colocataire, un garçon de peu de mots, avait déclaré à propos de Chris : « Ça a l'air d'être un vrai connard. »

Mary Jo et Ella attendaient sa réponse.

« OK. Juste deux ou trois verres pour me donner le courage de lui dire de changer d'attitude ou d'aller se faire voir. »

Ella glapit et applaudit comme une gamine.

« Maintenant, sortez, que je me change. »

Il était 22 h 38 et pas de nouvelles de Chris.

Nick avait été sage : il n'avait bu que trois verres depuis leur arrivée, à 21 heures passées, même si le premier était un shot de tequila. Nick n'était pas d'humeur à picoler, mais il était reconnaissant à son amie de l'avoir accompagné, et les shots, Ella adorait ça.

Il n'avait pas vu filer la première heure. La jeune fille l'avait entraîné à une table au fond du bar et l'avait fait asseoir dos à la porte, se disant que c'était la seule manière d'avoir toute son attention. Ella était la camarade idéale pour le distraire de ses pensées. Ils avaient babillé au sujet de leurs colocataires et d'autres amis communs. Quand Nick avait consulté son téléphone et découvert qu'il était déjà 21 h 59, il avait essayé de se motiver. Il ne devait pas se dégonfler. Il dirait à Chris ce qu'il ressentait. Ils avaient cette relation intermittente – enfin, c'était Chris qui ne savait pas ce qu'il voulait – depuis la fin de l'année précédente. Nick était dingue de lui, alors pourquoi est-ce qu'ils ne se donnaient pas une chance ?

À présent il était 22 h 03 et, chaque fois qu'il entendait la porte derrière lui, il avait une montée d'adrénaline qui retombait brutalement lorsqu'il constatait que ce n'était pas Chris. À 22h16, il commença à se sentir en colère.

Je suis un bon plan, se répétait-il. *Un super bon plan, alors il a intérêt à me traiter comme je le mérite. Sinon, qu'il rompe. Non, c'est moi qui romprai.*

À 22h38, il avait consulté son téléphone au moins quarante fois. Pas de message, pas de Chris. Il envisagea de lui écrire pour lui dire qu'il était inutile de venir, maintenant... mais un message trahirait à quel point il tenait à lui.

« Bon, dit Ella d'une voix retentissante, frappant les paumes sur la table. J'en ai assez. Je vais pisser, puis on reprend un shot et on danse. Et s'il débarque la gueule enfarinée, je lui flanque un coup de pied dans les couilles et on se tire. »

Nick sourit mais ne parvint pas à rire. Il était pitoyable. Pourquoi Chris le plantait-il toujours ? Et pourquoi le laissait-il faire ?

Ella se glissa hors du box et se pencha sur lui.

« Deux tequilas », dit-elle, avant de se diriger vers les toilettes.

Nick se leva à son tour pour aller commander. Il savait que la soirée n'avait que deux issues possibles. Avec un peu de chance, Ella et lui boiraient et danseraient jusqu'à ce que les employés mettent les tabourets sur le comptoir. Avec un peu de chance, il passerait une soirée d'enfer malgré tout. Mais il penchait plutôt pour la seconde solution : il boirait son shot, danserait sans conviction sur une chanson ou deux, puis s'éclipserait aux toilettes pour s'examiner dans le miroir. Sous l'influence de la mauvaise tequila et de l'éclairage blafard, il verrait ses traits devenir plus marqués, le visage d'un inconnu, et il s'efforcerait de comprendre ce qui chez lui suscitait le rejet.

Le barman posa les deux petits verres devant Nick.

« C'est pour moi, le second ? »

Il se tourna vers la voix à sa gauche. Celui qui avait parlé était en train de s'asseoir sur un tabouret. Nick ne l'avait pas vu entrer. Il surveillait la porte depuis un petit moment et il n'aurait pas raté un visage pareil. Cet homme était si beau que c'en était presque gênant. Il avait les cheveux plus longs sur le dessus, et une boucle brune retombait sur son front pâle. Des yeux bleu clair, de hautes pommettes, une barbe de deux jours. Merde. C'était peut-être à cause de l'éclairage ou de l'alcool, mais c'était sans doute le mec le plus canon qui lui avait jamais adressé la parole.

« Euh », bafouilla Nick. L'autre attendait avec un sourire narquois. *Ella comprendra si je donne son verre à une bombe pareille. En fait, elle s'en attribuera tout le mérite, vu que c'est elle qui m'a envoyé au bar.*

« Oui. Bien sûr, dit-il enfin, je paie toujours des coups aux mecs qui jouent dans la catégorie supérieure, histoire de combler l'écart. »

L'autre rit et Nick se rengorgea. Il ne savait pas comment il était parvenu à sortir une phrase cohérente. Il fit glisser la tequila vers le bel inconnu.

« Tu es sûr qu'elle ne sera pas déçue ? » demanda celui-ci en indiquant du menton les toilettes.

Il avait dû voir Ella.

« Non. Elle ne reviendra sans doute même pas à la table – dans cinq minutes, elle sera sur la piste avec une fille qu'elle a rencontrée aux chiottes. »

L'homme fit tourner le verre sur le comptoir.

« Comme ça, vous avez un arrangement, tous les deux ?

— Oui, oui. »

Nick ne voyait pas trop ce qu'il voulait dire, mais il avait parlé avec assurance. Il se sentait intelligent, cool – le contraire de ce qu'il éprouvait quand il était avec Chris. Comment était-ce possible alors qu'il était en train de bavarder avec un type qui ressemblait à un mannequin sortant d'une séance photo ?

« Josh, dit l'homme en levant son verre.

— Nick. »

Il renversa la tête. La tequila lui brûla la gorge. Il avait l'impression d'avaler de l'alcool à friction.

« Eh ben ! s'écria Josh, regardant Nick comme s'il l'avait empoisonné. Ça doit être la pire tequila que j'aie jamais bue. Un vrai tord-boyaux pour étudiants fauchés. La prochaine est pour moi », ajouta-t-il, se penchant en avant pour sortir son portefeuille de la poche arrière du pantalon qui lui moulait les fesses.

Tandis que Josh hélait le barman, Nick se dit qu'il s'était peut-être trompé. Il y avait une troisième issue possible à cette soirée.

Le soleil brûlait le visage douloureux du garçon. Lorsqu'il essaya de se retourner, il sentit son cerveau décrire un looping à l'intérieur de son crâne. Il s'immobilisa et attendit que ça passe, mais l'élancement se propagea au reste du corps. Le cou, les épaules, le ventre… *Oh merde*. Nick bougea un peu et un feu cuisant lui embrasa les entrailles. Il avait baisé, la nuit dernière. Non. Pire.

La voix de Josh : « Alors, t'aimes ça ? »

STOP. *On arrête tout. Je vais bien. Je vais bien.* Il s'assit, avec la sensation d'avoir un marteau-piqueur dans la tête et de recevoir un coup de poignard dans le bas-ventre. « Tu aimes ça ? ». STOP.

Il était seul. C'était une chambre de motel, petite et beige, qui puait la cigarette.

Il écarta la fine couette. Du sang. Il avait du sang sous les cuisses.

« Oh non », murmura-t-il.

Est-ce que Josh était encore là ? Il tendit l'oreille. N'entendit rien.

« Hello ? »

Toujours rien.

« Ça va, chuchota-t-il. Tu n'as rien. »

Et s'il revenait ?

Une voix dans sa tête, distincte de celle qui avait besoin de murmurer : *Tu dois te lever. Tu dois te tirer d'ici.*

Il posa les jambes par terre et une douleur aiguë le transperça lorsqu'il se redressa. Il s'entendit gémir et eut l'impression d'être un enfant. La sensation s'atténua et se transforma en brûlure diffuse, tandis que le mal de crâne revenait en force.

Ne t'arrête pas, disait la voix. *Tu dois partir d'ici.*

Ses vêtements étaient éparpillés aux quatre coins de la pièce. Il ramassa son pantalon et l'enfila, laissant son slip. Merde, il allait tacher son jean. Comment est-ce qu'il le nettoierait ? Il mit son tee-shirt à l'envers et attrapa sa veste. Il sentit le portefeuille dans la poche arrière, en revanche, pas de téléphone. Il le chercha dans sa parka. Rien. Il se baissa. Son cerveau tapa contre sa boîte crânienne, lui hurlant de ne pas se pencher comme ça. Là. Sous le lit. *Récupère-le et file*. Il tendit le bras et sa main se referma sur le cuir velouté.

Il entendit frapper derrière lui et il glapit. En relevant la tête, il se cogna contre le cadre.

« Ménage », dit une voix douce.

Nick se remit sur ses pieds. *Cache le sang*. Il rabattit la couette et se retourna au moment où la porte s'ouvrait sur une femme maigre vêtue de noir. Elle sursauta à sa vue.

« Oh, pardon, jeune homme. On m'avait dit que vous étiez parti.

— Désolé. »

Elle s'écarta pour le laisser passer.

« Vous oubliez quelque chose. »

Il se retourna et la vit qui indiquait son slip par terre. Une inconnue regardait ses sous-vêtements. Et lui demandait de les ramasser. En déduisant, à raison, qu'il n'en avait pas sur lui.

« Désolé », dit-il encore. Il se baissa et le fourra dans sa poche.

Dehors, l'air était frais. Nick repéra immédiatement un taxi garé sous le panneau « MOTEL 4 DELUXE », à la sortie du parking menant à la route 1. Sa veste à la main, il dévala les marches et se dirigea vers le véhicule. Il pensait toujours à la femme de ménage. La pauvre. Elle allait voir le sang en refaisant le lit. Comment réagirait-elle devant le drap souillé ?

Le chauffeur baissa la vitre côté passager. *Merde*. Il avait dépensé tout son argent au bar.

Nick s'agrippa à la fenêtre.

« Vous prenez la carte ?

— Je n'ai pas la machine. Il faudra que j'appelle le central, mais oui, je peux prendre la carte. »

Les taxis affichaient toujours un air irrité quand on leur posait cette question, mais lui semblait plus inquiet qu'agacé.

« Allez, monte, petit. »

Nick s'assit précautionneusement à l'arrière. Le sang. Le sang risquait de traverser son pantalon, de tacher la banquette. Il glissa une main sous ses fesses.

« Ça va ? »

L'homme replet se tourna vers lui. Il avait la cinquantaine et portait une casquette de livreur de journaux.

« Pardon ?

— Qui t'a fait ça ? »

Nick se sentit devenir rouge brique mais il ne répondit pas.

« Ton visage. »

Il leva les yeux vers le rétroviseur central. Il eut un choc en découvrant son reflet. Sa lèvre était fendue et il y avait une croûte de sang au-dessus de ses sourcils.

Donne-lui ton adresse.

« 311 Spring Street. S'il vous plaît. »

Le regard du chauffeur s'attarda sur lui un instant et il soupira.

« Très bien. »

La femme de ménage allait-elle appeler la police en découvrant du sang ? Le motel connaissait-il son nom ? *Regarde ton téléphone*. L'écran était rempli de SMS. Chris lui avait écrit deux fois pour s'excuser, une première juste après minuit : il avait été « retenu », et une seconde ce matin pour lui demander quand il pouvait le voir pour se faire pardonner. À 22 h 59, la nuit dernière, Ella avait démarré une conversation de groupe avec leurs colocataires, annonçant :

NICK FAIT DES RAVAGES AU JIMMY'S

Ella avait envoyé une photo de mauvaise qualité de Nick au bar avec Josh. Suivaient une dizaine de messages entre Mary Jo et Ella, puis un de Johnny ce matin.

Hé, j'ai raté un truc la nuit dernière ou quoi ?

La bouche de Nick s'emplit de salive.

« Arrêtez-vous, s'il vous plaît. »

Le chauffeur obéit. Nick ouvrit la portière et se pencha. L'air frais et sec lui fit passer l'envie de vomir. *Arrête d'y penser.*

Il se redressa et s'appuya contre le dossier, referma la portière.

« Désolé.

— C'est pas grave. La nuit a été dure ? »

Nick ne répondit pas et l'homme repartit.

Arrivé à destination, le chauffeur prit sa carte.

« Vous devriez vous mettre de la glace sur le visage », lui dit-il en la lui rendant.

Nick le remercia-t-il ou se contenta-t-il de le penser ? Il ne le savait même pas.

Il descendit et resta quelques instants sur le trottoir devant la maison, les jambes rigides. Avec un peu de chance, il n'y aurait personne pour lui poser de questions. Mais alors, il serait seul. *Dans tous les cas, tu es perdant*, dit la voix dans sa tête d'un ton neutre. *De toute façon tu dois rentrer chez toi.*

Au moment où il franchissait le seuil, Ella l'appela de la cuisine.

« Nick, c'est toi ?

— Euh, oui », bredouilla-t-il, découvrant avec horreur qu'il avait les larmes aux yeux rien qu'en entendant son amie. C'était comme si quelque chose en lui s'était déconnecté au motel et que sa question – c'est toi, Nick ? – avait rétabli le contact.

« Alors, comment ça s'est fini, hier soir ? » demanda-t-elle joyeusement en avançant à sa rencontre.

Elle s'arrêta net.

« Ton visage… »

Il réprima un sanglot.

« Nick, qu'est-ce qui s'est passé ? Qu'est-ce qu'il t'a fait ? Qu'est-ce qu'il t'a fait ? »

Ella avança les mains vers lui et ils se laissèrent glisser au sol tous les deux.

« Johnny ! Johnny ! » glapit-elle d'une voix paniquée.

Alarmé, celui-ci dévala les marches. Il se figea au milieu de l'escalier en les voyant et remonta pour aller chercher ses clés de voiture. Ella et Johnny soulevèrent Nick par les aisselles, se criant des mots incohérents. Il comprit qu'ils l'emmenaient à l'hôpital.

DEUXIÈME PARTIE

LE GÂCHIS

Ce gâchis était le tien.
Maintenant ton gâchis est le mien.

Vance JOY, « Mess Is Mine »

5

Julia Hall, 2019

« Je n'ai pas compris tout de suite que le viol avait ébranlé votre famille dans ses fondations. »

Julia tressaillit. Trois ans s'étaient écoulés mais le mot lui écorchait toujours les oreilles. L'inspecteur Rice ne parut pas s'en apercevoir.

« Nick et la famille de votre mari, c'était un peu n'importe quoi, mais ce que vous aviez construit, Tony et vous, c'était du solide. »

Elle se trémoussa sur sa chaise.

« Est-ce que vous l'avez vu venir dès le début ? Moi, non.

— Vu quoi ?

— Jusqu'où ça irait. »

Elle secoua la tête. Non, elle ne l'avait pas imaginé non plus.

« J'éprouve toujours une forme d'empathie pour la famille de la victime. D'une part, parce que c'est une réaction naturelle quand on est avec des gens qui traversent une épreuve, et d'autre part parce qu'ils se confient plus facilement dans ce genre de circonstances. Vous comprenez ? Ça m'aide à mieux faire mon travail. »

Julia fronça légèrement les sourcils.

« Mais dans votre cas, j'ai franchi une ligne. Vous en baviez tellement que j'ai compati un peu plus que je n'aurais dû. Et ça m'a empêché de faire mon boulot correctement. »

Elle le regardait fixement, à présent. Elle avait imaginé quantité de scénarios en prévision de ce jour. Mais cette conversation-là, certainement pas. Où voulait-il en venir ?

« La manière dont ça s'est terminé, pour moi, pour votre famille, l'histoire avec Ray Walker. Ça m'a contrarié. »

La mention de Raymond Walker lui donna la chair de poule. Julia savait pourtant que son nom serait prononcé aujourd'hui – et ce n'était pas comme si elle ne l'avait jamais entendu. Malgré tout, elle ne parvint pas à se maîtriser. Elle remua encore sur son fauteuil, croisa la jambe droite sur la jambe gauche. Elle sentait quelque chose lui tordre le ventre, une émotion si intense qu'elle semblait presque vivante et distincte d'elle : un monstre qu'elle avait réussi à endormir et qui sortait soudain de son sommeil. Après l'appel du policier, la semaine précédente, le monstre avait entrouvert un œil. À présent, il redressait la tête et sa queue fouettait l'air avec impatience.

Elle porta sa tasse à ses lèvres, but une gorgée.

6

John Rice, 2015

Assis dans sa voiture, Rice relisait ses notes et la déposition de Nick Hall. Un gobelet de café venant de Dunkin' Donuts plein à ras bord refroidissait dans le porte-boisson à côté de lui. On était dimanche en fin de matinée. Il avait interrogé Julia Hall, lu le témoignage écrit de Nick, avait vu le technicien de la police scientifique qui avait passé la chambre de motel au peigne fin, discuté avec l'assistante du procureur. Il avait fait tout ce qu'il pouvait pour accorder un peu de répit à Nick, mais il ne pouvait pas attendre plus longtemps.

Il feuilleta les notes qu'il avait prises lorsqu'il avait parlé à l'agent Merlo et aux infirmières la veille. Pour l'instant, ça se présentait plutôt bien. Ni incohérence flagrante ni bizarrerie dans le récit de Nick. En cas d'agression sexuelle, c'était souvent la parole de la victime contre celle de l'assaillant présumé. L'avocat allait éplucher tout ce que Nick avait dit (à la police, aux médecins, à tout le monde), traquant la moindre discordance. Une technique qui ne portait pas toujours ses fruits, mais en fonction des faits ou de l'avocat, cela pouvait mener à un accord décevant, une condamnation insuffisante, voire un acquittement. De toute façon, tout ça ne servait à rien en l'absence d'accusé. Et pour l'instant, il n'avait même pas de suspect.

Le jeune homme n'avait pas dévié de ses premières déclarations concernant plusieurs points importants : il avait bu cinq verres ce soir-là, il était sûr de pouvoir identifier l'agresseur, « Josh », s'il avait l'occasion de le revoir ; ce dernier avait bu deux verres avec lui et Nick se rappelait avoir été frappé au crâne alors qu'ils venaient d'entrer dans la chambre au Motel 4 Deluxe. Après ça, il ne se souvenait de rien, jusqu'à son réveil le samedi matin, en sang, et conscient d'avoir été violé.

La perte de mémoire pouvait se révéler problématique. Rice en avait déjà discuté avec l'assistante du procureur. Elle avait demandé à Rice d'insister quand il parlerait à Nick. De s'assurer qu'il n'avait vraiment aucun souvenir de ce qui s'était passé dans la chambre.

Et il avait bu. Les victimes ivres ne facilitaient rien dans ce genre de dossier. On mettrait en doute la capacité de Nick à se remémorer les traits de l'agresseur, et on insinuerait qu'il avait peut-être dit oui sous l'effet désinhibant de l'alcool. En même temps, compte tenu des blessures et de la violence des coups, s'ils retrouvaient « Josh », ils ne devraient pas avoir trop de mal à prouver l'absence de consentement. Personne ne demandait à se faire démolir le visage pendant l'acte sexuel. L'étranglement, d'accord, c'était un excitant pour certaines personnes, et Nick avait été étranglé. Mais l'infirmière qui l'avait vu avait dit à Rice que l'examen corporel confirmait la contrainte. Et il y avait les preuves matérielles : les draps ensanglantés. Par chance, la femme de ménage avait aussitôt prévenu la direction, si bien que la chambre avait été en grande partie préservée.

Une voiture se gara à côté de lui. C'était Lisa Johnson, d'un centre d'aide aux victimes du coin. Merlo lui avait annoncé la veille que c'était Lisa qui avait été désignée pour assister Nick dans ses échanges avec la police. Tant mieux. Les collègues de Lisa étaient tous bons, mais il avait déjà travaillé avec elle et c'était l'une de ses préférées. Il lui adressa un petit signe de la main et rangea ses papiers dans une enveloppe kraft sur laquelle était marqué *N. H. 2/10/2015*.

« Vous êtes en retard », dit Rice en refermant sa portière.

Elle ouvrit de grands yeux puis regarda son téléphone.

« J'ai deux minutes d'avance.

— Oui, mais moi j'en avais quinze », rétorqua-t-il avec un sourire.

Elle secoua la tête, amusée.

« Vous devriez avoir honte d'essayer de me faire culpabiliser. »

Elle le suivit jusqu'à la chambre de Nick. Elle ne l'avait pas vu depuis qu'il était sorti des urgences la veille. Il regardait la télé en compagnie de son frère, la porte ouverte. Ils lui faisaient face et la ressemblance entre eux était évidente : le front, la bouche, la carrure. Rice pouvait facilement imaginer leur père. Lisa salua Nick et se présenta à Tony.

Ils n'eurent aucun mal à le convaincre de les laisser seuls un instant.

« C'est plus réglementaire comme ça », dit simplement Rice. Dans la mesure où sa femme avait été avocate,

Tony savait peut-être pourquoi. En même temps, l'inspecteur ne voyait pas Julia Hall faire subir un contre-interrogatoire à la victime, insinuant que celle-ci prétendait avoir été agressée, parce qu'elle avait honte d'avouer une relation sexuelle devant un membre de sa famille. Tout compte fait, peut-être que Tony ne comprenait pas du tout la situation.

Nick était allongé sur son lit en pantalon de jogging et en tee-shirt. Il éteignit le poste et s'adossa aux oreillers, soudain livide.

« Je m'excuse de vous obliger à revenir encore une fois sur les événements. Mais ça devrait être la dernière avant un bout de temps.

— Pas de problème, répondit le jeune homme d'une voix douce.

— J'aurais besoin d'un récit complet. Les souvenirs ont tendance à s'estomper rapidement. Il vaut mieux le faire tant que c'est encore frais dans votre mémoire. »

Nick acquiesça.

Rice sortit son magnétophone et le posa sur le mince accoudoir de son fauteuil. S'ils avaient pu se voir au poste, l'entretien aurait été filmé, mais sachant que Nick ne quitterait pas le service de santé mentale avant deux ou trois jours, il préférait le réaliser sans attendre.

Il lui demanda de raconter tout ce dont il se souvenait depuis le vendredi matin. Nick lui donna des renseignements dont il n'avait pas été question jusque-là : petit déjeuner à la maison, un cours intitulé « anglais des affaires », révisions et déjeuner à la maison, puis un cours d'introduction à l'économie, avant de rentrer chez lui pour le reste de l'après-midi.

En ce qui concernait la soirée elle-même, ce qu'il raconta correspondait à sa déclaration écrite et à la version plus courte qu'il avait fournie à Merlo à son arrivée à l'hôpital. Nick avait rendez-vous avec un certain Chris Gosling au Jimmy's. Sa colocataire, Ella Nguyen, l'avait accompagné au bar. Chris n'était jamais venu, mais Nick avait fait la connaissance de Josh. Après, ils avaient pris un taxi jusqu'au Motel 4 Deluxe, où Josh avait une chambre. Là, Nick avait été frappé à l'arrière de la tête. Puis trou noir jusqu'au lendemain matin.

« Bien, dit Rice. Merci. Est-ce que vous avez besoin de quoi que ce soit avant que je vous pose quelques questions ?

— Aller aux toilettes ? Un verre d'eau ? intervint Lisa qui n'avait pas ouvert la bouche depuis vingt minutes.

— Non, merci. »

Il voulait en finir au plus vite, c'était évident.

« Bien, dit Rice, parcourant ses notes. D'abord, revenons à votre rencontre avec Josh au bar. Il ne vous a pas donné de nom de famille ? »

Nick secoua la tête.

« Est-ce que vous pourriez dire oui ou non à haute voix ? demanda Rice, indiquant le magnétophone.

— Pardon. Non. Pas de nom de famille, seulement Josh.

— Est-ce que vous vous souvenez s'il vous a livré le moindre renseignement sur lui ? »

Nick ne répondit pas tout de suite.

« Il n'a pas beaucoup parlé de lui, mais il avait l'air d'avoir de l'argent, comme un homme d'affaires, quelque chose dans ce genre.

— Vous avez passé combien de temps ensemble, au bar ?

— Si je peux consulter mon téléphone, je devrais pouvoir être plus précis.

— Je vous en prie. »

C'était une bonne nouvelle. Toute information datée pouvait être utile.

Nick sortit un smartphone noir de sous les draps. Ces jeunes, ils n'étaient jamais à plus de dix centimètres de leur appareil. Ils auraient probablement tous le cancer avant cinquante ans.

« D'abord, je sais qu'il n'était pas encore 23 heures quand je suis allé commander deux shots pour Ella et moi. Je n'arrêtais pas de regarder mon téléphone pendant que j'attendais Chris. On avait rendez-vous à 22 heures. Il était plus de 22 h 30, mais moins de 23 heures.

— Bien.

— Quand je me suis approché du comptoir, Josh m'a abordé presque tout de suite. Peut-être qu'il venait d'arriver, mais je n'en suis pas sûr. Et à 23 h 42, on y était encore, car Ella m'a dit avoir envoyé ça juste après l'avoir prise. »

Il tourna l'écran vers l'inspecteur pour lui montrer la photo de deux hommes installés au comptoir.

« Attendez, c'est lui et vous ?

— Ben oui », répondit-il, comme si c'était évident.

Rice lui prit le téléphone des mains.

« Vous avez une *photo* de votre agresseur ?

— Oui, je l'ai mentionnée au policier hier soir. Il m'a dit que vous me la demanderiez. »

Merlo était con, ou quoi ? Rice allait lui remonter les bretelles dès qu'il le verrait au poste. Et si la photo avait été effacée ? Si Nick n'en avait pas reparlé ?

« Est-ce que vous pouvez me l'envoyer par mail immédiatement ?

— Oui, bien sûr. »

Le cœur de Rice se remit à battre lorsque l'e-mail de Nick apparut dans sa boîte. Il le fit aussitôt suivre au poste avec la directive *À IMPRIMER*.

Quand il leva la tête, Lisa le regardait avec un sourire hésitant.

« Bon, dit l'inspecteur en expirant. Donc, on a une photo.

— Oui. Elle est un peu sombre, on est loin, mais il est face à l'objectif. C'est moi qui suis de dos. Mon amie Ella l'a prise de la piste de danse. »

Le policier l'étudia plus attentivement. L'éclairage n'était pas très bon, mais les silhouettes étaient nettes : deux hommes au comptoir, un de face, l'autre tourné. Rice zooma sur le visage. Josh, si c'était son vrai nom, était fidèle à la description de Nick. Blanc, le teint mat, plus âgé que lui.

« Donc, vous vous êtes rencontrés entre 22 h 30 et 23 heures, et à 23 h 42 vous étiez encore au bar. Et il ne vous avait pas dit où il habitait ni ce qu'il faisait dans la vie.

— Non, admit Nick, penaud.

— Ce n'est pas un reproche. Ce qui m'intéresse, c'est de savoir s'il vous a fait parler de vous.

— Ça oui. Il m'a bombardé de questions. »

Rice examina longuement le visage du garçon. Les plaies étaient encore plus laides aujourd'hui, plus noires, et les hématomes plus visibles. Des traces violettes étaient apparues sur le côté gauche de son cou. Nick se rappelait seulement avoir été frappé à la tête, mais il avait été rossé et étranglé. Un homme qui s'acharnait ainsi sur un inconnu n'en était pas à son coup d'essai. Et il recommencerait sans doute.

Josh avait interrogé Nick au sujet d'Ella. Selon le jeune homme, Josh craignait qu'elle soit fâchée d'être plantée pour une aventure d'un soir. Rice, lui, avait une autre interprétation. À son avis, Josh supposait qu'Ella était une petite amie de façade. Quand il avait demandé à Nick s'il « avait fait ça avant », peut-être ne parlait-il pas de finir la nuit chez un inconnu, mais de coucher avec un autre homme.

Autrement dit, Josh pensait que Nick n'assumait pas son homosexualité. Peut-être avait-il déjà agressé des hommes dans cette situation, estimant qu'ils n'oseraient pas le dénoncer.

« Vous souhaitez faire une pause ? » demanda Lisa avec douceur.

Nick refusa.

« Josh vous a offert un seul verre ? »

Les yeux du jeune homme revinrent sur le policier.

« Oui.

— Donc, poursuivit-il en jetant un regard à son bloc-notes, vous avez bu une tequila à votre arrivée vers 21 heures, deux whiskys ginger ale entre 21 et 22 heures, une seconde tequila avec Josh au bar, puis il vous a commandé un old-fashioned.

— Oui.

— S'il vous a abordé entre 22 h 30 et 23 heures, à quelle vitesse avez-vous avalé le dernier verre ?

— Je n'en sais rien. Aussi vite que possible, parce que je trouvais ça infect. »

Les deux autres rirent.

« Je n'en avais jamais bu, ajouta Nick en souriant. Mais je l'ai terminé. Je ne voulais pas avoir l'air de… Je voulais montrer que je savais apprécier les vrais cocktails.

— Vous avez fini votre verre avant de partir ?

— Oui.

— Il était quelle heure ? »

Nick regarda de nouveau son téléphone.

« À minuit dix-sept, Ella a écrit au groupe que je venais de partir avec lui. »

Rice entoura trois fois le nom d'Ella Nguyen sur son calepin. Megan O'Malley, une autre inspectrice, devait l'interroger, avec le garçon qui avait conduit Nick à l'hôpital. Johnny Maserati. Quel nom idiot… Rice appellerait sa collègue de la voiture pour comparer leurs notes.

« Diriez-vous que vous étiez ivre ?

— C'est un problème, si je l'étais ? »

Oui, songea Rice.

« J'essaie juste d'établir dans quel état vous étiez quand vous êtes parti.

— J'étais soûl. Mais pas ivre mort.

— D'accord.

— Plutôt… éméché, je dirais.

— Mais vous n'avez pas eu d'absence, de trou noir, ni rien ?

— Non. Je me souviens de tout, jusqu'à ce qu'il m'assomme. »

C'était utile de savoir ce que Nick se rappelait, mais cela ne signifiait pas que l'ivresse n'avait pas contribué au trou de mémoire. Le coup à la tête avait peut-être causé une blessure qui s'était ajoutée aux effets de l'alcool. S'ils avaient assez d'éléments pour transmettre l'affaire au bureau du procureur, il faudrait consulter un expert.

« Qui a proposé de quitter le bar ?

— C'est lui.

— OK. Donc vous êtes partis à minuit dix-sept et vous êtes allés en taxi jusqu'au motel ?

— Oui. Il a réglé en espèces. D'ailleurs, ça me rappelle que je l'ai interrogé au sujet du Motel 4, parce que, franchement, c'était un peu la honte. Il a dit que c'était sa société qui payait et qu'elle était assez pingre. Que c'était pour ça qu'il était dans un motel aussi pourri.

— Il a donc laissé entendre qu'il n'était pas de la ville ? »

Nick hocha la tête. Rice indiqua le magnétophone et le jeune homme se reprit :

« Pardon, oui.

— Est-ce que vous lui avez demandé ce qu'il faisait à Salisbury ?

— Il a répondu qu'il était là pour affaires. » Nick s'interrompit et rougit. « Il a dit qu'il n'avait pas envie de parler boulot ce soir. »

Les yeux du jeune homme s'emplirent de larmes. Lisa lui passa une boîte de mouchoirs en papier.

« Ce n'est pas votre faute », murmura-t-elle.

Dans une autre affaire de viol, deux ans plus tôt, une collègue de Lisa avait prononcé ces mots quand la victime avait éclaté en sanglots au milieu de la déposition. À la fin, Rice avait dit à la femme menue et discrète qui représentait la victime qu'elle ne devrait pas dire ce genre de choses sur un enregistrement : ils ne voulaient pas que l'avocat de la défense leur reproche d'avoir des préjugés, ou prétende qu'ils renforçaient la version des événements de la plaignante. La femme l'avait examiné d'un air incrédule et avait semblé tout à coup beaucoup plus imposante : « Vous faites le maximum pour obtenir une condamnation, inspecteur, j'en suis consciente, mais, après cette affaire, vous passerez à la suivante. Pas elle. Alors, si je vois une survivante qui se débat contre un sentiment de culpabilité, je lui dis que ce n'est pas sa faute, un point c'est tout. » Piteux, Rice s'était tu. Et il n'avait plus jamais essayé de s'ingérer dans le travail des représentants des victimes.

Nick s'essuya les yeux, se moucha et regarda le policier. Il voulait continuer. Ce gosse était courageux.

« Est-ce que vous pouvez mc raconter encore une fois ce qui s'est passé quand vous avez pénétré dans la chambre ? Sans rien omettre.

— Il n'y a pas grand-chose à dire. Nous sommes arrivés à la porte. Josh avait une carte magnétique. Il a ouvert, on est entrés. J'ai refermé et j'ai senti un coup à l'arrière du crâne. C'est tout ce dont je me souviens.

— Et du taxi à la chambre ? Il s'est passé quelque chose entre vous ?

— J'y allais pour coucher avec lui, si c'est là que vous voulez en venir.

— Oui, mais est-ce que vous vous teniez la main, vous parliez… euh… vous vous embrassiez ? »

Rice espérait que Nick n'avait pas remarqué son hésitation. Il savait que certaines personnes étaient homosexuelles, pas de problème, chacun son truc, ça ne le regardait pas, mais les questions intimes le mettaient mal à l'aise.

« On avait commencé à se rouler des pelles dans le taxi et il m'a pris la main quand on est entrés dans la chambre… On s'est embrassés devant la porte. C'était… J'avais l'impression qu'on était… genre, vraiment compatibles. Je ne sais pas pourquoi il a… »

Nick prit une brève inspiration.

« Et quel était… euh… le programme, une fois que vous seriez à l'intérieur ?

— Le programme ? demanda Nick, déconcerté.

— Que vouliez-vous faire avec lui ? »

Le jeune homme baissa le regard vers le mouchoir en papier sur ses genoux.

« Ben, passer la nuit avec lui, quoi.

— Mais encore ? Qu'est-ce que cela signifie pour vous ? »

Les yeux de Nick se durcirent.

« Je n'avais rien planifié. J'y allais au feeling. Je ne savais pas qu'il fallait avoir un programme.

— Ce n'est pas ce que je voulais dire, mais je suis obligé de vous poser ces questions, expliqua Rice, sentant son cou s'enflammer. Je ne vous fais pas de reproche.

— Je comprends.

— Est-ce que vous avez vu avec quoi il vous a frappé ? »

Nick secoua la tête.

« Il était derrière moi. Et il faisait sombre dans la chambre. Ça s'est passé très vite.

— Et c'est tout ? Vous ne vous rappelez rien d'autre ?

— Je ne sais pas ce que vous voulez que je vous dise.

— Je veux retrouver ce type et je veux qu'il soit condamné. Ce sera peut-être votre parole contre la sienne. Si des détails vous reviennent plus tard, très bien, mais ça a toujours l'air un peu… »

Nick baissa les yeux.

« Plus vite vous nous donnerez des informations, plus ce sera crédible. Vous comprenez ? »

Le jeune homme regardait ses genoux, réduisant en charpie le mouchoir en papier humide.

« Alors, rien d'autre ? »

Nick secoua la tête.

« Vous vous êtes lavé au motel ?

— Non. Je me suis habillé et je suis parti.

— OK. »

Le technicien avait trouvé une serviette sale dans la salle de bains. Si Nick ne l'avait pas utilisée, peut-être que Josh si. Avec un peu de chance, elle leur fournirait son ADN.

Rice posa à Nick quelques questions sur le lendemain matin, puis il coupa l'enregistrement. Avant de partir, il lui demanda son téléphone et lui fit signer un formulaire autorisant la police à en extraire les données, puis un autre pour lui donner accès à son dossier médical.

« Merci de nous avoir reçus, Nick. Je sais que c'était dur. »

Celui-ci haussa les épaules, comme si ce n'était rien, mais ses yeux étaient las.

Rice passa la tête dans le couloir. Une infirmière l'informa que la femme de Tony était arrivée et qu'ils étaient descendus à la cafétéria.

« Je m'y arrêterai en partant, proposa-t-il à Nick. Pour les prévenir qu'ils peuvent remonter.

— On va les attendre ensemble », décréta Lisa.

Nick paraissait épuisé, mais, s'il préférait qu'elle le laisse seul, il était trop poli pour le dire.

7

Nick Hall, 2015

Après le départ de l'inspecteur Rice, Nick et Lisa restèrent quelques instants sans échanger un mot. Nick comprenait maintenant pourquoi on parlait de déposition. Il avait l'impression d'avoir remis toute son énergie au policier. Il se rallongea sur les oreillers, regardant le tee-shirt et le survêtement que le Dr Lamba lui avait prêtés. Ses paupières étaient lourdes.

« Je ne vous poserai la question qu'une fois, désolée, mais je suis obligée : comment vous sentez-vous ? »

S'il ne s'était pas agi de Lisa, la question l'aurait agacé. Mis en colère, même. Mais elle était sincère. Elle savait qu'il n'allait pas bien et ne lui demandait pas de faire semblant. En même temps, elle ne le regardait pas comme les autres, qui avaient tous l'air de penser que sa vie était finie. Pour Lisa, tout ça – les interrogatoires policiers, les lits d'hôpital, le viol –, c'était simplement des choses qui arrivaient.

Il l'aimait bien. Il voulait être honnête avec elle, mais le problème, c'était qu'il ne sentait rien.

« Je ne sais pas. »

Lisa ne répondit pas, alors il essaya encore.

« Je n'arrête pas de dire que ça va. Et franchement, j'ai presque l'impression que ça va. Comme s'il n'y avait rien de spécial. »

Nick fit une boule des lambeaux de mouchoir en papier sur ses genoux. Aux urgences, il avait eu la sensation d'être ailleurs. Ce n'était pas son corps que l'infirmière examinait. Ce n'était pas lui qu'elle photographiait, nu dans une pièce illuminée.

« Pourquoi est-ce que je ne ressens rien ?

— Votre corps, votre esprit, ils vous protègent. C'est votre façon à vous de faire face. C'est parfaitement normal. »

C'était déjà ça. Il était normal.

Il aimait bien Lisa pour cette raison, aussi. Pas une fois il n'avait lu dans ses yeux ce qu'il avait vu trop souvent au cours des deux derniers jours : de la honte par procuration face à un homme violé. Il l'avait lue dans le regard du premier policier puis dans celui de l'inspecteur. Il l'avait vue à l'accueil des urgences, quand la femme leur avait demandé ce qui s'était passé.

« Je pense que j'ai été victime d'une agression sexuelle », avait dit Nick.

Elle n'avait pu cacher une expression de surprise. Ses yeux s'étaient brièvement tournés vers Ella, avant de revenir sur Nick. « Vous avez été victime d'une agression sexuelle ? » Implicitement, ce qu'elle demandait, c'était : *Vous voulez dire que votre amie a été agressée ?*

Pour Lisa, Nick était normal.

« C'est après que ça va être dur ? »

La veille, Lisa et les infirmières lui avaient donné des brochures et un dossier d'informations destinés aux survivants de viol. Un jour ou l'autre, la glace fondrait. Mais, au lieu de se retrouver tel qu'il était avant, il devrait peut-être affronter la dépression, la culpabilité, l'insomnie.

« Peut-être. Il n'y a pas de règle. Le Dr Lamba me dit que vous allez voir Jeff Thibeault, à votre sortie de l'hôpital ? »

Le psy.

« Oui.

— Jeff est un psychothérapeute formidable, affirma Lisa avec un grand sourire, laissant entendre qu'elle le connaissait bien. Je pense que vous l'apprécierez. Et sinon, n'hésitez pas à aller consulter quelqu'un d'autre. C'est vous qui choisissez votre équipe. C'est vous qui décidez. »

Nick hocha la tête. Reprendre les rênes. Ça lui ferait du bien. Il avait l'impression de n'avoir plus aucune prise sur rien depuis... depuis qu'il était parti du bar avec Josh. Ella et Johnny l'avaient amené à l'hôpital. Il se rappelait qu'ils parlaient entre eux comme s'il n'était pas là : Ella affirmait qu'il fallait aller aux urgences, Johnny se demandait s'il ne valait pas mieux commencer par la police.

« Il est blessé, ne cessait de répéter Ella. Il est blessé. »

Lorsqu'il avait vu Ella dans l'appartement, une digue s'était rompue. Il pleurait trop pour pouvoir prononcer un mot. C'était trop difficile de dire : Oui, emmenez-moi à l'hôpital. Non, n'appelez pas la police. Elle avait téléphoné de la voiture. Et soudain, les larmes de Nick s'étaient taries. Il pouvait parler, à présent, mais elle avait déjà alerté la police, avait donné le nom de Nick, celui de l'hôpital où ils se rendaient. Alors, il s'était tu. Et il avait pris une résolution.

« Votre frère vous aime beaucoup », constata Lisa.

Il acquiesça.

L'émotion de Tony, c'était ce qui l'avait le plus affecté, pire que l'humiliation quand il avait vu la femme de ménage et su qu'elle allait trouver les draps tachés de sang, pire que l'examen de deux heures, pire que de devoir tout raconter à l'infirmière, puis à l'agent, puis à l'inspecteur. Nick avait eu mal, une vraie douleur physique à la poitrine, lorsque Tony s'était écarté de lui et qu'il s'était rendu compte qu'il avait pleuré.

« Quel âge il a ?

— Attendez… vingt plus dix-sept, trente-sept.

— Dix-sept ans de différence ? »

Nick donna l'éclaircissement habituel :

« On n'a pas la même mère.

— Où est-elle ?

— Elle… elle n'est pas très douée dans ce genre de situation. »

Comment expliquer ? Ça n'en valait pas la peine.

« Elle se met dans tous ses états. C'est fatigant. »

Lisa hocha la tête. Son regard était interrogatif, mais elle n'insista pas.

« Tony s'occupe bien de moi. »

C'était un euphémisme. Il faisait mieux que ça. Et ce depuis que Nick était tout petit. Il n'avait jamais vu de frères qui leur ressemblaient. Ils ne se disputaient pas. N'avaient jamais été en compétition pour quoi que ce soit, ni la nourriture, ni les jouets, ni l'amour. Ils n'avaient pas été élevés ensemble : Tony avait grandi sans lui. Nick l'avait toujours connu adulte. C'était presque un parent supplémentaire. Il se souvenait des cadeaux qu'il lui faisait: des glaces et des figurines de dessins animés. Il se souvenait des virées au terrain de sport à côté de la maison. Il se souvenait des jeux auxquels ils jouaient, beaucoup, mais jamais en tant qu'égaux. Nick était toujours le gamin, et Tony le mec génial à qui il voulait ressembler.

« Est-ce que vous avez des questions avant que je parte ?

— Quelles sont les chances qu'ils le retrouvent ?

— Je n'en sais rien. »

Curieusement, depuis que Nick était monté dans le taxi devant le motel, ce samedi matin, il n'avait pas envisagé qu'il puisse revoir Josh. Même après l'examen, les prélèvements, l'interrogatoire, la photo qu'il avait montrée à l'inspecteur. Pourtant, il savait qu'Ella avait averti la police. Et la police était là pour résoudre les affaires criminelles – ce qui signifiait trouver le coupable.

Ils avaient une mauvaise photo de Josh. S'il s'appelait réellement Josh. Ils avaient ce qu'ils avaient recueilli sur le corps de Nick la veille. Donc ils avaient peut-être son ADN. Ou pas. Ils ne le retrouveraient peut-être jamais. La police finirait peut-être par laisser tomber et, un beau matin, Nick se réveillerait et aurait tout oublié.

8

Tony Hall, 2015

Le goût de ce qu'on mange à la cafétéria change en fonction de ce qu'on fait à l'hôpital. C'était évident, et pourtant cela ne l'avait pas effleuré lors de ses deux précédentes visites : à la naissance de Chloe, puis de Sebastian. Il n'aurait pas pu dire que c'était bon, même en étant très indulgent, mais, dans un cas comme dans l'autre, il aurait pu avaler n'importe quoi sans y prêter attention. Sandwich détrempé, jus de chaussette, dessert sous vide. Tout à sa joie, il voulait simplement s'alimenter pour retrouver très vite son nouveau-né et sa femme.

Aujourd'hui, il aurait préféré jeûner. À l'arrivée de Julia, Nick était encore avec l'inspecteur. Alors elle s'était rabattue sur Tony et l'avait harcelé pour qu'il mange. « Harcelé » n'était peut-être pas le mot juste. Elle savait qu'il était bouleversé. Et qu'il n'avait rien avalé. Ils étaient donc allés à la cafétéria et Tony avait choisi ce qu'il y avait de plus neutre : un sandwich jambon-fromage sur du pain de mie blanc. Le pain mou collait à son palais. Il avait honte de manger, au point que, à chaque bouchée, il devait combattre un haut-le-cœur.

Ils attendirent en silence. Tony mâchait consciencieusement et Julia buvait son café à petites gorgées.

Lorsqu'il leva les yeux, il vit l'inspecteur Rice se diriger vers eux.

« Désolé, c'était un peu long. Merci de m'avoir laissé parler avec Nick. »

Tony hocha la tête. La bouchée qu'il venait de prendre était coincée à l'entrée de sa gorge.

« Pas de problème, dit Julia. Au moins, j'ai pu lui faire manger quelque chose.

— C'est quoi, votre sandwich ? »

Tony porta le gobelet en polystyrène à ses lèvres. Le café fit glisser le morceau de pain.

« Jambon-fromage.

— Je l'ai testé. Pas génial. »

Julia rit. Il se racla la gorge et repoussa l'assiette devant lui.

« Nick s'en est très bien sorti. Il a franchi une des étapes les plus difficiles. »

Il hocha la tête. Tant mieux. L'inspecteur avait passé une éternité avec lui.

« Vous pensez avoir les résultats des examens dans combien de temps ? » demanda Julia.

Avait-elle dit au policier qu'elle avait été avocate ? Elle en savait plus que le commun des mortels sur le monde où Nick avait pénétré. Tony prit sa main et la serra, heureux qu'elle soit là.

« Je ne peux rien promettre, mais d'ici un mois, je suppose.

— Oh. Je m'attendais à plus. »

Il fut surpris. Un mois, c'était une éternité.

« Non. En général, notre labo est assez rapide. Dans la mesure où Nick a décidé de porter plainte et où on n'a pas l'identité du coupable, on a tout envoyé à Augusta. »

Le policier hésita. Il n'avait pas tout dit.

« Mais on ne sait pas si ça servira à grand-chose, vous comprenez ? »

Du coin de l'œil, Tony vit sa femme hocher la tête. Il ignorait ce que cela signifiait, mais Rice reprit sans lui laisser le temps de demander des explications.

« Malgré tout, Nick nous a donné une piste.

— Ah bon ?

— Oui. Il a une photo du type.

— Hein ? » s'écria Julia.

Ils échangèrent un regard. Les yeux de Julia brillaient d'excitation. Une photo, c'était inespéré.

« Maintenant, on va diffuser le portrait de ce salopard. Voir si quelqu'un le reconnaît. »

Lorsque l'inspecteur les laissa, ils retrouvèrent soudain la parole.

« Tu savais, pour la photo ? demanda Julia.

— Non.

— Moi non plus. C'est énorme.

— Pourquoi est-ce qu'il a dit que les résultats des examens ne serviraient peut-être pas à grand-chose ?

— Oh, dit-elle en posant son café. Il voulait dire qu'on ne trouverait peut-être pas d'ADN. Parce que l'idéal, ce serait d'avoir l'ADN du type. Prélevé sur Nick.

— Je vois. » Il n'avait pas envie d'en savoir plus. « Donc, s'il faut un mois…

— Oui, c'est très long.

— S'ils le retrouvent, quelle est la prochaine étape ?

— Ça dépend, dit-elle, reprenant son gobelet. Ils l'arrêteront peut-être tout de suite. Ou ils attendront la comparution devant le grand jury, qui décidera s'il y a matière à procès. Je ne sais pas comment ça se passe, ici : chaque service de police a sa propre procédure. Je n'ai jamais eu d'affaire sexuelle à Salisbury.

— D'affaire sexuelle ? répéta Tony en fronçant les sourcils.

— Oh, dit-elle en tressaillant. C'est comme ça qu'on les appelle. Parfois. Je voulais dire une agression sexuelle... Je suis désolée. »

Tony baissa les yeux vers son sandwich. Ça le heurtait de l'entendre parler comme ça. Avec des mots cruels et grossiers.

« C'est juste un raccourci de langage pour désigner une affaire impliquant des violences sexuelles. Je sais que ce qui est arrivé à Nick n'a rien à voir avec une relation sexuelle. »

Quand Julia était avocate, elle évoquait souvent ses dossiers sans entrer dans les détails, mais il ne se rappelait pas l'avoir entendue mentionner de viol.

« Donc, tu en as eu dans d'autres villes où tu travaillais ?

— Rien de semblable.

— Mais des affaires de viol ou d'agression sexuelle ?

— Oui », répondit-elle après une hésitation.

Elle n'en parlait pas à la maison. Peut-être se sentait-elle mal à l'aise. Il n'y avait jamais pensé avant, mais l'idée qu'elle ait pu défendre des violeurs... c'était choquant, pour dire les choses poliment.

En même temps, il était conscient qu'elle ne choisissait pas ses dossiers. Elle était payée par l'État pour assister les prévenus les plus démunis, éligibles à l'aide juridictionnelle. Avec lui, elle évoquait surtout ses clients mineurs, des délinquants juvéniles, mais elle représentait aussi des adultes. Notamment dans des affaires liées à la protection de l'enfance... Des parents coupables d'abus ou de négligences tels que l'État avait dû intervenir. Il savait qu'elle aidait ce genre d'individus, mais il ignorait comment elle pouvait le faire. Voilà pourquoi elle n'en parlait pas. Ils s'entendaient mieux quand ils prétendaient tous les deux que ça n'existait pas.

Cela dit, peut-être n'avait-elle pas honte de défendre des violeurs. Peut-être craignait-elle seulement que Tony la juge.

Et elle avait raison. Penser qu'elle pouvait regarder ces gens dans les yeux et les traiter comme tout le monde, quel que soit le chef d'accusation... Il l'aurait sans doute jugée, autrefois. Il l'aurait jugée encore quelques instants plus tôt. Mais, à présent, il se rendait compte qu'il avait de la chance. Beaucoup de chance d'avoir une femme capable d'affronter les ténèbres sans perdre son sang-froid.

« Ça va être vraiment dur ?

— Pour Nick ? »

Il hocha la tête et elle le jaugea, se demandant s'il pouvait entendre la vérité.

« Honnêtement, dit-elle, je pense qu'il va en baver. »

9

Julia Hall, 2015

La maison était prête pour l'arrivée de Nick. Seb avait été installé dans la chambre de Chloe et ils avaient mis des draps propres sur le lit. Ils avaient acheté les biscuits préférés de Nick en allant à l'hôpital. Il ne restait plus que la réunion de sortie avec Ron et Jeannie.

C'était la procédure dans ce genre de situation. Quand un patient quittait l'hôpital, il y avait un entretien avec la famille pour organiser la suite des soins. Julia avait déjà assisté à de telles réunions, mais toujours en sa qualité d'avocate. Là, c'était différent.

Ils se retrouvèrent dans une petite salle de conférences, autour d'une grande table vide. Le Dr Lamba donna aux Hall des détails sur le traitement de Nick.

« Nous l'avons mis en relation avec un psychothérapeute à une dizaine de minutes de l'université. Ce sera plus facile pour lui de s'y rendre, lorsqu'il rentrera chez lui.

— Tu vas venir te reposer à la maison ? s'écria Jeannie, pleine d'espoir.

— Il n'est pas censé aller en cours ? »

La question de Ron prit Julia au dépourvu. Jusque-là, il semblait être sur une autre planète, ses yeux vitreux fixant le centre de la table. Le sous-entendu était clair : il n'avait aucune envie d'héberger son fils. L'agression de Nick le perturbait, et, à en juger par l'odeur de bière qui flottait autour de lui, il gérait la situation à sa manière habituelle.

« Mes profs m'ont dit que je pouvais prendre un peu de temps. Je vais voir comment je me sens.

— Maman pourra t'emmener à l'université », dit Jeannie d'une voix bêtifiante.

Julia regarda le Dr Lamba, espérant qu'elle allait se charger de leur annoncer que Nick avait décidé de passer sa convalescence chez eux, à Orange.

« La maison de Tony est beaucoup plus proche de l'université et de son thérapeute », dit celle-ci.

Et contrairement au vôtre, c'est un foyer émotionnellement stable, compléta silencieusement Julia.

« Mais vous avez des enfants, protesta Jeannie.

— Ils sont ravis d'avoir leur oncle Nick à la maison.

— Alors, vous saviez ! »

Julia se sentit rougir.

« Hier, nous avons parlé…

— Bien sûr, hier. Parce que nous, on n'était pas au courant, hier. Nous, ajouta-t-elle en désignant Ron et elle-même, on a juste droit à une petite réunion quand il sort de l'hôpital. Il est là depuis samedi, on nous prévient lundi. Je sais que c'est un adulte, il prend ses propres décisions, poursuivit-elle en s'adressant au médecin. Mais ça ne vous est pas venu à l'esprit que mentalement, c'était encore un enfant ?

— Qu'est-ce que tu racontes ? intervint Tony.

— Il n'a même pas l'âge de boire de l'alcool. Ce n'est pas un adulte aux yeux de la loi.

— Il a fait preuve de beaucoup de courage. »

Le visage du Dr Lamba était calme, mais elle avait durci le ton.

« Vous êtes tous assis là, à faire comme si on était une petite équipe. Vous croyez qu'on est trop bêtes pour remarquer que vous avez pris toutes les décisions à sa place dans notre dos.

— C'est moi qui prends les décisions », intervint Nick d'une voix si forte que Julia sursauta.

Jeannie se tut.

Nick la regardait en fronçant les sourcils. Ou du moins en essayant de froncer les sourcils. Trois jours n'avaient pas suffi pour que Julia s'habitue à ses bleus. Il faisait peine à voir. Elle ne pouvait pas s'empêcher d'imaginer ce qui avait causé ces marques. Des poings avaient martelé son visage. Des mains avaient serré sa gorge.

« C'est moi qui prends les décisions, répéta Nick d'une voix plus basse, et je préférais attendre un peu avant de vous le dire. C'était trop compliqué. »

Les yeux de Jeannie s'embuèrent. Elle sortit un mouchoir de son sac.

« Qui c'est qui lui a fourré cette idée dans le crâne, à ton avis ? » marmonna Ron.

Julia savait que Tony allait mordre à l'hameçon, mais elle posa la main sur sa cuisse, espérant quand même qu'il ignorerait son père.

« Tu plaisantes ?

— Tu débarques avec tes grands discours, comme toujours, tu lui dis qu'il n'a pas besoin de nous...

— Tu rêves. Il sait très bien qu'il n'a pas besoin de toi.

— Arrête, Tony ! gronda Nick, reculant sa chaise. On ne peut pas respirer ici. Est-ce qu'on est obligés de faire ça ? demanda-t-il au Dr Lamba.

— Si ça ne vous aide pas, non. »

Tout le monde s'était tu. Face à des inconnus, Julia se serait dit que les parents de Nick s'efforceraient de se ressaisir pour conclure la réunion dignement. Mais pas Jeannie. Elle préparait sa grande sortie de tragédienne.

« Très bien. On va vous laisser, lança-t-elle en se levant. Sans notre petit garçon, comme vous le vouliez tous, en attendant qu'il soit assez fort pour penser par lui-même. »

Elle se dirigea vers la porte, le visage ruisselant de larmes.

« Je ne vous le pardonnerai jamais, ajouta-t-elle en s'adressant à la cantonade. Je m'en souviendrai tant que je vivrai. Vous pourrez toujours essayer de faire comme si de rien n'était, je n'oublierai pas, et je ne pardonnerai pas. »

Elle sortit.

Ron s'immobilisa sur le seuil et lança un retentissant « Classique » avant de la suivre.

Personne ne prononça un mot pendant quelques instants.

« Voilà pourquoi je vous ai demandé d'appeler Tony », dit Nick au Dr Lamba. Il l'avait dit sur le ton de la plaisanterie et tout le monde rit du bout des lèvres, mais Julia avait envie de pleurer.

Nick méritait mieux. Il méritait d'être choyé et entouré d'amour. On devait lui répéter que rien n'était sa faute et lui promettre qu'on le protégerait. Et il se retrouvait avec Ron et Jeannie.

Et Tony. Heureusement, il avait Tony.

10

John Rice, 2019

Le déclin avait été rapide, après la retraite. Il était devenu vieux du jour au lendemain. Sur son trente et un dès le matin, et nulle part où aller. Seulement attendre la visite des plus jeunes : sa fille, ses petits-enfants, et ce matin Julia. Il avait tourné en rond dans la maison qu'il avait déjà nettoyée, le pull rentré dans le pantalon, la ceinture tombant sur les hanches, redressant les cadres au mur et guettant le bruit de sa voiture.

Lorsqu'il l'avait vue dehors, il s'était senti laid et mal à l'aise, en colère, plein d'espoir : un sac de nœuds émotionnels. Cette scène, il l'avait imaginée des milliers de fois, même s'il n'avait pas eu le courage de l'appeler jusque-là. Il avait fallu ce dernier rendez-vous chez le médecin pour qu'il se résigne à décrocher son téléphone. Le Seigneur devait savoir à quel point il avait besoin de lui parler avant de mourir, car elle n'avait pas changé de numéro. Mais maintenant qu'elle se tenait devant lui, il hésitait. Quand il retrouvait des amis pour le petit déjeuner ou appelait sa fille, il pouvait aller droit au but.

Là, c'était différent : Julia chercherait des faux-fuyants. Il devrait la guider, un peu comme lors d'un interrogatoire. Elle devait comprendre qu'elle n'avait pas le choix : elle devait parler.

« La façon dont ça s'est terminé, pour votre famille et Ray Walker, je veux dire. Ça m'est toujours resté en travers de la gorge. »

Assise dans son fauteuil, elle buvait son thé en silence.

« J'aurais dû me douter que ce ne serait pas si simple. Les viols, c'est toujours délicat. »

Elle hocha la tête, les yeux fixés sur le sol devant elle.

« Mais au début, tout semblait sans équivoque. Je ne croyais pas qu'on lui mettrait la main dessus aussi vite. »

Durant la semaine qui avait suivi le dépôt de plainte, Rice et sa collègue Megan O'Malley avaient interrogé les employés du motel. Envoyé au laboratoire les draps tachés de sang et une serviette de la salle de bains. Retrouvé la trace de la femme qui avait loué la chambre : elle avait été payée par un homme séduisant, alors qu'elle mendiait à proximité de l'établissement. Ils avaient interrogé le barman du Jimmy's et quelques clients présents ce soir-là. Le bar n'acceptait que les espèces, on ne pouvait donc pas leur fournir de nom, et personne ne connaissait Josh – ou plutôt Raymond Walker, en fait, ainsi qu'ils ne tarderaient pas à le découvrir.

Cette première semaine, O'Malley avait potassé et passé quelques coups de fil pour déterminer à quel genre de violeur ils avaient affaire. La violence des coups indiquait deux possibilités : l'homme était mû soit par la colère, soit par le sadisme. Dans le premier cas, il avait certainement un casier et il était connu pour ses accès de rage. Dans le second, il existait plusieurs types de sadisme, plus ou moins assumés, mais, à en juger par l'état de Nick, il s'agissait de quelqu'un qui voulait délibérément faire mal à sa victime. Ce qui là encore signifiait un casier, et une intelligence limitée. Il s'agissait de généralisations très approximatives, mais c'était un début.

Par ailleurs, l'agresseur de Nick était probablement un individu en apparence au-dessus de tout soupçon. Quelqu'un dont le charisme aveuglait ses proches, qui ignoraient tout de sa véritable nature.

Lorsqu'ils le trouvèrent, Walker était clairement un homme séduisant et charmant. Mais pour le reste, ils étaient très loin du compte.

11

Julia Hall, 2015

Les premiers jours avec Nick à la maison parurent interminables.

Le lundi, après la réunion, ils le conduisirent chez lui, à Salisbury, pour qu'il récupère quelques vêtements. Dans la voiture, Julia mit un CD et ils roulèrent sans prononcer un mot, en écoutant Alicia Keys. Ils arrivèrent à Orange et traversèrent le centre-ville, passèrent devant les grandes demeures historiques et l'école élémentaire. Ils laissèrent derrière eux les deux stations-service concurrentes, la bibliothèque, le parc, et les quartiers résidentiels qui grignotaient peu à peu la campagne, pour atteindre enfin la zone agricole et leur maison, située à la limite d'un champ appartenant à un voisin.

Le mardi, Nick emprunta la voiture de Julia et se rendit à sa première séance. Il rentra les nerfs à vif et irritable, envoya Tony promener et fondit en larmes sans crier gare. À sa décharge, il veillait à ce que ces petites explosions n'aient lieu que quand les enfants étaient dehors ou à l'étage.

Les deux jours suivants, Nick erra comme une âme en peine à travers la maison, soit parce qu'il ne savait pas comment s'intégrer à la famille, soit parce qu'il était trop fatigué pour s'en soucier. Julia travaillait sur place, mais elle avait un bureau au premier, si bien qu'il était tranquille pendant la journée.

Son petit domaine se trouvait au bout du couloir, après les chambres. Chaque matin, une fois Tony parti au cabinet, à Portland, et les enfants déposés à l'arrêt du bus scolaire, Julia montait l'escalier et faisait une pause sur le palier. Nick se levait tard. Un jour, il ne s'était réveillé qu'en début d'après-midi. Après s'être assurée qu'il dormait paisiblement, elle se rendait à son minuscule bureau et refermait la porte aussi délicatement que possible.

À l'origine, c'était un grand débarras inutilisé. Un soir, cinq ans plus tôt, Julia était rentrée du cinéma avec sa meilleure amie Margot pour découvrir que la sortie était un stratagème pour l'éloigner : en son absence, Tony avait métamorphosé le réduit. À l'époque, elle attendait Seb, les affaires de Chloe traînaient partout, et Julia, après avoir quitté le barreau, essayait – tant bien que mal – de travailler à la maison. Tony s'était démené : en un après-midi, il avait vidé la pièce, peint les murs en mauve, monté une bibliothèque et installé un bureau debout avec un tabouret réglable. Elle l'avait trouvé en nage.

Certains jours, quand elle poussait la porte, elle avait l'impression d'être encore assaillie par l'odeur de peinture fraîche, et elle était transportée quelques années en arrière. Ce soir-là, pour une fois, elle s'était réjouie d'avoir un mari qui ne pouvait pas voir un problème sans tenter d'y apporter une solution. Car d'habitude ce n'était pas le trait de caractère qu'elle préférait chez Tony.

Le vendredi, en fin de matinée, elle se tenait sur le seuil, songeant à l'histoire de ce bureau, lorsqu'elle entendit la porte de Seb s'entrouvrir derrière elle. Elle se retourna. Nick se dirigeait vers la salle de bains, à l'autre bout du couloir.

« Hé, bonjour ! »

Il sursauta et fit volte-face.

« Oh zut, je suis désolée », dit Julia, faisant un pas dans sa direction.

Il était blême, mais il porta une main à sa poitrine, soulagé.

« Ce n'est rien.

— Je suis vraiment déso…

— T'inquiète. Je peux prendre une douche ? demanda-t-il en souriant, se frottant l'arrière du crâne.

— Bien sûr. »

Il fit mine de repartir, puis se tourna vers elle.

« Je vais chez le psy aujourd'hui.

— Je sais. »

Les joues de Julia étaient brûlantes. Elle s'en voulait. C'était ridicule de crier de la sorte, elle l'avait effrayé. Il devait être d'une sensibilité exacerbée, en ce moment. Il avait subi un traumatisme. Elle aurait dû faire plus attention. Quelle idiote !

« Tu peux prendre ma voiture, je n'en ai pas besoin avant 2 heures de l'après-midi. »

Nick hocha la tête.

Elle resta plantée dans le couloir pendant quelques instants après qu'il eut refermé la porte de la salle de bains. C'était indiscret de sa part, elle en était consciente, mais elle tendait l'oreille, guettant des sanglots. En vain. Elle n'entendit que la douche.

Elle regagna son bureau et se mit au travail.

Elle en ressortit peu après 14 heures. Tout était silencieux. Elle fit le tour de la maison. L'allée était vide. Elle appela Nick sur son portable, sans succès.

Sa séance avait peut-être duré plus longtemps que prévu. Nick avait certainement besoin de souffler, de se retrouver. Il disait constamment qu'il allait bien, mais elle ne le croyait pas. C'était impossible. Elle voyait bien qu'il s'évertuait à avoir l'air normal pour eux. Elle aurait préféré qu'il se laisse aller. Ça ne lui faisait aucun bien de dissimuler ses sentiments, pas à sa famille.

Elle aurait dû être soulagée d'être seule, libre de faire du bruit sans s'inquiéter d'effrayer Nick, sans se demander ce qu'il pensait.

Mais elle était surtout mal à l'aise.

12

Nick Hall, 2015

Le cabinet de Jeff se trouvait dans un coin paumé, à Wells. C'était sur la route Machin. Il avait oublié le nom. Il avait suivi les indications du GPS les deux fois où il y était allé. La route, qui serpentait entre les bois, donnait envie de baisser les vitres, de monter la radio, et de rouler pied au plancher. Il n'avait rien fait de tout ça. En sortant, il descendit les marches du perron et pensa machinalement que c'était l'automne. L'air, les feuilles, le ciel – tout était vif et cassant en cette saison. Le monde autour de lui était tranchant, alors que ses angles à lui s'étaient émoussés.

Il prit une grande inspiration, espérant que l'air frais chasserait sa migraine. La psychothérapie était censée « l'aider à surmonter tout ça ». C'était ce que le Dr Lamba lui avait dit et Jeff l'avait répété. Pour l'instant, le seul effet perceptible, c'était un mal de tête lancinant, comme s'il avait la base du crâne prise dans un étau. Il palpa l'endroit où la douleur était la plus vive, puis ses doigts remontèrent jusqu'à la croûte.

Il l'avait trouvée sous la douche, le mardi matin. D'une certaine manière, c'était plus facile de se concentrer sur cette blessure-là. C'était un rappel des faits beaucoup plus subtil que la douleur intime, intrusive qui avait fini par s'estomper au cours de la semaine. Ça n'avait rien à voir avec le traitement antibiotique prescrit par l'hôpital contre d'éventuelles MST qui lui bousillait l'estomac, ni avec les hématomes sur son visage et sa gorge qui proclamaient aux yeux du monde son statut de victime. Les coupures étaient moins parlantes – elles auraient pu provenir d'une rixe de bar, d'une chute dans la rue après avoir bu un verre de trop –, en revanche, les bleus qui dessinaient des doigts sur son cou le trahissaient. Il avait été étranglé… dominé. Réduit à l'impuissance.

La croûte n'était rien, mais il y revenait constamment. Il l'avait sentie en se lavant les cheveux : une bosse granuleuse sur le haut du crâne. Elle était molle et souple au toucher. Il l'avait grattée jusqu'à ce qu'elle se détache sous son majeur. Ça cuisait un peu, mais au moins elle n'était plus là. Pourtant, dès le lendemain, il s'était surpris à la chercher.

Pendant la séance avec Jeff, il avait été pris d'un besoin irrépressible de la toucher. Il avait coincé ses doigts entre ses cuisses et s'était forcé à se concentrer sur le visage du psy.

Il était fidèle à la description du Dr Lamba. Pas tout jeune, plus vieux que le père de Nick, en tout cas, la voix grave et apaisante. Il riait et souriait beaucoup. Il avait l'air intelligent, et pas prétentieux pour deux sous.

« Je suis un survivant. J'ai subi des abus sexuels quand j'étais petit », lui avait-il annoncé lors de leur première rencontre, en début de semaine. Il l'avait énoncé simplement, sans honte, comme il aurait pu parler de n'importe quel détail de sa vie. Nick, qui avait bien compris que c'était destiné à le mettre à l'aise, lui avait fait remarquer que leurs deux cas étaient très différents : Jeff était un enfant au moment des faits, pas Nick.

Jeff et le Dr Lamba lui avaient également assuré que la thérapie l'aiderait à « se réapproprier son histoire ».

« Pourquoi est-ce que je voudrais posséder une chose pareille ? avait demandé Nick au Dr Lamba.

— Parce que c'est à vous.

— Et si je ne suis pas prêt ?

— Jeff ne vous obligera pas à en parler. Ça viendra petit à petit, à votre rythme. Vous vous y habituerez. Et pour finir, vous pourrez décider de ce que vous souhaitez faire de cette histoire. »

C'était une drôle de façon de présenter les choses, songea-t-il, alors qu'il traversait le parking sous le cabinet de Jeff. Il consulta son téléphone. Il avait un appel manqué et un message. Même s'il n'avait pas enregistré le numéro, il le reconnut immédiatement. L'inspecteur Rice avait tenté de le joindre pendant la séance. Le médecin et le psy se figuraient tous les deux que Nick pourrait gérer son histoire comme il l'entendait. Mais il n'était pas si naïf.

Il se gratta la tête jusqu'à ce qu'il sente la nouvelle croûte se soulever. Il l'envoya sur le trottoir d'une chiquenaude, puis rappela le policier.

« Vous pouvez passer au poste ? Nous avons des photos à vous montrer. »

Nick ne s'attendait pas à ça. Il avait imaginé un commissariat de série télévisée : une grande pièce avec des bureaux, peut-être une cellule où un ivrogne cuverait une soirée trop arrosée. Mais la porte de la police de Salisbury s'ouvrait sur un simple hall. Murs impersonnels, carreaux de lino comme dans une école. Tout au fond, une femme aux cheveux blancs était assise à un bureau, derrière un épais vitrage. Elle lui demanda d'une voix guillerette ce qu'il désirait. Nick se présenta et elle appela l'inspecteur Rice au téléphone.

Une minute plus tard, il entendait une porte claquer à l'autre bout du hall vide. Une femme menue à la peau noire franchit le seuil. Elle était très jolie, avec de longs cils et un sourire radieux. Une policière : elle en avait le maintien et la démarche, même si elle n'était pas en uniforme.

« Inspectrice O'Malley.

— Nick, répondit-il en serrant la main qu'elle lui tendait.

— Je voulais en profiter pour vous saluer. Je travaille avec l'inspecteur Rice sur votre affaire. Votre amie Ella l'a peut-être mentionné. »

Elle ne l'avait pas fait : Ella et lui ne s'étaient pas encore parlé. Elle lui avait envoyé plusieurs messages pour prendre de ses nouvelles mais il n'avait pas répondu. Il n'avait rien à lui dire.

« Montons voir ces photos. »

Ils gravirent un escalier étroit puis empruntèrent un couloir jusqu'à une petite pièce où les attendait un homme massif en uniforme. Sur la table se trouvait une pochette en kraft fermée.

« Bonjour, Nick », dit le policier en souriant.

L'homme se présenta et lui tendit une feuille de papier.

« Voici les instructions, expliqua-t-il. Prenez le temps de les lire attentivement avant de regarder les photos, s'il vous plaît. »

Lorsque Nick eut terminé, il baissa la feuille. Le policier hocha la tête.

« Quand vous l'ouvrirez, ne la déplacez pas, dit-il, désignant la pochette qui était posée horizontalement sur la table. Pour que le rabat me bloque la vue. »

À l'intérieur étaient scotchés plusieurs visages masculins. Deux rangées de trois, six en tout. Ce n'étaient pas des photos anthropométriques, mais de simples portraits. Chacun avait un numéro étiqueté dans un coin.

Josh était là, en bas à gauche. Le regard de Nick se dirigea presque instantanément vers lui, comme aimanté. Le visage était rasé de près, mais il reconnaissait les yeux clairs, les pommettes hautes, et même la boucle brune qui retombait sur le front.

« Appelle-moi Josh », lui avait-il dit, laissant la syllabe s'étirer, avec un accent presque traînant.

Le jeune garçon avait un goût de bile dans la bouche. La photo ressemblait à un portrait professionnel d'homme d'affaires. Il avait l'air important. Nick sentit le regard du policier sur lui.

« C'est lui. »

Sa voix semblait triste. Était-il triste ?

« Lequel, Nick ? »

C'était tellement irréel qu'une voix qui semblait appartenir à quelqu'un d'autre s'éleva dans son esprit. Une voix clinique qui énonçait un simple fait : *C'est le moment qui restera pour toi le point de non-retour. Pas la plainte. Pas les formulaires. Pas les interrogatoires.*

Là, maintenant. Nick regarda derrière lui, s'attendant à voir l'inspecteur sur le seuil, mais la porte était close.

« Lui, dit-il, posant un doigt au creux de la gorge de Josh. Le numéro 4.

— D'où le reconnaissez-vous ?

— De l'autre soir. Au bar.

— Est-ce que vous pouvez être plus précis ? »

Nick leva les yeux vers le policier. Son visage charnu était détendu, mais il fixait sur lui un regard intense. Cet homme – la police – lui demandait de s'exprimer clairement. De le dire, une fois de plus, à une personne de plus. Chaque fois qu'il le formulait, ce qui s'était passé prenait de l'importance – et lui échappait un peu plus.

« C'est l'individu qui m'a agressé.

— Vous en êtes sûr ? »

Le policier haussa les sourcils si rapidement, que Nick n'aurait rien vu s'il avait cligné des yeux au même instant. Ce n'était pas une vraie question. Ils obéissaient à un scénario. Il savait ce que Nick allait dire. Il n'y avait qu'une réponse acceptable.

« Sûr et certain. »

13

John Rice, 2015

On peut gloser autant qu'on veut sur le rôle des réseaux sociaux dans le déclin de la culture occidentale, du point de vue du travail policier, c'est une invention merveilleuse. Les réseaux vous révèlent qui connaît qui, le nom des gens, l'endroit où ils se trouvaient à un moment précis. Les utilisateurs peuvent afficher des photos et des déclarations compromettantes. Il suffit de faire des captures d'écran et de les classer dans un dossier pour les ressortir au moment opportun, qu'elles soient encore en ligne ou non. Rice ne se lassait pas des miracles d'Internet. Et aujourd'hui, il leur livrait un suspect de viol sur un plateau.

L'inspectrice O'Malley avait publié la photo de Josh et Nick au bar sur les comptes Facebook et Twitter de la police locale, incitant les gens à la partager. Dans le texte associé, elle disait simplement que Josh avait été « témoin d'un délit ». Ils en avaient longuement discuté avant de diffuser le message. Ils savaient de l'agresseur de Nick qu'il était calculateur, charmeur et violent. Pour eux, ça sentait le violeur en série. Séduisant, blanc, aisé. Quelqu'un que personne ne soupçonnait d'être un monstre. Peut-être le trouvait-on un peu bizarre, mais on l'appréciait. Il était donc peu probable que son entourage l'imagine en violeur. Si une de ses connaissances tombait sur une photo de lui avec la légende « suspect de viol », elle n'y croirait pas : ce n'est pas lui, même si ce type a un faux air de Josh. Un « témoin », en revanche ? Oui, penserait-elle, on dirait bien Josh là-dessus. Le matin, en arrivant au poste, Rice découvrit qu'ils ne s'étaient pas trompés.

La veille, une femme avait appelé le numéro qu'ils avaient mis en place pour signaler que l'homme sur Facebook ressemblait à l'un de ses collègues du nom de Raymond Walker. *Qu'est-ce qu'il a vu ?* avait-elle sans doute demandé.

Sa propre vie partir en fumée, aurait pu répondre Rice.

Un policier avait aussitôt lancé une recherche sur Internet et trouvé un portrait de Raymond Walker sur le site de sa société. Il l'avait comparé à la photo du bar. Ils avaient peut-être bien décroché la timbale.

À son arrivée au poste, Rice avait appelé Nick pour lui soumettre la photo de Walker parmi quelques autres. Et Nick l'avait identifié.

L'inspecteur saisit toutes ces informations dans le mandat d'arrestation qu'il rédigeait sur son ordinateur.

Puis il le transmit à l'assistante du procureur. Et il téléphona au bureau de Raymond Walker.

Celui-ci joua la surprise. Rice s'était présenté à la secrétaire, il était donc sur ses gardes. Le policier se montra poli et l'appela « monsieur Walker ».

Lorsque Rice eut décliné son identité, l'homme se contenta d'un : « Oui ?

— Votre nom est apparu dans le cadre d'une enquête.

— Voilà qui est étonnant. »

Rice ne put s'empêcher de sourire. Quelqu'un qui aurait été réellement surpris d'être contacté par un inspecteur aurait sûrement demandé des précisions. Mais Walker savait déjà.

« Vraiment ?

— Oui, vraiment, rétorqua-t-il, une pointe d'irritation dans la voix.

— J'aimerais que vous passiez au poste aujourd'hui pour répondre à quelques questions. »

Il y eut un silence.

« Je crains que ce soit compliqué, aujourd'hui. Je travaille tard, en général.

— Moi aussi, monsieur Walker. Passez donc quand vous sortez du bureau, quelle que soit l'heure. Nous pourrons peut-être éclaircir tout ça.

— Je ne suis pas sûr que ce soit une bonne idée. Rien de personnel, mais sans savoir de quoi vous voulez me parler…

— Bien sûr, c'est à vous de décider. Mais ce serait l'occasion de nous donner votre version de l'histoire avant qu'on ne doive aller plus loin… »

Walker marqua encore une pause.

« Très bien, je serai là vers 18 heures. »

Rice regarda O'Malley à l'autre bout de la salle et leva le pouce.

« À tout à l'heure, dans ce cas. »

14

Julia Hall, 2015

Julia était allée chercher les enfants à l'arrêt de bus. Au-delà des champs, les feuilles changeaient déjà de couleur. Des taches rouge et orange éclaboussaient le paysage. D'ici une semaine ou deux, la plupart des arbres auraient revêtu leur parure d'automne, puis très vite leurs branches se dénuderaient. Bientôt les plantes souples dans le jardin seraient grises et rigides. C'était la seule façon de survivre à ce qui allait venir : se raidir et attendre.

Ils étaient à mi-chemin – Seb babillait à propos de l'école, Chloe se plaignait de devoir marcher – quand Julia entendit un véhicule derrière eux. Elle se retourna et reconnut sa voiture se rapprochant sur la longue route de campagne.

Elle annonça aux enfants que c'était leur oncle Nick, qui venait les chercher. Aussitôt Chloe glapit de joie et ils se rangèrent sur le bas-côté.

Il s'arrêta et s'excusa d'être en retard.

« Ce n'est pas grave », dit Julia – et elle le pensait vraiment. Il faisait beau dehors et les enfants étaient habillés en conséquence. En outre, elle était trop soulagée pour lui en vouloir. Sa courte disparition l'avait inquiétée.

Julia fit grimper les enfants à l'arrière et s'installa à l'avant à côté de Nick. Il était livide. Il la salua d'un bref regard.

« Tu étais où, oncle Nick ? »

Il jeta un coup d'œil à Seb dans le rétroviseur central.

« Je suis allé voir le psychologue.

— Pour quoi faire ? » demanda Chloe.

Avant qu'il ait le temps de répondre, Julia donna la version officielle.

« C'est pour l'aider après son accident.

— Est-ce que mamie aussi a dû aller chez le psychologue après son accident ? » intervint Seb.

Il faisait certainement référence à l'accident de voiture de la mère de Tony, l'an dernier. Julia adressa à Nick un regard contrit. Les enfants avaient l'art d'appuyer là où ça faisait mal.

« Les accidents peuvent faire très peur, dit Julia. Dans ce cas, c'est bien d'en parler avec quelqu'un. Pour avoir moins peur.

— Oncle Nick, tu as peur ? » demanda Chloe alors qu'ils s'engageaient dans l'allée.

La voiture se gara.

« Les enfants, pourquoi est-ce que vous n'iriez pas... »

Nick posa la main sur l'épaule de Julia pour l'interrompre et se tourna pour faire face à sa nièce.

« Oui, j'ai peur. »

Il avait raison de leur dire la vérité, pourtant, Julia se sentit frémir intérieurement. Parce que c'était le genre de vérité au sens large que ses enfants ignoraient encore : il existait des choses qui ne pouvaient pas être réparées. Si Chloe insistait, c'était peut-être parce qu'elle avait du mal à comprendre pourquoi Nick avait besoin de trouver de l'aide à l'extérieur de leur foyer. Elle qui était élevée dans un environnement protégé ne se rendait pas compte que ses parents ne pouvaient pas tout arranger.

15

John Rice, 2015

Rice rentra au poste juste avant 18 heures. Pendant qu'il était au tribunal, l'inspectrice O'Malley avait préparé la petite salle de conférences pour l'interrogatoire de Raymond Walker. Quelques minutes après l'arrivée de Rice, l'accueil les appela pour leur annoncer que l'homme qu'ils attendaient était en bas. On envoya Merlo le chercher tandis qu'O'Malley vérifiait que la caméra et le micro fonctionnaient.

Ils échangeaient parfois les rôles, mais le plus souvent Rice jouait le bon flic et elle le mauvais. On aurait pu s'attendre à ce que la femme soit la « gentille », mais leur raisonnement était simple : l'un des policiers était là pour faire pression tandis que l'autre se présentait comme une bouée de sauvetage. La plupart de leurs suspects étaient des hommes blancs, semblables à Walker, plus enclins à croire que Rice les aiderait à négocier un allégement de peine avec le procureur en échange de leur coopération. Il avait le sexe, l'âge et la couleur de peau adéquats. Ce n'était pas juste, mais c'était ainsi. Autant utiliser leurs différences à leur avantage. Sans compter qu'O'Malley ne voyait aucun inconvénient à traiter les Walker de ce monde comme des raclures dont la culpabilité ne faisait aucun doute.

Ils le laissèrent mariner dans la salle pendant huit minutes avant de le rejoindre. La vidéo leur dirait plus tard combien de fois il avait vérifié l'horloge derrière lui, consulté son téléphone, ou s'était levé pour jeter un coup d'œil dans le couloir. Pendant qu'ils patientaient, Rice glissa quelques imprimés sans aucun rapport avec l'enquête dans sa pochette afin de la gonfler un peu.

Rice entra le premier. Walker s'était assis sur la chaise la plus proche de la porte, laissant libres les sièges en face et à côté de lui.

« Monsieur Walker, dit le policier en lui tendant la main. Inspecteur John Rice. Et voici ma collègue, l'inspectrice Megan O'Malley. »

Comme souvent dans ce genre de situation, elle se plaça à l'entrée sans un mot ni une poignée de main. Elle s'appuya au cadre et croisa les bras.

« Raymond Walker. Mais vous le savez déjà. »

Rice posa la pochette sur la table et s'assit en face de lui.

« Désolé de vous avoir fait attendre. »

Walker sourit. Même sous les lampes fluorescentes, il restait séduisant.

« Je suis sûr que vous étiez occupés.

— Très », dit O'Malley.

Il lui lança un regard oblique, puis revint vers Rice.

« Est-ce que je dois m'inquiéter ? »

L'irritation perceptible au téléphone avait disparu. Il avait retrouvé son sang-froid.

« C'est à vous de nous le dire », répliqua O'Malley.

Rice leva la main, comme pour lui demander de se calmer.

« C'est ce que nous allons essayer de déterminer. »

Walker prit l'expression d'un élève fayotant auprès de son professeur.

« Que puis-je faire pour vous ?

— Savez-vous pourquoi vous êtes ici, monsieur Walker ?

— Je n'en ai pas la moindre idée. »

Rice sortit une photo de la pochette et la fit glisser devant lui.

« Reconnaissez-vous cet homme ? »

Il l'étudiait, les yeux légèrement plissés, réfléchissant à ce qu'il allait dire. C'était un portrait attendrissant de Nick Hall. Rice avait demandé à Tony une photographie récente pour le dossier et celui-ci lui en avait envoyé une datant de l'été précédent. Nick était bras nus et souriant, ses boucles mouillées plaquées sur son front. À l'évidence, il sortait tout juste du lac derrière lui et venait d'enfiler un débardeur. Un très jeune homme, presque un adulte, mais encore un petit garçon sous certains aspects. Rice s'en tiendrait au mot « homme » ce soir, avec Walker. Il s'était rendu compte un peu plus tôt qu'il pouvait tirer parti de ses propres préjugés.

« De quoi s'agit-il ?

— C'est pourtant une question simple, intervint O'Malley. Est-ce que vous le reconnaissez ou non ? »

Les yeux de Ray Walker restèrent sur Rice.

« Je pense avoir le droit de savoir pourquoi je suis ici, lui dit-il avec un sourire d'excuse.

— Rien ne vous retient. Vous pouvez partir quand vous le souhaitez. Mais laissez-moi formuler la question autrement : si je vous dis que cet homme affirme vous connaître, comment l'expliquez-vous ? »

Les yeux de Ray Walker se posèrent de nouveau sur la photo. Il hésitait ; était-il assez malin pour comprendre qu'il était piégé quelle que soit sa réponse ? S'il admettait qu'il le connaissait, il confirmait que Nick l'avait correctement identifié. S'il niait, on saurait qu'il était un menteur puisqu'ils étaient en possession d'une photo au bar prouvant qu'ils s'étaient rencontrés. Et s'il feignait l'incertitude, Rice lui demanderait s'il avait l'habitude d'oublier les gens avec qui il couchait. Alors, il lui indiquerait la porte de sortie : oui, ils avaient couché ensemble, mais ils étaient tous les deux des adultes consentants, non ? Et là, ils le coinceraient, parce que quelqu'un qui était sans connaissance n'était pas en état de consentir à quoi que ce soit.

« Laissez-moi vous dire comment je vois les choses. Vous avez eu une relation sexuelle.

— C'est le nouveau mot pour viol ? » lança O'Malley.

Ray Walker lui jeta un coup d'œil.

« Maintenant, vous savez ce que pense ma collègue. Elle le croit, lui. Et peut-être que je le devrais, moi aussi, ajouta Rice en tapotant la photo. Mais je n'aime pas tirer de conclusions hâtives, surtout quand il s'agit de ce que font deux adultes dans un cadre privé. »

Megan O'Malley frappa du poing le chambranle derrière elle.

« C'est pas bientôt fini, vos petits arrangements entre bonshommes ? Vous n'allez pas me faire croire qu'il était consentant.

— Megan, si tu allais faire un tour ? » dit Rice.

Elle le regarda longuement puis s'éclipsa. L'inspecteur se leva et referma la porte avec une délicatesse ostensible. Il se rassit et se pencha vers Walker, adoptant le ton de la confidence.

« Elle prend un peu trop à cœur ce genre d'affaires. Je pense que c'est dur pour elle, en tant que femme. Attention, ajouta-t-il en levant la main. C'est une excellente policière. Mais ce n'est pas pour rien que c'est à moi que l'on confie en priorité ce type d'enquête.

— Ce n'est pas bon de se fier aveuglément à je ne sais quel racontar parce qu'on est aigrie.

— Je le sais. Je m'excuse pour elle.

— Je n'ai jamais fait de mal à personne, inspecteur, je vous le promets.

— Je veux bien le croire. Ce n'est pas comme si c'était une fillette qu'on peut chahuter, dit Rice avec un petit rire. C'est un homme adulte. »

L'autre hocha la tête avec soulagement.

« Aidez-moi juste à comprendre ce qui s'est passé. Donnez-moi quelque chose pour que ma hiérarchie me fiche la paix.

— Nous n'avons jamais… »

Ray Walker s'interrompit brutalement, comme s'il avait buté sur un mot.

« Vous n'avez jamais quoi ? »

Une lueur de défi brilla dans le regard de Walker. Il eut un sourire en coin.

« C'était bien joué, dit-il doucement. Bravo. Mais on a terminé. »

Rice n'était pas prêt à capituler.

« Donc vous admettez que vous le connaissez. »

Il était trop tard. L'homme s'était levé.

« Au revoir, inspecteur. »

Il ouvrit la porte. Megan O'Malley se trouvait de l'autre côté, une mince liasse de papiers à la main.

« Pas si vite », dit-elle.

Rice avait obtenu un mandat d'arrêt et l'autorisation de faire des prélèvements d'ADN. Il avait foncé au bureau du procureur en fin d'après-midi et était rentré juste à temps pour l'interrogatoire.

L'inspectrice décrivit un cercle avec son doigt.

« Tournez-vous, monsieur Walker. Vous êtes en état d'arrestation. On fera le prélèvement de salive en cellule. »

16

Tony Hall, 2015

Tony examinait le visage de son frère qui était en pleine conversation téléphonique avec l'inspecteur. Il savait que Nick était passé dans la journée au poste, où il avait identifié son agresseur sur une photo. C'était Josh, il avait été catégorique. Tony le tenait de Julia, car Nick ne souhaitait pas en parler. Et maintenant, il avait l'air de quelqu'un qui reçoit de mauvaises nouvelles.

« D'accord », murmurait-il de temps en temps.

Rien d'autre.

Il raccrocha.

« Alors ? dit enfin Tony.

— Ils l'ont retrouvé. Ils l'ont arrêté. »

Ouf. Je vais peut-être dormir cette nuit, pensa égoïstement Tony. Il avait du mal à se concentrer depuis le premier appel de l'hôpital. Qu'il soit au travail, en train de prendre le petit déjeuner avec les enfants ou au lit, il était constamment inquiet. Mais maintenant, ils pouvaient souffler : la police le tenait.

Julia s'approcha et demanda ce que l'inspecteur lui avait dit.

« Il a parlé de la caution. Elle a été fixée à cent mille dollars. »

Elle ouvrit de grands yeux.

« Oh. C'est une bonne nouvelle.

— Il y aura une audition lundi. Il est possible qu'elle soit diminuée. Mais s'il sort, il ne sera pas autorisé à me parler. »

Une caution. Bien sûr. Ce n'était pas terminé. Maintenant, il y avait le procès. Tony se tourna vers Julia. Elle savait ce qui les attendait.

« Est-ce qu'ils vont l'inculper ? demanda-t-elle.

— Je crois qu'il a dit un truc comme ça.

— Tu veux que je le rappelle pour lui poser la question ? »

Nick secoua la tête.

« Il a dit qu'on me rappellerait et qu'il y aurait une réunion ou je ne sais quoi.

— Ah oui, avec l'AP ?

— Pardon ?

— L'assistante du procureur.

— Je crois. »

Nick avait les paupières lourdes. Il paraissait épuisé.

« Excuse-moi. Je suppose qu'il t'a noyé sous les informations.

— Il n'y a pas de problème. Je suppose qu'ils m'en diront plus à la réunion.

— J'irai avec toi, décréta Tony.

— D'accord, répondit Nick, l'air agacé.

— Uniquement si tu veux que je vienne. »

Nick haussa les épaules.

« Je vais me coucher.

— Attends. Est-ce qu'il t'a dit le nom du type ? »

Nick leva les yeux vers le plafond.

« Oui… Je ne m'en souviens plus. Pas Josh, en tout cas. Ça commence par R. »

Il s'appelait Raymond Walker. C'était sur le site Internet du journal le lendemain. En revanche, le nom de Nick ne figurait nulle part.

À présent, l'homme à la peau claire et aux cheveux noirs sur la photo sombre avait un nom. Tony ne s'en était pas rendu compte, mais jusqu'à cet instant, pour lui, l'inconnu était un monstre. Ce n'était pas une vraie personne : il n'était que le mal qu'il avait commis. Le simple fait de pouvoir mettre un nom sur lui l'avait métamorphosé : Raymond Walker avait une identité. Une vie. Et à présent, Tony avait besoin d'en savoir plus.

Il commença par le chercher en ligne.

Il était commercial pour une société de Portsmouth, dans le New Hampshire. Il vendait des systèmes hydrauliques à travers toute la Nouvelle-Angleterre. Sur le site de l'entreprise, sous son portrait, une courte présentation disait qu'il vivait dans le sud du Maine.

Raymond Walker habitait à Salisbury, comme Nick, découvrit-il ensuite sur un annuaire en ligne.

Il avait obtenu une licence du New England College en 1998. Autrement dit, il avait dans les trente-huit ans. Trente-huit ans, putain. Et Nick n'en avait que vingt.

Il était sur Facebook, mais sa page était privée. C'était pire que de ne pas en avoir du tout. Tony avait seulement accès à sa photo de profil : Walker en tee-shirt sans manches exhibant ses muscles et son sourire de serpent devant une salle de sport.

Curieusement, il ne lui trouva aucun antécédent. Rien dans le registre des délinquants sexuels, pas de procès, pas le moindre article sur d'éventuelles autres victimes.

En épluchant les résultats d'une recherche sur Google, Tony dénicha l'avis de décès d'un certain George R. Walker, qui laissait sa femme Darlene et son fils Raymond. En fait, plus exactement, il trouva un lien vers la page qui l'hébergeait, mais celui-ci ne fonctionnait pas. Il ne put lire que le descriptif, quelques lignes qui le narguaient. L'avis aurait pu lui fournir des informations plus personnelles sur Raymond – si tant est qu'il s'agissait du même Raymond.

Il chercha alors Darlene Walker. Sa page Facebook était en accès public. Le matin même, elle avait publié un long pavé où elle expliquait que son fils avait été arrêté sur *la foi d'une histoire, dont il avait une version très différente*. Les accusations de Nick étaient selon elle *les affabulations d'un garçon qui l'avait suivi de son plein gré*.

Tony bouillonnait intérieurement. « Quelle garce », gronda-t-il devant l'écran de son téléphone. Des gens avaient partagé la publication et l'avaient commentée : des amis des Walker, manifestement. Beaucoup d'émoticônes scandalisées et fâchées, en soutien à Raymond et à sa mère.

Incroyable, avait écrit un homme.

Ray est quelqu'un de bien, garde la foi, Darlene, l'encourageait une femme.

De tout cœur avec toi, disait un autre. *Est-ce que les flics ont interrogé des gens qui connaissent Ray ? Parce que soit ils se sont trompés de gars, soit le type ment.*

Le cœur de Tony faillit s'arrêter de battre lorsqu'il lut : *Est-ce que quelqu'un connaît le nom du mec qui l'accuse ?* Personne n'avait répondu.

Pour le reste du monde, Ray Walker est un homme bien jusqu'à preuve du contraire. Il avait un emploi, une maison, un abonnement dans une salle de sport, une mère qui l'aimait. Tony, Nick, Julia et les policiers : ils savaient qui il était réellement. Ils avaient vu la perversion cachée. Mais les autres, quand la découvriraient-ils ?

Julia était dans son bureau. Elle travaillait souvent un peu le week-end : elle avait toujours l'impression d'être en retard. Le week-end, c'était surtout Tony qui s'occupait des enfants. Mais, pour une fois, il les laissa devant la télévision et monta la retrouver au premier.

« Qu'est-ce qui se passe, maintenant ?

— Hein ? fit-elle, continuant de taper, debout à son bureau.

— Dans l'affaire de Nick ?

— Ah. Il semblerait qu'ils vont le mettre en examen. »

La question devait être évidente sur son visage car elle poursuivit.

« L'assistante du procureur présentera les preuves devant un grand jury. Nick devra témoigner.

— Et ça se passe comment ?

— Aucune idée. La défense n'y est jamais invitée. Je compte sur Nick pour en savoir plus, dit-elle en riant. Il devra raconter sa version des faits sous serment, ajouta-t-elle, redevenant grave. Il y aura les jurés, l'assistante du procureur et un greffier. L'accusation devra montrer qu'elle a suffisamment d'éléments à charge pour justifier un procès. Je pense que n'importe qui admettrait que le but, c'est de tester le dossier. Voir si les preuves sont assez solides. L'assistante du procureur voudra peut-être même voir comment Nick s'en sort à la barre. »

Tony réfléchit quelques instants.

« Je suis content qu'il ne se souvienne de rien. »

Elle inclina la tête sur le côté, songeuse.

« Tu n'es pas d'accord ?

— Je pense que c'est dommage.

— Pourquoi ?

— L'accusé aura le champ libre pour raconter ce qu'il veut.

— Son avocat n'est pas censé l'en empêcher ?

— D'où tu tiens ça ? demanda-t-elle, surprise.

— De toi. Tu m'as dit une fois que tu n'avais pas le droit de laisser tes clients mentir.

— Encore faut-il savoir qu'ils mentent.

— N'importe qui saurait qu'il ment.

— Ça ne suffit pas de *penser* que ton client ment. Tu dois en avoir la certitude. Il faudrait par exemple qu'il avoue à son avocat qu'il a violé Nick. Alors il ne pourrait pas l'autoriser à prétendre à la barre qu'il était consentant. Mais ça m'étonnerait qu'il dise la vérité à son avocat.

— Est-ce que tu as déjà eu des clients qui t'ont menti ?

— Oui, sûrement », admit-elle, piteuse.

Julia n'avait exercé que pendant quatre ans, mais, durant cette période, elle avait représenté toutes sortes d'accusés. Des gens normaux, pour la plupart, peut-être même des gens bien qui avaient fait de mauvais choix à un moment donné. Mais aussi des individus peu recommandables. Un professeur qui battait sa femme. Un ado dealer. Une série de parents maltraitants et négligents.

Et manifestement des violeurs. Tony l'ignorait, voilà tout.

L'idée qu'elle avait pu défendre un type de l'espèce de Raymond Walker le rendait malade.

« Je te laisse travailler », dit-il doucement, avant de refermer la porte.

17

Nick Hall, 2015

Une semaine après l'arrestation de Josh – ou Raymond –, Tony conduisit Nick à une réunion au bureau du procureur, qui se trouvait à l'arrière du tribunal. C'était là que l'affaire serait instruite. C'était tout ce que savait Nick. Ce qui se passerait au juste, il l'ignorait. Il n'avait pas la moindre idée de ce qu'il avait mis en branle.

Le bureau du procureur lui faisait penser au poste de police. En fait, il avait l'air mieux protégé. La réceptionniste était assise derrière une épaisse paroi vitrée à leur droite, et elle devait appuyer sur un bouton pour les laisser pénétrer dans le bâtiment.

Elle les conduisit dans une pièce au bout d'un couloir, où deux femmes les attendaient.

« Vous désirez boire quelque chose : un café, un soda ? proposa la réceptionniste.

— Vous avez du Coca ? demanda Nick.

— Je vous apporte ça. »

Pendant ce temps, les deux femmes s'étaient levées. La plus âgée lui tendit la main.

« Nick, enchantée. Je m'appelle Linda Davis et je suis l'assistante du procureur. C'est moi qui vais m'occuper de votre affaire. »

Elle avait une poigne énergique et Nick raffermit la sienne. C'était le genre de personne qu'on remarquait, les lèvres rouge vif et les cheveux aile de corbeau. Nick se demanda s'ils étaient teints.

La plus jeune des deux avait une poignée de main plus douce.

« Sherie. C'est moi qui ai été désignée pour être votre représentante dans cette affaire. Je vous guiderai dans les arcanes du système judiciaire et j'assurerai la liaison entre le tribunal et vous.

— Et vous devez être Tony ? » reprit Linda, s'adressant à ce dernier.

Ils s'assirent tous autour de la table. La réceptionniste réapparut avec la cannette de Nick.

« Comment allez-vous ? » demanda Linda.

Il tira sur la languette.

« Ça va.

— Vous voyez un psychothérapeute ? »

Nick hocha la tête et Tony répondit : « Oui. »

Sherie le dévisageait. Elle regardait sans doute les hématomes jaunes sur ses joues et son cou. Ils s'estompaient, mais ils étaient toujours visibles, au moins si on savait ce qu'on cherchait.

« Vraiment, ça va bien.

— Tant mieux, dit Linda. Nous voulons faire le point sur la procédure avec vous et répondre à toutes les questions que vous pourriez déjà avoir.

— Et je serai là pour vous aider quand vous en aurez d'autres par la suite, enchaîna Sherie. Car vous en aurez. »

Elle posa deux cartes de visite sur la table. Nick et Tony en prirent chacun une. Sous son nom étaient écrits les mots *REPRÉSENTANTE DES VICTIMES ET DES TÉMOINS*.

« Mon métier consiste à vous expliquer ce qui se passe et à me tenir à vos côtés au tribunal. Je peux aussi vous aider à plaider votre cause.

— Est-ce que vous êtes avocate ? demanda Tony.

— Non. Mon rôle est de soutenir Nick et de l'assister. Mais je travaille en collaboration avec Linda. Nous sommes toujours en relation, donc si Nick a la moindre question, il peut me la poser. Cela va faire beaucoup d'informations d'un coup, poursuivit-elle sur un ton d'excuse, s'adressant à présent à Nick. Mais le processus est lent. Il s'écoule généralement un certain temps entre le début et la clôture d'une affaire.

— Combien ? demandèrent les deux hommes en chœur.

— Ça peut prendre un an », intervint Linda.

Un an. Un mot très court, mais qui renfermait une vie entière. Noël. Son vingt et unième anniversaire. L'été. La rentrée universitaire. Son année de master. Et cette histoire serait peut-être encore au centre de son existence ?

« C'est ridicule, dit Tony.

— Je sais. Mais c'est une affaire prioritaire. Et je ferai mon possible pour qu'on passe devant le grand jury en novembre. Malgré tout, le tribunal donne le temps à l'accusé de prendre un avocat, d'effectuer une enquête, de faire appel à un expert. Il y a beaucoup de choses qui entrent en ligne de compte dans ce genre de dossier. »

Une enquête ? Quelle enquête voudrait mener Josh – ou plutôt Raymond ?

« Un mois ou deux après la mise en examen, il y aura un rendez-vous au tribunal où l'avocat de la défense et moi-même discuterons de l'affaire et tâcherons de trouver un accord. »

Ah oui. Le prévenu reconnaissait une partie des chefs d'accusation en échange d'une remise de peine.

« Dans ce cas, il n'y aura pas de procès ? dit Tony.

— C'est une possibilité, intervint Sherie. Mais sachez que c'est rare.

— Je croyais que la plupart des affaires se réglaient à l'amiable. Mon épouse est avocate.

— C'est vrai, admit Linda. Mais quand il s'agit d'agression sexuelle, les procès sont plus fréquents. Les accords restent courants, mais pas autant, c'est tout. Si nous pouvons obtenir une condamnation et une peine qui nous conviennent, nous ferons le maximum pour que vous n'ayez pas à témoigner à la barre. »

Nick avait senti les yeux de Sherie sur son visage lorsque Linda avait prononcé les mots « agression sexuelle ». Elle étudiait sa réaction.

« Est-ce quelque chose que vous êtes désireux de faire, Nick ? »

Il se tourna vers Linda.

« Quoi ?

— Être appelé à la barre.

— Ah. Oui.

— Si vous ne le souhaitez pas, c'est important que je le sache. »

Nick était déconcerté. Évidemment que ce n'était pas quelque chose qu'il *souhaitait* faire.

« Je ne suis pas obligé ?

— Si vous voulez un procès, vous n'y échapperez pas. Je ne peux pas aller au tribunal sans vous. Mais c'est à vous de décider. Si vous préférez ne pas témoigner, je ferai tout ce qui est en mon pouvoir pour négocier avec la défense. Il faut simplement que je connaisse votre position. »

C'était perturbant. Il ne savait pas quoi dire.

« Vous resterez anonyme, déclara Sherie.

— Est-ce qu'il l'est pour l'instant ? demanda Tony.

— Oui, dit Linda. J'ai déposé une requête. C'est pour cela que son nom ne figure pas dans la plainte. »

C'était nouveau pour Nick.

« Je ne savais pas qu'on pouvait faire ça, dit Tony.

— Il faut avoir une bonne raison. Tout dépend des cas. Je voulais que Nick puisse bénéficier d'un minimum d'anonymat. L'affaire est publique, ce qui signifie que les audiences seront ouvertes aux journalistes et à qui souhaitera y assister. En revanche, votre nom ne sera pas divulgué. Il ne devrait donc être publié nulle part.

— Nous savons que témoigner devant un jury demeure une démarche très pénible, très intrusive, ajouta Sherie. Personne ici ne vous jugera si vous choisissez de ne pas le faire. C'est déjà très courageux de votre part d'avoir porté plainte.

— Ce n'est pas si grave. »

Elles se comportaient comme si témoigner au procès risquait de le tuer. Il n'y tenait pas, évidemment, mais il pouvait le faire.

Linda l'examinait.

« C'est à vous de décider. Dites-moi seulement si, à un moment donné, il faut que je trouve un accord. Encore une fois, il n'y aura pas de procès sans votre participation.

— C'est bon. Je le ferai.

— Très bien. Espérons quand même qu'il acceptera de plaider coupable et qu'on pourra vous épargner cette épreuve. De toute manière, si la négociation aboutit, ça se passe généralement assez tard, plus près de la date du procès.

— OK.

— Un an », répéta Tony.

Tout le monde semblait retenir son souffle et attendre la réaction de Nick. Mais il ne savait pas quoi ajouter.

18

Tony Hall, 2015

Un an. Les mots résonnaient dans la tête de Tony alors qu'ils se dirigeaient vers la sortie. Ils y seraient peut-être encore dans un an. Il lança un regard à son frère.

Nick portait des vêtements appartenant à Tony. Il avait apporté un jean de chez lui, mais, avant de partir pour la réunion, il s'était soudain inquiété de sa tenue.

Tony le trouvait très bien comme il était. Mais Nick avait grimacé, montrant son tee-shirt et son jean.

« On dirait que je ne prends pas ce rendez-vous au sérieux.

— Tu es parfait, lui avait assuré Tony qui avait pris sa journée pour l'accompagner.

— J'aurais dû choisir quelque chose de plus habillé.

— Est-ce que tu as peur qu'ils ne te respectent pas ?

— Tu crois qu'on pourra s'arrêter quelque part sur le trajet ? »

Tony avait jeté un coup d'œil à sa montre. Impossible.

« Tu fais quelle taille ?

— Quarante-deux.

— Comme papa, avait dit Tony avec un sourire. Un instant. »

Il alla dans sa chambre et chercha dans le placard un pantalon qu'il était sûr de ne pas encore avoir porté au magasin de charité. Lui aussi faisait la même taille que Ron Hall autrefois, mais c'était un temps révolu. Depuis qu'il était père de famille, il avait pris du poids et tous les abdos du monde ne parvenaient pas à lui faire perdre ses quelques centimètres de gras. Il trouva le pantalon brun clair tout au fond du placard. Il choisit sa chemise la plus petite et une cravate, au cas où.

Lorsque Tony sortit des toilettes quelques minutes plus tard, Nick ouvrait la porte de la chambre. La cravate pendait autour de son col.

« Tu peux me la nouer ? »

Tony s'approcha de son petit frère, qui à vrai dire n'était plus si petit. La chemise tombait parfaitement sur ses épaules. Il l'avait vu dans ses vieux vêtements des dizaines de fois, mais jamais dans ses affaires d'adulte. Il se fit cette réflexion avec un pincement au cœur, la chambre de son fils de cinq ans à l'arrière-plan.

Il entreprit de faire le nœud, mais il le serra un peu trop. Nick recula avec un sursaut. Tony le lâcha aussitôt.

« Pardon », dit-il en même temps que Nick bredouillait : « C'est rien. »

Le jeune homme leva les mains et s'efforça de desserrer le nœud.

« Je peux le faire, dit Tony.

— C'est bon. »

Nick s'escrimait sur la cravate, les larmes aux yeux. Il la rendit à son frère.

« Une minute », dit Nick, refermant la porte derrière lui.

C'était le problème. Parfois il semblait aller parfaitement bien. Être celui qu'il avait toujours été. Et on oubliait ce qui s'était passé. Dans ce costume, il avait l'air d'un homme, mais pour Tony, il était redevenu un petit garçon.

À la sortie du bureau du procureur, il lui tint la porte.

« Je suis fier de toi.

— Pourquoi ?

— Parce que tu es courageux. Tu aurais pu te contenter de dire : ce n'est pas juste, et en rester là. Ce n'était pas ta faute, pourtant tu réagis.

— Arrête de répéter ça.

— Quoi ?

— Que je suis courageux. Que ce n'est pas ma faute. Tu sais combien de personnes me l'ont dit ?

— Si on te le dit, c'est parce que c'est vrai.

— Peut-être, mais ça ne change rien. »

Le jeune homme renversa la tête et vida son Coca.

« Ça change tout. Ce n'était pas ta faute, Nick. »

Le long de la passerelle, il y avait une grande poubelle, avec le mot « CONSIGNÉ » écrit sur le côté. Nick s'en approcha.

« Tu ne m'aides pas, dit-il en soulevant le couvercle.

— D'accord. Alors, qu'est-ce que je peux faire ? »

Nick jeta la cannette et se retourna vers lui.

« Si tu cessais de parler à ma place, pour commencer ?

— Pardon ? »

Nick indiqua le bâtiment.

« Tu n'as pas arrêté. À croire que tu le faisais exprès.
— Tu te taisais ! Il fallait bien que quelqu'un parle.
— Tu ne me laissais pas en placer une.
— Très bien. Je n'ouvrirai pas la bouche, la prochaine fois.
— Super. Et maintenant, dis-moi que je ne suis pas une victime. »

Il y avait du défi dans sa voix. Comme s'il ne s'attendait pas à ce que Tony s'exécute.

« Tu n'es pas une victime.
— Alors, arrête de me traiter comme si j'en étais une. »

Tony ne savait que répondre.

Certes, il avait tendance à le materner. Mais qu'était-il censé faire ? Prétendre qu'il ne s'était rien passé ? Et voilà comment il se retrouvait à filer une cravate à Nick alors qu'il avait été étranglé par un dingue. Il était bien une victime. Il lui était arrivé quelque chose d'horrible. Était-ce si grave de l'admettre ? Ça ne le définissait pas pour autant.

« Ça correspond à un moment… Si seulement j'avais été là.
— Merde ! »

Excédé, le jeune homme poussa la poubelle à côté de lui, qui répandit son contenu sur la pelouse.

« Nick !
— Tu penses que toi, tu l'aurais arrêté.
— Je l'aurais tué.
— Ferme-la, Tony. S'il te plaît, ferme-la ! »

La veine au front de Nick palpitait. Il donna un coup de pied dans une cannette et s'accroupit, puis s'assit sur l'herbe.

Il rugit, les nerfs à vif, et enfouit sa tête dans ses mains.

Tony le regardait, décontenancé par son éclat. Il ne l'avait jamais vu se mettre dans une telle fureur.

Au-dessus d'eux, il aperçut un visage pâle qui les observait, à la fenêtre du bureau du procureur.

Il s'approcha de Nick et ramassa les cannettes par terre. Puis, il redressa la poubelle et tendit la main à son frère. Ils regagnèrent la voiture en silence.

Ils étaient presque à la maison lorsque Tony s'excusa.

Nick avait la tête tournée vers la vitre, regardant les champs défiler. Ou fulminant intérieurement.

« Pourquoi ?

— J'aurais dû me taire quand tu m'as dit que je ne te rendais pas service. Je me conduis comme si je croyais te comprendre, alors que ce n'est pas le cas.

— Je sais que tu veux bien faire. »

Tony ne répondit rien. Il voulait dire à Nick qu'il avait raison, lui dire que ça le rendait fou de ne pas pouvoir défaire ce qui était arrivé. Que ça le frustrait au-delà du rationnel de n'avoir aucune idée de ce que son frère ressentait. Ils s'étaient toujours compris. OK, Nick était gay et pas lui – il y avait certaines choses qu'il ne pourrait jamais totalement saisir. Mais en ce qui concernait l'essentiel, ils étaient en parfaite communion. Ce n'était pas compliqué : ils avaient le même père. Ils avaient entendu les mêmes injures, reçu les mêmes baffes, s'étaient vus traités de bons à rien, de manières diverses mais avec une persistance typique de Ron. Ils se comprenaient. Pour communiquer, ils avaient un code à eux. Quand Nick était petit, Tony lui prenait la main et la serrait trois fois. Ça signifiait : *Je t'aime*. Nick serrait alors quatre fois : *Je t'aime aussi*.

Mais à présent, il se sentait coupé de Nick, et ça le rendait malade.

Il ne dit rien de tout cela. Il n'arrêtait pas de mettre les pieds dans le plat. Et il ne voulait surtout pas que Nick s'inquiète de ses états d'âme alors qu'il devait d'abord penser à lui-même.

« Je m'excuse, moi aussi. Je ne sais pas ce qui m'a pris.

— Ce n'est pas grave… Ce n'est pas grave et je n'ajouterai rien de plus.

— Ah ! Enfin une bonne nouvelle. »

Ce week-end-là, Nick retourna à Salisbury.

19

Julia Hall, 2015

Julia s'était longtemps opposée à l'achat d'un second téléviseur. « Un dans le salon, ça suffit amplement », répondait-elle tous les cinq ou six mois à Tony, lorsqu'il disait que ce serait agréable de pouvoir regarder la télé au lit, ou qu'il aimerait bien pouvoir suivre un match d'un œil pendant qu'ils préparaient le dîner. À la naissance de Chloe, quand elle avait commencé à l'allaiter, elle avait rapidement changé d'avis au sujet de la télé dans la chambre. Ils avaient passé un accord : Tony en choisirait une petite à Target, et ils l'installeraient dans la cuisine dès que Chloe serait sevrée. Elle était posée sur une table dans un coin, à côté du panier à linge, et ils suivaient *Lost*, *CSI*, et le vice caché de Tony, *The Bachelor*. Lorsque Julia cessa d'allaiter, elle ne dit rien, puis Seb était arrivé et la télé était restée. Tony en profita pendant quatre ans, jusqu'au jour où Julia la déplaça pendant qu'il était au bureau. Quand il trouva le poste dans la cuisine en rentrant, il feignit le désespoir et se laissa tomber par terre, à la plus grande hilarité des enfants.

C'est ainsi que, trois ans après cet épisode, alors qu'elle était en train de préparer le casse-croûte des enfants, Julia apprit aux informations régionales que Raymond Walker avait payé sa caution. Elle versait des mini carottes dans des petits sacs en plastique quand elle entendit les mots derrière elle : « Un homme de Salisbury accusé de viol a versé une caution de cent mille dollars aujourd'hui. » Elle fit volte-face et se rapprocha du poste.

La présentatrice déclarait d'un air grave : « Raymond Walker, un commercial de Salisbury, a été arrêté pour viol. Les faits se seraient déroulés le 2 octobre de cette année. La victime est un jeune homme de vingt ans, domicilié dans le comté d'York. Le bureau du procureur n'a pour l'instant pas divulgué son nom. »

Julia, qui sentait son cœur cogner dans sa poitrine, poussa un soupir de soulagement à ces mots.

« Ce matin, M. Walker a été relâché après avoir fourni à la cour la preuve d'un droit de gage de cent mille dollars sur sa maison, à Salisbury. Le bureau du procureur espère obtenir une mise en examen le mois prochain. »

Julia entendit des pas lourds dans l'escalier. Elle se rendit compte que ses doigts mouillés avaient agrippé le plan de travail. Elle les desserra et éteignit la télévision avant l'apparition de Tony.

Ce soir-là, Julia n'alluma pas la télé en préparant le dîner.

Toute la journée, elle avait résisté à l'impulsion d'appeler l'inspecteur Rice pour savoir comment Raymond Walker avait pu être libéré. Si elle avait connu l'assistante du procureur, elle l'aurait contactée directement, mais leurs chemins ne s'étaient jamais croisés durant son bref passage au barreau. Rice était la seule personne travaillant sur l'affaire de Nick avec qui elle avait un minimum d'atomes crochus. Mais que pourrait-il lui apprendre qu'elle ne savait déjà ? Bien sûr que Walker avait payé sa caution. Seuls les plus démunis étaient contraints d'attendre leur jugement en cellule. Il avait offert sa maison comme garantie de sa présence au tribunal. Cela n'avait rien d'exceptionnel. Dans d'autres circonstances, elle aurait même reconnu que c'était une bonne chose : un prévenu était innocent tant que sa culpabilité n'était pas prouvée. Il fallait un équilibre : le gouvernement ne pouvait pas punir quelqu'un sans avoir établi qu'il avait enfreint la loi. En théorie, les conditions de libération sous caution protégeaient le public jusqu'au procès. Mais, à présent que sa famille était concernée, le concept de procédure équitable lui semblait soudain dangereux.

Elle avait envoyé un SMS à Nick pour prendre de ses nouvelles. Il n'avait pas répondu immédiatement, mais elle l'avait eu au téléphone un peu plus tard. Il lui avait assuré qu'il allait bien. Elle ne l'avait cru qu'à moitié. Pendant la période où il avait vécu chez eux, elle n'arrivait pas à se défaire du sentiment qu'il ne leur disait pas ce qu'il ressentait réellement. Mais au moins, elle voulait être sûre qu'il était en sécurité physiquement. Walker n'aurait pas le droit de lui parler et encore moins de l'approcher, cependant une injonction judiciaire ne suffisait pas toujours à empêcher les violences. Et s'il s'enfuyait ? S'il disparaissait, prêt à agresser d'autres hommes, laissant Nick terrorisé ?

Tony rentra à la maison alors qu'elle coupait des légumes-racines pour les faire rôtir. Il n'avait pas franchi le seuil de la cuisine que Chloe arriva en trombe, suivie de près par son frère. Tous deux glapissaient « Papaaa » comme des missiles fendant l'air.

Julia posa le couteau sur la planche et se tourna vers son mari avec une grimace.

« Assez, les monstres ! Laissez-moi embrasser votre maman. »

Tony se dandina jusqu'à elle, un enfant accroché à chaque jambe.

Elle regarda sa famille ridicule et adorée, puis elle prit une grande inspiration. *C'est parfait. Sois heureuse.*

Une fois les enfants au lit, Julia et Tony montèrent se coucher. Ils se déshabillèrent chacun à un bout de la chambre. Tandis que Julia retirait ses boucles d'oreilles devant la coiffeuse, elle se demanda si elle devait lui parler de Walker. Il avait été de bonne humeur toute la soirée, et à présent il fredonnait derrière elle. Il ne savait pas, c'était évident. Était-ce le traiter avec condescendance si elle lui cachait la vérité ? Elle lui avait épargné une journée de ruminations. En même temps, égoïstement, elle avait envie de partager la mauvaise nouvelle avec quelqu'un. Elle se sentait coupable de garder un secret et elle voulait se soulager. Mais elle pouvait aussi porter ce fardeau pour lui, et garder pour elle que l'homme qui avait agressé Nick était libre. *Non, mais écoute-toi un peu. Dissimuler à ton mari une information publique ferait de toi une martyre ? Ressaisis-toi.*

Elle pivota.

« Ray Walker a payé sa caution ce matin. »

Tony finit d'ôter son polo. Ses cheveux se dressaient sur sa tête, électriques. Il avait l'air d'avoir été frappé par la foudre.

« Oh, chéri, dit-elle avec un petit rire, s'approchant de lui. Tes…

— Il est libre, l'interrompit-il en s'écartant.

— C'était aux infos ce matin. Il a dû offrir sa maison en gage. Il ne risque pas de s'enfuir.

— Ce n'est pas… Il… Tu as parlé à Nick ? Il est au courant ?

— Oui, je lui ai envoyé un SMS pour m'en assurer.

— Mais pas à moi. »

Elle le désigna d'un petit geste de la main.

« Je pensais que ça te mettrait dans tous tes états et j'avais raison. »

Elle sentait qu'elle était sur la défensive mais Tony ne semblait pas affecté par le ton de sa voix.

Il regardait par la fenêtre, les poings serrés, les sourcils froncés.

« Chéri. Nick est au courant, et ça va.

— Il devrait venir dormir ici ce soir. Par sécurité.

— Ce n'est pas ce qu'il veut. Et il y a une injonction du tribunal. Il n'a le droit ni de lui parler ni de l'approcher. Et il ne sait pas où Nick habite. »

Elle s'était placée derrière lui et lissait à présent ses cheveux en bataille.

« Il va se débrouiller. »

Tony baissa la tête.

« Moi aussi, j'étais inquiète, poursuivit-elle. Mais je lui ai parlé, et je t'assure que ça va. Il est content de retourner à la fac, d'avoir retrouvé ses colocs. Il veut juste que la vie reprenne son cours. OK ? » ajouta-t-elle dans un murmure.

Il hocha la tête. Elle lui donna un long baiser et l'entraîna vers leur lit.

20

Nick Hall, 2015

Lorsque Nick réintégra Spring Street, la croûte était toujours là. Au cours du week-end, il se fit la réflexion que ce n'était pas normal. En deux semaines – il s'était écoulé deux semaines depuis cette soirée fatidique –, la petite plaie aurait dû cicatriser. Il prit la résolution de ne plus y toucher.

Les deux premiers jours, il ne tenait pas en place. En cours, il n'arrivait pas à se concentrer. Dans sa tête, c'était une véritable cacophonie. Pourquoi avait-il suivi Ray ? Pourquoi vivait-il ainsi ? Qu'espérait-il ? Et voilà que ses doigts frottaient et grattaient. Dès qu'il en prenait conscience – et merde, encore –, il s'asseyait sur ses mains.

Le mercredi matin, à son réveil, il trouva un SMS de sa belle-sœur.

Salut, Nick. J'espère que tu tiens le coup. Je voulais juste te prévenir que RW avait été libéré sous caution. J'ai pensé que tu aimerais mieux l'apprendre par moi que par les infos. Si tu as besoin de quoi que ce soit, nous sommes là.

Sa main se porta machinalement à son crâne ; cette fois, quand la douleur l'avertit, il gratta plus fort. Lorsque la croûte se détacha, un ou deux cheveux vinrent avec. Peut-être que s'il en arrachait plus, la blessure respirerait mieux et guérirait plus vite. Si elle cicatrisait, il arrêterait de la toucher. Ses doigts se refermèrent et il tira ; la peau se distendit et libéra les racines, qui cédèrent avec un petit bruit sec, douloureusement satisfaisant. Nick regarda sa main. Son ongle était bordé de sang rouge clair et il tenait une fine mèche entre le pouce et l'index.

Mais ça ne va pas ? Je viens de m'arracher des cheveux !

C'était arrivé si vite qu'il s'en était à peine rendu compte. Il se leva et s'approcha de la porte sur la pointe des pieds. N'entendant aucun de ses colocataires, il fonça à la salle de bains. Le petit miroir de Mary Jo se trouvait dans l'armoire à pharmacie, là où il se rappelait l'avoir vu. Il s'en servit pour examiner l'arrière de son crâne, face à la glace. Il n'y avait rien... en fait, si. « Merde, merde, merde, qu'est-ce que j'ai fichu ? » grinça-t-il à voix haute. Le cercle de peau blanche et la plaie rouge tranchaient sur le brun uniforme de sa chevelure.

Son téléphone sonnait. Il se précipita dans la chambre. C'était Julia.

Est-ce qu'il allait bien ? voulait-elle savoir.

Oui, oui.

Est-ce qu'il avait eu son SMS ?

Oui. Ça allait. Ça allait même bien. Il était content d'avoir retrouvé sa vie. Il ne pensait pas à Josh. Raymond.

« Tant mieux », dit-elle. Le ton était léger. Elle le croyait. Elle le connaissait mal. Elle n'avait pas noté la crispation dans sa voix.

Jusqu'à la fin de la semaine, il porta une casquette des Red Sox que son père lui avait offerte des années plus tôt. Ce n'était pas son style, mais il l'avait gardée par sentimentalisme – une bonne journée avec papa. Il était bien content de l'avoir, maintenant, même si personne ne semblait prêter attention au trou dans ses cheveux quand il la retirait. Pendant les jours suivants, Nick se surprit parfois à toucher la plaie, à frotter machinalement, mais il résista à la tentation de faire plus de dégâts.

Et puis Raymond Walker fit une déclaration écrite.

C'était le dernier dimanche d'octobre. Le pire mois de sa vie se terminait aussi mal qu'il avait commencé. Ce matin-là, il avait refermé son ordinateur à l'aube pour enfin dormir. Il émergea quelques heures plus tard, le cerveau embrumé, désorienté, se demandant où il était. Son réveil affichait 11 h 27. Il entendit frapper derrière lui. Il se souvint alors qu'il était dans sa chambre. Il y avait quelqu'un à la porte.

« Oui, grommela-t-il, la voix enrouée de sommeil.

— Je peux entrer ? »

Le son était assourdi, mais il reconnut Ella.

« Bien sûr. »

Il se retourna vers la porte. Ella fit deux pas timides dans la chambre.

« Tu te réveilles juste ?

— Oui. »

Il y avait un malaise entre eux depuis les événements. Il ne lui reprochait absolument rien mais il savait qu'elle se sentait coupable. Elle n'arrêtait pas de s'excuser. Le traitait avec des précautions irritantes. Nick trouvait son attitude fatigante.

« Tu n'as pas regardé ton téléphone ? »

Nick tendit la main vers sa table de chevet.

« Attends », dit-elle en s'approchant.

Son écran était rempli de notifications.

« Qu'est-ce qui se passe ? demanda-t-il, le cœur serré.

— C'est ce mec, Ray. Il a envoyé un genre de lettre ouverte à tous les journaux. »

Il avait des appels manqués et des messages de Tony et Julia, de la mère de Tony, d'amis, et même de Chris. Ils ne s'étaient pas parlé depuis qu'il lui avait posé un lapin ce soir-là. Il lut le SMS.

Je suis vraiment désolé.

Nick leva les yeux vers Ella.

« Qu'est-ce qu'il a dit ? »

Elle était au bord des larmes.

« En gros, que vous étiez repartis ensemble et voilà, que c'était genre consensuel et que tu… Il l'a dit d'une drôle de manière, mais ça sous-entendait que tu voulais qu'il te fasse ça. »

Il secouait la tête, s'efforçant de comprendre le charabia d'Ella.

« Genre, le sexe qui fait mal. Comme si tu voulais qu'il soit brutal. Et il prétend que maintenant, tu mens. »

Il la regarda, estomaqué. Il n'arrivait pas à parler, un sourire horrifié plaqué sur le visage. Personne n'irait croire ça… ou bien…

Curieusement, sa première question fut : « Quel journal ?

— Tous. Je ne sais pas, ajouta-t-elle d'une voix étranglée. Ceux du Maine.

— Attends, est-ce qu'il m'a nommé ? »

Les yeux d'Ella se remplirent de larmes.

« Il dit que tu es étudiant ici. »

Nick regarda son téléphone. Chris savait que c'était lui.

« On peut deviner que c'est moi ? »

Elle éclata en sanglots.

Non. Non. Non !

« Ella ?

— Oui, renifla-t-elle.

— Comment ?

— Dans sa lettre. Il mentionne ton cursus. »

Non !

« Et… et je crois que le copain de Mary Jo l'a raconté à quelques personnes.

— Comment il le sait, lui ? »

Elle se rapprocha encore de Nick.

« J'en ai parlé à Mary Jo. Je suis vraiment désolée. Tu n'étais pas là et tu ne répondais pas à mes messages, je pensais pouvoir lui dire. Et elle n'a rien trouvé de mieux à faire que de le répéter à cet idiot. Si j'avais pu imaginer qu'il était aussi con, jamais je n'aurais… »

Son cerveau s'emballa. Si Chris savait… Il ne traînait pas avec Mary Jo ni avec son copain. À combien de personnes l'avait-il raconté pour que ça arrive aux oreilles de Chris ?

« Qui est au courant ? Qu'est-ce qu'ils disent ?

— Je n'en sais rien », murmura-t-elle.

Elle mentait.

« Et les gens le croient ?

— Le copain de Mary Jo ?

— Ray ! »

Elle haussa les épaules en faisant la grimace. Ça ressemblait à un oui.

« Ils le croient, dit-il.

— Seulement les imbéciles qui publient des commentaires sur les sites des journaux, répondit-elle, reniflant dans sa paume. Les gens commentent, c'est tout. Ça ne veut rien dire. C'est trop ridicule. Tous ceux qui te connaissent te croient. »

Nick regarda de nouveau son écran. Il cliqua sur le navigateur. Elle le lui arracha des mains.

« Arrête, ne lis pas ça.

— Tu te fous de ma gueule ? Bien sûr que je vais le lire. Rends-moi ce putain de téléphone, Ella. »

Nick se força à cracher les mots d'une voix qu'il ne reconnaissait pas. Les expulser de plus en plus violemment lui fit du bien. Il pouvait se défouler sur Ella – elle le méritait. Ce qui s'était passé l'autre soir n'était pas sa faute, en revanche, ce gâchis, si. Son visage était mouillé, mais elle avait cessé de pleurer. Elle le regardait avec de grands yeux de faon triste. *Super, fais-moi culpabiliser, alors que c'est ma vie qui est foutue. Ella dans toute sa splendeur.*

« S'il te plaît, promets-moi de ne pas lire les commentaires, dit-elle à voix basse, lui rendant son téléphone.

— À plus », répondit-il seulement.

Elle s'enfuit de la chambre, tandis que Nick portait la main à ses cheveux pour gratter sa croûte. Elle était plus petite et plus sèche, après ces quelques jours de répit, et elle se détacha d'un coup. Voilà. Il décida d'aller sur le site du quotidien local, le *Seaside News*. La lettre avait également paru dans des journaux plus importants, mais il avait l'impression que le *Seaside* le touchait de plus près. C'était là, en première page. « UN HOMME ARRÊTÉ POUR AGRESSION SEXUELLE RÉPOND AUX ACCUSATIONS ». Alors qu'il cliquait sur le lien, il sentit son index gauche jouer avec une mèche près de la plaie. *Stop*. Il s'assit sur sa main et lut.

L'article était introduit par un paragraphe en italiques. Cette lettre, expliquait-on, ne reflétait pas l'opinion du journal. C'était une tribune au sujet du système pénal. Nick la parcourut d'abord, son regard glissant sur les mots sans les analyser: *fait l'erreur de rentrer avec la mauvaise personne, il avait beaucoup bu, jeux extrêmes*. Des jeux extrêmes ? L'estomac de Nick se transforma en une masse brûlante et solide. Il sentit monter l'adrénaline. Des jeux extrêmes. Ray disait que Nick avait voulu ça. Tout. Qu'il était venu le chercher, et non l'inverse. Il désirait qu'on lui fasse mal, il avait réclamé ce que Ray lui avait fait. Les claques, les coups, les mains autour du cou… *arrête, arrête, ne pense pas à ça*.

Nick se pelotonna sur son lit. Il avait du mal à respirer. Son cerveau s'emballait, tourbillonnait, explosait, mais il était paralysé. C'était arrivé. Ray contre-attaquait. Évidemment. Il avait déjà prouvé qu'il n'était pas un faible, lui. Et la tentative de l'assistante du procureur pour protéger l'anonymat de Nick n'avait servi à rien. Tout le monde savait que c'était lui, maintenant. Ce serait sa parole contre celle de Ray. On prouverait qu'il était soit une victime, soit un menteur. Sa main retourna machinalement à son crâne. *Stop. Trop visible.* Il chercha sa cuisse droite sous les draps. Il pinça les poils fins et tira lentement. La peau libéra les racines bulbeuses avec une détonation imperceptible.

21

Tony Hall, 2015

La vue avait changé. Le foin coupé dans le champ avait perdu sa teinte dorée. Il était plutôt gris-vert, à présent, terni par les températures fraîches et les pluies occasionnelles des dernières semaines. Les arbres à l'horizon avaient également viré au gris : les feuilles colorées étaient tombées par terre où elles finiraient par pourrir. Debout sur la galerie à l'avant de la maison, en robe de chambre, Tony sentait l'air froid sur ses chevilles nues. La fin de l'automne était-elle toujours aussi laide ?

Il entendit Chloe dans l'escalier. Il se retourna. Il avait fermé la porte intérieure lorsqu'il était sorti. Il y avait une moustiquaire en bas et le panneau supérieur était vitré. Il la vit donc passer pour se rendre dans la cuisine, où Seb regardait Julia préparer des pancakes.

La chaudière s'était mise en marche, mais la maison n'avait pas eu le temps de se réchauffer. L'agression de Nick avait bouleversé leur rythme habituel et Julia n'avait pas eu l'occasion de lancer leur débat annuel au sujet du réglage du thermostat. Pour l'instant, c'était Tony qui était aux commandes, ce qui signifiait que, le matin, il valait mieux prévoir plusieurs couches de vêtements. Chloe avait les cheveux en bataille, comme toujours au réveil, et les voir ébouriffés au-dessus de la couverture dans laquelle elle était emmitouflée lui procura une sensation de chaleur dans tout le corps.

Ne reste pas dehors dans le froid. Rentre retrouver ta famille.

Tony descendit les marches et se baissa pour ramasser le journal dans l'allée. Son abonnement au journal du dimanche pesait un peu sur leur budget. Mais la tradition était trop bien établie pour qu'il y renonce ; c'était presque devenu une partie intégrante de son identité. Il avait commencé à le lire l'été où il avait abandonné ses études de droit – l'été où il avait également commencé à sortir avec son ancienne condisciple, qui s'appelait alors Julia Clark. Julia, elle, avait continué à bûcher dur pour obtenir son diplôme. Il ne l'aurait jamais admis à voix haute, mais lire un journal papier lui donnait le sentiment qu'il était encore un intellectuel. Qu'il était toujours capable de débattre avec elle à armes égales. Ou au moins de suivre la conversation.

Tony déchira le film plastique en remontant les marches. Depuis des semaines, il épluchait la presse à la recherche d'un entrefilet. Il y avait eu de courts articles en ligne dans la foulée de l'arrestation de Walker, mais l'affaire n'avait pas retenu l'attention de l'édition du dimanche. Il déplia le journal. Inutile de chercher, aujourd'hui. L'histoire était en première page.

En bas à droite, il lut : « UN HOMME ARRÊTÉ POUR AGRESSION SEXUELLE RÉPOND AUX ACCUSATIONS ». Tony s'entendit prendre une inspiration. Faites que ce soit autre chose, pensa-t-il. Une autre affaire. Par pitié.

Mais c'était bien ce qu'il craignait. Sous le titre figurait le nom de Raymond Walker.

J'ai commencé à écrire cette lettre de la prison, à Salisbury. L'un des gardiens m'a donné du papier et un crayon mal taillé que j'ai dû utiliser dans la salle commune. Il craignait que je poignarde quelqu'un ou que je me taillade les veines, manifestement. En l'espace d'une nuit, j'ai été dépouillé de mon humanité. On présumait que j'allais me conduire comme un animal en cage – peut-être parce qu'on m'avait enfermé dans une cage.

Prenez un instant, alors que vous êtes confortablement installé chez vous, et essayez de vous mettre à ma place.

Donc maintenant vous êtes en prison. Comment vous êtes-vous retrouvé là ? C'est simple : vous avez passé la nuit avec l'homme qu'il ne fallait pas.

Vous l'avez rencontré dans un bar. Il s'est assis à côté de vous, vous a offert un verre, vous a demandé votre nom. Il vous a interrogé sur ce que vous faisiez dans la vie, vous a dit qu'il étudiait le commerce, que vous aviez peut-être des choses à lui apprendre. Vous ne voyiez qu'une chose : vous étiez seul et un charmant jeune homme vous draguait. Ce que vous ne vouliez pas voir, c'était qu'il avait déjà beaucoup bu avant votre arrivée et qu'il a continué avec vous.

Vous attendiez qu'il se lasse de vos tempes grisonnantes et de votre style ringard. Mais non, à votre plus grand plaisir – et pour votre malheur ultérieur –, il a déclaré qu'il souhaitait rentrer avec vous.

Il devait habiter à proximité de l'université, mais vous ne vous êtes pas demandé pourquoi il ne tenait pas à ce qu'on vous surprenne chez lui. Vous étiez trop impatient. Alors, vous l'avez conduit à l'hôtel.

Là, il vous a étonné encore. Il vous a fait comprendre avec subtilité qu'il appréciait les jeux sexuels extrêmes. Un « toi aussi, tu aimes ça ? », sans paroles. C'est une invitation que vous aviez déjà acceptée avec d'autres partenaires, et vous ne l'avez pas refusée ce soir-là. Une conversation s'en est suivie, verbale et physique. Un échange qui est devenu de plus en plus intense.

La vue de Tony se brouilla. Les caractères se dédoublaient. La lecture était plus pénible à chaque ligne. Il poussa un cri, un étrange *gaah* qui s'échappa lentement de sa gorge. Il déchira la première page, la deuxième et la troisième. Il jeta le journal sur les marches et regarda autour de lui, cherchant quelque chose à frapper, n'importe quoi. *Il faut que ça sorte. Il faut que ça sorte.* Il se tourna vers la maison. La porte. Tony serra le poing et donna un coup dans la vitre, à hauteur de poitrine. Son pied traversa la moustiquaire et il tomba, se lacérant le bras en raclant le verre brisé.

« Qu'est-ce qui se passe ? » cria Julia.

Il se releva, titubant, pour voir sa femme accourir vers lui. Derrière elle, leurs enfants le regardaient, sur le seuil de la cuisine.

22

John Rice, 2015

Un petit malin d'avocat était passé au poste en début de matinée et avait laissé une vingtaine de doughnuts. Rice trouva Megan O'Malley en train de s'empiffrer dans la salle de pause.

« Je suis un cliché ambulant, dit-elle, un beignet à la crème à la main.

— Tu es répugnante, voilà ce que tu es, grogna Rice. Ne parle pas la bouche pleine, s'il te plaît. »

Il en choisit un nature, à l'aspect compact.

L'inspectrice avala sa bouchée et le montra du doigt.

« Toi aussi, tu es un cliché.

— Je suis traditionnel ! »

Elle leva les yeux au ciel.

« Prends ton café et ton doughnut nature et va jouer au flic. Laisse-nous tranquilles, ajouta-t-elle, contemplant son propre beignet en battant des cils d'un air énamouré.

— Avec plaisir. »

Il se dirigea vers son bureau. En dépit de sa rigueur, O'Malley aimait faire le pitre à l'occasion. Ce qui ne le gênait pas. Contrairement à d'autres, elle était capable de retrouver son sérieux en un instant, comme si elle appuyait sur un interrupteur. Elle était toujours professionnelle lorsque nécessaire. Policier était un métier éprouvant, et l'humour était ce qui lui permettait de tenir le coup. L'humour, la course de fond, et apparemment les doughnuts à la crème. Autrefois, c'était Irene qui jouait ce rôle pour Rice : il pouvait oublier tous ses soucis entre ses bras. À présent, il lui restait l'église et le jardinage. Les petits déjeuners avec les copains. Les visites de ses petits-enfants, les appels de sa fille.

Il avait passé une bonne partie du week-end à penser aux Hall. Ce n'était pas la première fois que son travail empiétait sur sa vie privée, et ce n'était certainement pas la dernière. La détresse des victimes avait tendance à déteindre sur lui, et tout ce malheur s'accumulait dans son esprit. L'expérience lui avait pourtant appris à faire barrage aux idées noires quand il n'était pas en service, mais il n'y parvenait pas toujours.

Le dimanche, il avait découvert dans la presse que le Père Noël était passé en avance cette année : une lettre ouverte de Raymond Walker en première page, où il admettait être l'homme que Nick avait rencontré au bar ce soir-là. Il parlait de « jeux extrêmes » à propos de ce qui avait eu lieu au motel. C'était exactement ce que Rice attendait, ce que Walker lui avait refusé au poste deux semaines plus tôt : un aveu et une défense peu crédible. Il avait envie d'embrasser le journal.

Puis il s'était inquiété pour les Hall. Il avait failli appeler Nick, bien que ce fût le week-end. Il voulait s'assurer qu'il allait bien et lui parler. Finalement, il s'était contenté de prier pour la famille à la messe.

Au poste, il rapprocha sa chaise de son bureau et ouvrit la tribune de Walker sur l'ordinateur. Il la fit défiler jusqu'au passage qui s'était gravé dans son esprit.

Il vous a fait comprendre avec subtilité qu'il appréciait les jeux sexuels extrêmes. Un « toi aussi, tu aimes ça ? », sans paroles. C'est une invitation que vous aviez déjà acceptée avec d'autres partenaires, et vous ne l'avez pas refusée ce soir-là. Une conversation s'en est suivie, verbale et physique. Un échange qui est devenu de plus en plus intense. Vous l'avez quitté avec le sentiment d'être compris, et d'avoir eu une chance incroyable.

Une semaine plus tard, la police vous appelle au bureau et vous demande de passer au poste. On vous montre une photo de l'homme que vous avez rencontré au bar. Vous ne savez pas quoi penser. Aurait-il commis un délit ? Dans le doute, vous vous taisez, de crainte de le trahir.

Puis on vous annonce qu'il vous accuse de viol.

Vous êtes abasourdi.

On veut entendre votre version des faits, vous dit-on. Vous vous apprêtez à parler, puis vous sentez le piège, alors vous refusez. On vous arrête.

Pour la première fois de votre vie, des menottes de métal froid enserrent vos poignets. On vous fait monter dans une voiture de police qui vous conduit à la prison. Vous subissez une fouille au corps. On vous donne un uniforme et vous pensez : Comme à la télé. *Parce qu'on vous a arrêté le jeudi, et que vous n'avez pas cent mille dollars à la banque, vous passez le week-end enfermé.*

Vous vous rendez au tribunal en combinaison carcérale, et avec des chaînes aux pieds, au cas où vous seriez assez débile pour tenter de vous enfuir en courant. Vous voyez une avocate de l'aide juridictionnelle qui n'a pas l'air d'avoir plus de dix-huit ans. L'entretien se déroule dans la cellule de détention provisoire. Il n'y a aucune intimité. L'avocate n'a de toute façon pas beaucoup de temps à vous consacrer. Mais les autres prisonniers autour de vous en entendent assez pour froncer les sourcils.

« Vous êtes accusé de viol avec circonstances aggravantes », vous assène-t-elle. C'est le début d'une longue matinée de jargon qui ne vous sera traduit qu'occasionnellement.

« L'affaire va d'abord passer devant un grand jury, poursuit-elle. Vous n'avez donc pas à produire de défense officielle aujourd'hui. L'essentiel, c'est de faire baisser le montant de votre caution. »

Au tribunal, la juge qui vous attend est celle qui a délivré le mandat d'arrêt. Celle qui a dit aux policiers qu'ils pouvaient vous menotter, vous faire des prélèvements d'ADN dans la bouche, et vous mettre en cage tout le week-end. Et pourquoi les a-t-elle autorisés à faire tout ça ? Parce qu'elle a lu une histoire sur vous. L'histoire que l'homme du bar a racontée à la police. Cette juge vous déteste déjà. Elle a choisi son camp. Elle a fixé une caution si élevée que vous devrez offrir votre maison en garantie.

« D'abord, vous devrez la faire évaluer, explique l'avocate. Puis il faudra enregistrer le droit de gage. Il y a un formulaire. Si vous avez un doute, vous pouvez appeler le bureau du greffier. »

Au lieu de quoi, vous téléphonez à votre mère de la prison et vous lui racontez tout, parce que vous avez besoin d'elle pour évaluer la maison. Ensuite, elle doit apporter les papiers pour confirmer au tribunal qu'il pourra saisir votre bien si vous enfreignez les règles de votre mise en liberté provisoire.

En tout, vous passez douze nuits et treize jours dans une cage. Sortir devient une telle obsession que vous ne prenez conscience de l'horreur de la situation qu'une fois dehors. Vous avez fait l'expérience de la privation de liberté. Vous savez ce que c'est de dormir derrière des barreaux avec une cuvette de W.-C. en face de vous. De sentir sur vous le regard torve des autres détenus. Vous avez entendu votre nom aux informations, suivi des mots « viol avec circonstances aggravantes ». Vous comprenez que, si vous ne pouvez pas réfuter cette accusation, non seulement vous irez en prison, mais à votre sortie vous ne serez jamais libre. Vous figurerez sur une liste noire, et, jusqu'à votre mort, tous ceux qui y liront votre nom penseront savoir qui vous êtes. « Savoir » ce que vous avez fait. « Savoir » que vous êtes moins qu'un être humain.

Mais rassurez-vous, ce n'est qu'un jeu pour vous : c'est mon calvaire, pas le vôtre. Ma bataille impossible contre un récit trompeur. Mon avenir qui est suspendu au fil de la vraisemblance. Qui sera le plus crédible, moi ou l'homme du bar ? Cet homme qui m'a charmé, qui m'a inspiré confiance – au point que j'ai couché avec lui.

Son affabulation va peut-être gâcher ma vie. Je ne comprends pas pourquoi il a décidé de mentir. Je peux faire des suppositions, toutefois. Haine de soi. Honte.

Ce n'est pas toujours facile de s'accepter, quand on est gay. Sans parler du tabou qui pèse sur ses goûts particuliers... En ce qui me concerne, je dois bien reconnaître que je n'avais pas prévu de rendre publiques mes préférences sexuelles.

Je ne saurai sans doute jamais pourquoi ce jeune homme perturbé m'a fait ça. Mon seul espoir est que la vérité finira par éclater, mais ce que j'ai entrevu de notre système judiciaire n'incite pas à l'optimisme.

Un prévenu mécontent de son arrestation, songea Rice. Il y a de quoi faire la une, c'est sûr ! Encore un qui clamait que la police l'accusait sans preuve. Mais ils avaient les blessures de Nick. Le sang au motel.

Personne ne croirait que Nick avait demandé à être battu. Ou bien se faisait-il des illusions ? Il approcha sa chaise du bureau et tapa sur une touche du clavier pour rallumer l'écran. Il fit défiler le reste de la lettre et lut le premier commentaire.

Le Seaside *devrait avoir honte de publier ce torchon.*

Bien, pensa Rice, avant de passer au suivant.

C'est sans doute vrai. Le garçon qui crie au loup pour rien. C'est encore avec l'argent du contribuable qu'on va démêler ça.

Moins bien.

Dieu abhorre les pédés. J'espère que ça remettra les idées en place à ce garçon lol.

C'était dégueulasse. Rice copia le lien de l'article et l'envoya par e-mail à Linda Davis.

Vous avez vu ça ?

Au moins, personne ne connaissait l'identité de Nick. Malgré tout, cette lettre avait dû le piquer au vif. Il fallait qu'on lui explique que c'était un élément qui jouait en sa faveur. Rice récupéra les miettes de doughnut sur son bureau au bout de son index, puis les lécha sur son doigt. Principalement en sa faveur.

Son portable sonna. C'était Linda.

« Je n'en reviens pas ! s'écria-t-elle.

— Joyeux Noël.

— Ne fanfaronnez pas, répondit-elle en riant.

— Vous avez raison.

— J'ai eu un appel d'Eva Barr, hier, reprit l'assistante du procureur d'une voix où perçait une anxiété qu'elle n'avait certainement pas voulu révéler.

— Ah ?

— Oui. Au moins, on sait à quoi s'attendre. »

Walker avait donc embauché Eva Barr. Certains pensaient qu'une menace à laquelle on était préparé valait toujours mieux que l'inconnu. Il n'empêche, Rice aurait préféré tenter sa chance avec quelqu'un d'autre. Eva Barr était une adversaire redoutable, surtout dans ce genre d'affaires. Même si le procédé paraissait grossier, les jurés semblaient plus enclins à accorder le bénéfice du doute aux clients d'Eva parce qu'ils avaient une jolie femme pour les défendre. Et elle était très forte pour donner l'impression qu'elle croyait sincèrement à leur innocence. Elle était prête à aller jusqu'au procès avec des dossiers calamiteux, là où la plupart des avocats se seraient mis en quatre pour négocier. Et elle obtenait généralement un acquittement pour le chef d'accusation le plus grave, ou au moins une annulation pour vice de procédure. Rice l'avait vue à l'œuvre : elle avait des manières charmeuses, une façon d'embobiner les jurés en s'adressant à eux sur un ton conspirateur. Bref, ils l'adoraient et les verdicts s'en ressentaient. Ce qui signifiait également qu'elle décrochait de meilleurs accords, en particulier face aux rares procureurs qui n'aimaient pas croiser le fer. Linda était plutôt du genre combatif, mais elle détestait perdre, et Eva lui avait infligé une cuisante défaite l'année précédente.

« Vous voulez que je lui fasse suivre la lettre, à elle aussi ?

— Je serais curieuse de savoir si elle était au courant de la démarche de son client, dit-elle en riant.

— Avec tous ces aveux ? Ça m'étonnerait.

— En tout cas, c'est bien écrit. »

Elle avait raison. S'il avait rédigé ce texte seul, cet homme était capable de se défendre. Restait à espérer qu'il n'était pas aussi éloquent en personne.

« Ça ne tient pas debout, dit Rice.

— Non. Nick Hall a été étranglé.

— Et il y a le rapport de l'infirmière.

— Exactement. La lésion au rectum. »

Rice ne put réprimer un tressaillement. La plupart des horreurs qu'il croisait dans l'exercice de son métier s'atténuaient à force de répétitions. Mais la charge de ce genre de mots ne s'émoussait pas.

« On savait qu'il allait passer à l'offensive, reprit Linda. C'est juste que je ne m'attendais pas à ce que ça arrive aussi vite.

— Le trou de mémoire de Nick devait se retourner contre lui à un moment ou un autre, de toute manière. Vous êtes inquiète ?

— Pas plus qu'avant. »

Les affaires de ce genre étaient toujours compliquées, au tribunal. Et le dossier de Nick était loin d'être inattaquable. Il avait bu. Il ne se rappelait pas le viol à proprement parler. Mais ils avaient son témoignage affirmant que Walker l'avait agressé et assommé. Et, en ce qui concernait la suite, ses blessures parlaient d'elles-mêmes.

La lettre de Raymond Walker apportait un nouvel élément à Rice, même s'il ne savait pas encore quoi au juste. L'homme semblait narcissique. Mais il était également intelligent. Il s'exprimait bien. Il avait un emploi stable. Et il avait fait preuve de sang-froid pendant l'interrogatoire au poste, avant l'arrestation. Aucun des deux profils retenus par O'Malley ne lui correspondait vraiment.

« Vous auriez le temps de faire quelques recherches pour moi aujourd'hui ? demanda Linda.

— Bien sûr.

— Est-ce que vous pourriez me trouver des infos sur le petit copain de Nick ?

— Le jeune homme avec qui il avait rendez-vous ?

— Oui. »

Une lumière clignota sur le téléphone fixe de Rice.

« J'ai un appel sur l'autre ligne. Qu'est-ce que vous voulez savoir sur lui ?

— Tout ce que vous pourrez dénicher.

— Facile. »

Rice décrocha.

« J'ai une certaine Britny Cressey au téléphone, dit la réceptionniste. Elle a des informations sur Raymond Walker. »

Qui ?

« Passez-la-moi. »

La réceptionniste s'exécuta et Rice se présenta.

La voix semblait jeune.

« Bonjour, j'appelle au sujet de Ray Walker.

— Et vous êtes ?

— Euh, une ancienne petite amie, si on veut. »

C'était inattendu.

« Et vous vous appelez Cressey ?

— Britny Cressey, oui, excusez-moi, dit-elle avec un rire joyeux.

— Pas de problème.

— Je viens de voir que Ray a été arrêté et accusé de ce truc. C'est pour ça que je voulais parler à quelqu'un. »

Était-ce un nouveau signalement ? Walker ne s'en prenait peut-être pas qu'aux hommes.

« Je vous écoute.

— J'aimerais vous en dire un peu plus sur lui, parce que, manifestement, vous n'avez qu'une version de l'histoire. »

Ah. Ce n'était pas un signalement.

« J'ignore si vous avez lu le journal, mais j'ai bien entendu sa version des faits.

— Ray a été mon meilleur ami pendant tout le lycée. »

Ce qui signifiait qu'elle avait à peu près l'âge de Walker, dans les trente-huit ans. À sa voix, il lui en aurait donné dix-huit.

« On est sortis ensemble, genre deux minutes avant qu'il me dise que les filles, ce n'était pas son truc. »

Elle pouffa. C'était étrange qu'elle se présente comme son ex.

« Ma foi, merci pour le contexte historique, mais…

— Ray a toujours été un garçon adorable. Super intelligent, futé. Très mûr pour son âge. J'aurais aimé qu'on reste proches après le lycée, mais il est parti à la fac, et voilà.

— Je vois.

— Je l'ai contacté quand j'ai lu sur la page Facebook de sa mère ce qui lui était arrivé, que vous l'aviez arrêté et tout. On a discuté. Il n'a pas changé. Jamais il n'aurait fait une chose pareille. »

Il perdait son temps. Elle ne semblait pas s'en rendre compte, mais c'était à l'avocate de Walker qu'elle aurait dû parler. Ce n'était pas le boulot de Rice de l'aider.

« Merci de nous avoir communiqué votre opinion, madame Cressey. C'est très aimable à vous.

— Si je pouvais seulement vous expliquer.

— Expliquer quoi ?

— Je le connaissais vraiment bien, je sais qu'il n'aurait jamais pu faire ce dont ce type l'accuse.

— Sauf votre respect, vous ne pouvez pas savoir ce qui s'est passé dans cette chambre de motel.

— Non, mais j'ai pour ainsi dire habité quatre ans chez lui. J'y étais toujours fourrée. Il avait le câble et il était fils unique. Ma sœur était une peste, à l'époque, et elle ne me lâchait pas si je restais à la maison. Le seul truc qui craignait chez Ray, c'était ses parents. Sa mère est folle. Genre étouffante, et un peu bizarre. Elle me détestait. Elle me trouvait vulgaire et ouais, OK, je l'étais, mais j'avais quoi, seize ans, gloussa-t-elle. Elle pensait que tous les deux on était, vous savez… Alors que c'était le dernier truc qui l'aurait intéressé, mais ses parents n'en avaient aucune idée, à l'époque. Son père lui aurait sans doute flanqué la raclée de sa vie. C'était un connard. Et un gros dégueulasse. Il me trouvait vulgaire, lui aussi, mais il aimait ça, si vous voyez ce que je veux dire ? »

Rice était écœuré.

« Je suis désolé, mais je ne saisis pas le rapport avec l'agression.

— Ray n'est pas violent. C'est juste pas dans sa nature. À sa place, j'aurais frappé son père dix mille fois, ce sale pervers. Et sa mère. Trop chiante. Mais lui, il ne s'énervait jamais après eux. Je ne me souviens pas de l'avoir vu faire une seule crise de rage adolescente en quatre ans ! Moi, je hurlais sur ma mère pour un rien, pas vous ?

— Pour être honnête, non. Mais je comprends ce que vous voulez dire. »

Rice ne s'était jamais emporté contre sa propre mère, mais sa fille Liz et lui avaient eu plus d'une prise de bec lorsqu'elle était au lycée.

« Je prends note de votre appel pour le dossier, madame Cressey. Mais je suis débordé aujourd'hui, je vais donc devoir vous laisser, d'accord ? »

Rice l'écouta d'une oreille distraite répéter plusieurs choses qu'elle avait déjà dites. Enfin elle raccrocha. Il était prêt à parier que c'était Walker qui l'avait poussée à passer cet appel. Pensait-il vraiment qu'une vieille copine affirmant qu'il était un ado patient pèserait dans le dossier ? Même si elle était crédible, ils ne se voyaient plus depuis vingt ans. Et elle l'avait reconnu elle-même : ils n'avaient jamais couché ensemble.

Rice enfila sa veste. Il avait plus urgent à régler.

23

Julia Hall, 2015

Julia avait prévu d'appeler Charlie Lee depuis quelques mois déjà.

Si elle avait renoncé à la profession d'avocate après la naissance des enfants, c'était surtout pour avoir une vie plus stable. Elle avait préféré abandonner les montagnes russes des commissions d'office, au moins temporairement, pour avoir des revenus plus réguliers et des journées plus courtes. Depuis, Julia travaillait pour un institut qui fournissait des études et des synthèses aux décideurs politiques. Il lui avait fallu un an pour se rendre compte que, si c'était la stabilité qu'elle cherchait, elle avait fait le mauvais choix. Pourtant, elle adorait son nouveau métier, analyser des problèmes et recommander des solutions. Et, comme du temps où elle était avocate, elle estimait que c'était important. L'avantage, c'était qu'ils n'avaient pas besoin de payer de nounou, puisqu'elle travaillait à la maison. L'inconvénient, c'était que les études étaient financées par des bourses. Quand il n'y avait plus d'argent, elle se retrouvait au chômage technique. Elle passait son temps à présenter des dossiers pour de nouvelles subventions, pensait constamment à ce qu'elle allait devoir faire après. Si bien qu'à force, elle avait toujours un projet qui mijotait sur le brûleur du fond, pendant qu'elle travaillait sur autre chose au premier plan. C'était la seule manière de vivre de ce métier.

En ce moment, elle était chargée de rédiger un rapport sur la justice des mineurs dans le Maine. Quel type de casier créait-on quand un mineur était accusé d'un délit ? Que conservait-on, en fonction de l'issue de l'affaire ? Qui avait accès aux données ? Quelles étaient les conséquences ?

Julia avait entamé ses recherches au printemps. Pendant l'été, elle avait interrogé des professionnels de la justice. À présent, elle allait contacter d'anciens délinquants juvéniles et leur demander de répondre anonymement à un questionnaire sur la façon dont leur casier avait affecté leur parcours. Parmi eux, il y aurait des clients à elle. Mais pas uniquement. Quelques mois plus tôt, quand Julia avait exposé son projet, l'institut lui avait alloué un modeste budget d'enquête pour retrouver certains de ses anciens clients aujourd'hui adultes. Et Charlie Lee était le seul détective privé qu'elle souhaitait embaucher, s'il était disponible.

Mais la veille, pendant que Tony était aux urgences, elle avait pensé à Charlie pour une autre raison.

La bande-son de l'incident résonnait encore dans sa tête : le cri qu'avait poussé Tony, comme un chien qui grogne avant d'attaquer, le fracas du verre brisé, les pleurs de Seb. Mais cela ne servait à rien de ressasser cette histoire. Elle avait retourné la question toute la nuit, et n'avait pas trouvé de meilleure idée. Elle demanderait à Charlie Lee d'enquêter sur Raymond Walker. Tony ne serait pas d'accord : quand il avait un problème, il préférait le régler lui-même. Elle ne lui en parlerait donc pas. À moins que Charlie découvre des informations utiles à Nick ; dans ce cas, comment pourrait-il lui en vouloir ?

Une fois Tony et les enfants partis, elle entra dans son bureau et posa sa tasse de thé matinale sur le rebord de la fenêtre. En général, elle buvait une infusion après son café, mais aujourd'hui, elle avait préféré un Earl Grey. Elle avait passé une mauvaise nuit et elle avait besoin d'une petite dose de stimulant supplémentaire. Il y avait une porte au fond de la pièce, et derrière, une étroite volée de marches qui menait au grenier. À côté, Tony lui avait installé des étagères. Elle tira un dossier accordéon où elle rangeait des articles et divers documents en lien avec son projet actuel. Elle en sortit une vieille liste de clients et s'assit à son bureau pour la feuilleter, cochant au crayon les noms marqués « Mineur ».

Pour son rapport, elle voulait interroger ceux qui étaient passés d'un extrême à l'autre, des jeunes qui n'étaient jamais apparus dans le collimateur de la justice et s'étaient soudain retrouvés avec un casier criminel public. Elle parcourut la liste, mais seuls trois cas l'avaient réellement marquée. Jin Chen, irresponsabilité pénale, pas de casier. Kasey Hartwell : une histoire plutôt comique, avec une infraction routière. Et Mathis Lariviere – un nom qu'elle n'oublierait jamais. En dépit de la gravité des faits, il avait obtenu que son casier reste confidentiel. Les autres noms lui rappelaient quelque chose, mais les détails étaient flous. Elle vida son thé, prit ses affaires et monta au grenier.

Julia consulta sa montre : 13 h 45. Pas étonnant qu'elle soit affamée.

On était fin octobre, mais l'air était lourd et chaud sous les combles. Elle s'essuya le front, mais n'y trouva pas de sueur. Elle se sentait simplement moite. Elle glissa la pochette de Mathis dans le tiroir marqué « L-Q ». Referma le meuble classeur métallique dans lequel elle conservait ses dossiers. Elle avait sélectionné quatorze noms qu'elle voulait que Charlie Lee tente de retrouver. En face de chacun, elle avait noté sa dernière adresse connue, afin qu'il ait un point de départ.

Lorsqu'elle redescendit dans son bureau, elle accueillit la caresse de l'air frais sur ses tempes avec reconnaissance. Elle appela Charlie et lui laissa un message.

Elle prit sa liste de clients pour la ranger, puis s'interrompit. Elle bloquait sur le nom au milieu de la plage. Mathis Lariviere. Son nom, et celui de sa mère.

Elle travaillait sur l'affaire depuis près d'un mois, quand elle avait donné rendez-vous au jeune garçon de dix-sept ans, un soir à son cabinet. On lui avait retiré provisoirement son permis en raison des accusations, et c'était sa mère, Elisa, qui l'avait amené. Après leur entretien, Mathis avait pris congé. Elle se figurait qu'ils étaient partis tous les deux, lorsqu'elle vit Elisa sur le seuil.

« Est-ce que vous auriez cinq minutes, Julia ?

— Je vous en prie, asseyez-vous. »

Elisa avait refermé la porte et s'était installée en face d'elle.

« Vous savez que Mathis est ici sur mon visa.

— Oui. Je travaille avec un avocat spécialiste de l'immigration. Nous faisons notre possible pour protéger son statut aux États-Unis.

— Il ne faut pas que Mathis soit renvoyé en France.

— Pourquoi ?

— Faites-moi confiance. »

Julia avait un calepin sous la pochette de Mathis.

« Pas de notes, s'il vous plaît. »

La posture d'Elisa était détendue. Elle était appuyée contre le dossier, les doigts croisés sur les genoux.

« Je vous écoute.

— J'ai une question. Que se passe-t-il pour mon fils si le policier qui l'a arrêté ne témoigne pas ?

— Les policiers n'oublient jamais de se présenter aux procès. Quand il s'agit d'une infraction routière, à la rigueur, mais pas dans ce genre d'affaires.

— Expliquez-moi quand même. »

Julia avait réfléchi.

« J'ignore comment le procureur pourrait prouver que les drogues et l'arme appartenaient à Mathis, sans son témoignage. Mais je n'en suis pas sûre, il faudrait que j'étudie la question. C'est une drôle d'hypothèse. »

Julia avait souri. Pas Elisa.

« Pourquoi cette question ?

— Simple curiosité. Je ne sais pas grand-chose sur le fonctionnement de la justice, les preuves, tout ça. »

Ce n'était pas vrai, à en croire Mathis. Il lui avait confié que sa mère avait une excellente connaissance des affaires criminelles, comme toute sa famille.

Oh, non. Cette femme parlait de… Parlait-elle de soudoyer le policier ? Ou pire !

« Je n'aime pas ce que vous insinuez.

— Je n'insinue rien du tout.

— Je pense que si », avait rétorqué Julia d'une voix soudain stridente.

Elisa avait levé la main.

« Du calme. Nous avons le même objectif.

— Je ne travaille pas avec des gens qui enfreignent la loi.

— Vous en êtes sûre ?

— Certaine. »

La femme avait haussé les épaules puis avait pris congé.

« Elisa, je renoncerai à défendre votre fils, si j'ai le moindre soupçon que vous avez commis un acte illégal.

— Inutile de monter sur vos grands chevaux. Vous avez été très claire. »

Julia avait entendu le claquement lointain de la porte d'entrée, et elle s'était approchée de la fenêtre. Elle avait vu Mathis et sa mère traverser la rue pour rejoindre leur voiture. Sa main tremblait contre le rideau.

Autant qu'elle le sache, Elisa n'était pas intervenue dans l'affaire. Elle avait accompagné son fils à chaque rendez-vous au tribunal, mais n'avait plus fait la moindre allusion ambiguë. Et, après plus d'un an de thérapie, deux cents heures de travail d'intérêt général, et un excellent rapport de son conseiller pénitentiaire d'insertion, Mathis avait pu retrouver une vie normale. Il avait même été félicité par le juge lors de sa dernière comparution.

Dans le couloir, à la sortie de l'audience, Elisa avait posé sa main manucurée sur le coude de Julia et l'avait entraînée vers une série de fenêtres à l'écart de la foule.

« Bravo.

— C'était un travail d'équipe.

— Je vous aime bien, Julia, avait dit la femme en souriant, le coin de ses yeux se plissant sous l'ombre à paupières grise. Je ne suis pas assez orgueilleuse pour vous souhaiter des ennuis, mais, si un jour vous êtes à ma place, si votre fils se retrouve dans la situation du mien, vous comprendrez peut-être ce que je ressentais, ce fameux soir dans votre cabinet. »

Cette femme redoutait d'avoir perdu son respect, comprit Julia.

« Je sais que ça n'a pas été facile pour vous de me faire confiance.

— C'est plus dur d'obéir aux règles quand il s'agit de sa propre famille. Et j'espère de tout mon cœur que vous n'aurez jamais à l'apprendre. »

C'était sans doute vrai. Elle ignorait ce qu'Elisa éprouvait à l'idée de ce que risquait son fils. L'expulsion, peut-être le renvoi dans un pays où elle pensait qu'il n'était pas en sécurité.

Mais jamais Julia n'aurait agi ainsi, même si elle s'était trouvée à sa place.

« Je sais que vous voyez les choses différemment, mais j'estime que vous avez sauvé la vie de mon fils. Si un jour je peux vous rendre la pareille…

— Payez simplement votre facture. »

La femme l'avait regardée froidement, puis avait éclaté d'un rire sonore.

Julia replia la liste. Ce serait bien, si la mère de Mathis la voyait maintenant. Pour lui montrer son erreur. Elle aussi avait désormais un proche dont l'avenir dépendait du système judiciaire, dans une certaine mesure. Pourtant elle restait en retrait ; elle se fiait à la justice. Elle ne harcelait pas ses anciens confrères dans le but d'obtenir des informations et des faveurs.

Mais était-elle réellement exemplaire, ou était-ce qu'elle ne voyait pas l'intérêt de se taper la tête contre un mur ? Parce qu'en réalité, il n'y avait rien à faire, hormis attendre l'issue de l'affaire, quelle qu'elle soit.

Sous la fenêtre, Julia entendit les pas du facteur sur la galerie. Elle rangea son bureau, puis descendit à la cuisine.

Elle mit la bouilloire à chauffer et sortit du pain du garde-manger. Dehors, il semblait que le facteur avait oublié quelque chose : il remontait les marches. Et maintenant il frappait à la porte. Zut. Peut-être allait-il l'interroger au sujet de la vitre cassée. Elle lui répondrait que Tony était passé à travers. C'était ce qu'il avait raconté aux urgences. Était-ce seulement plausible ? Julia ouvrit et se rendit compte qu'elle n'avait plus le temps d'évaluer la crédibilité de son mensonge, car ce n'était pas le facteur. Sur le seuil se tenait l'inspecteur Rice.

24

John Rice, 2015

Rice se gara au bord de la route, en face de chez les Hall, et jeta un coup d'œil à son téléphone. Il était un peu plus de 14 heures. Il n'avait pas eu de réponse de Nick, mais il était peut-être simplement en cours. Au fil des heures, l'impatience l'avait gagné. Le jeune homme avait dû se sentir violé une seconde fois par la tribune de Walker. Il n'était pas rare que les victimes de violences conjugales ou d'agression sexuelle décident du jour au lendemain d'abandonner les poursuites. Une lettre pareille en inciterait plus d'un à renoncer. Il préférait parler à Nick. Pour lui expliquer que ce genre de déclarations lui rendait plus service qu'autre chose, s'assurer qu'il allait bien. Et l'interroger au sujet de Chris.

Il y avait quelqu'un à la maison : un Subaru Baja rouge – un véhicule hideux – était garé dans l'allée. Mais Nick était-il ici ? En fait, Rice ignorait s'il était toujours chez son frère ou s'il était rentré chez lui. Quand il avait vu que Nick ne répondait pas, il aurait été plus raisonnable d'appeler Tony ou Julia. Mais il avait foncé à Orange sans réfléchir.

Il s'arrêta en haut des marches. La vitre de la porte extérieure était cassée. Et la moustiquaire du bas, déchirée. Il l'entrouvrit lentement. Il y avait du sang séché à l'intérieur du mince cadre de métal. Il frappa. Il entendit un bruit de pas étouffés.

Julia lui ouvrit.

« Inspecteur !

— Bonjour. J'étais dans le coin et j'avais un peu de temps devant moi, donc j'ai fait un détour au cas où il y aurait quelqu'un à la maison.

— Oui, bien sûr, vous voulez entrer ?

— Si ça ne vous embête pas. Je ne voudrais pas refroidir la maison en vous obligeant à me parler sur le seuil. »

Elle s'effaça pour le laisser passer.

« Il ne fait pas beaucoup plus chaud à l'intérieur, j'en ai peur. »

Rice s'essuya les pieds sur le paillasson.

« Qu'est-ce qui est arrivé à votre porte ?

— Oh, bah, ce n'est rien. On a eu un petit accident ce week-end. Je n'ai pas encore eu le temps de nettoyer.

— Quel genre d'accident ? » insista-t-il.

Un sifflement de bouilloire s'éleva et elle se tourna en direction de la cuisine.

« Tony a trébuché en montant les marches, dit-elle en éteignant le feu. Il a attendu deux heures aux urgences dimanche, et maintenant il a un plâtre.

— Il est passé à travers la vitre ? Il va bien ?

— Oui, oui. C'est vrai que c'est impressionnant, quand on voit l'état de la porte, mais il y a eu plus de peur que de mal. Il s'est cassé un doigt. Ça va se ressouder. Vous voulez du thé ?

— Ah, je ne suis pas très thé, je vous remercie.

— Je peux faire du café, si vous préférez.

— Non, je ne veux pas vous embêter. Je n'en ai que pour une minute. »

Julia prit une boîte en métal et versa deux cuillerées de feuilles dans une petite théière en terre cuite.

« Alors, que se passe-t-il, inspecteur ?

— Je suppose que vous avez vu la lettre dans le journal ? »

Elle murmura un « oui » affligé.

« Je compatis. C'est horrible d'avoir publié ça. »

Elle secoua la tête.

« Je me sens triste pour Nick... Le... La chose en elle-même était déjà suffisamment violente, et maintenant ça.

— Comment il le prend ?

— Pas trop mal, je crois. On est allés le voir hier soir. Il ne répondait pas au téléphone, alors on a débarqué... Il semblait un peu ailleurs, mais il n'arrêtait pas de dire que ça allait. »

Rice se sentit soulagé. Au moins, ses appels n'étaient pas les seuls que Nick ignorait. Et il avait une famille qui l'entourait et prenait soin de lui.

« Malgré tout, vous devez savoir que cette lettre nous rend plutôt service ? »

Julia ne répondit pas ; elle n'avait pas l'air de saisir.

« Walker a admis qu'on avait arrêté la bonne personne. Et maintenant, on connaît sa défense. Il va jouer sur le consentement.

— Ah ! s'écria-t-elle. Bien sûr ! C'est bizarre, je n'y avais même pas pensé. Nous étions tous les deux tellement préoccupés par la réaction de Nick que nous n'avons pas cherché plus loin. Mais vous avez raison. »

Rice hocha la tête.

« Ce sont des aveux, reprit-elle. Il est foutu, non ? Personne ne croira jamais que Nick ait pu consentir à une telle violence ?

— J'espère bien que non. Est-ce que vous connaissez l'emploi du temps de votre beau-frère ? J'aurais besoin de lui parler. Il ne m'a pas répondu, mais je suppose que ça n'a rien de personnel.

— Non, je pense qu'il est simplement dépassé par les événements. Ça n'a aucun rapport avec vous. Je ne pourrais pas le jurer, mais... »

La vibration de son téléphone sur le plan de travail l'interrompit.

Rice baissa les yeux vers l'écran, espérant voir le nom de Nick. *Charlie Lee*, lut-il.

Charlie Lee ? Le détective privé ?

« Oh, désolée, c'est pour le boulot. Ça vous embête si je prends cet appel ? J'en ai pour deux secondes.

— Je vous en prie. »

Elle s'éloigna dans le couloir avec son portable.

« Allô, Charlie. Je ne suis pas seule, peut-être que... Oui... d'accord, je vous donne la liste rapidement. »

Sa voix diminua à mesure qu'elle montait les marches.

Des sons étouffés parvenaient à Rice, mais aucun mot distinct. Que voulait Julia à un privé, s'il s'agissait bien du Charlie Lee qu'il connaissait ? Il avait bonne réputation, pour un enquêteur qui n'était pas un ex-policier. Il venait des assurances. Ils avaient été dans des camps opposés deux ou trois fois. C'était plutôt la défense qui avait recours à ses services, en général.

Rice renonça à essayer d'espionner la conversation et s'appuya au plan de travail, en face de la cuisinière.

Il consultait ses e-mails, quand il entendit une porte se refermer à l'étage et des pas dans l'escalier.

« Pardon, dit Julia en réapparaissant au bout du couloir.

— Je vous en prie, c'est moi qui vous dérange en plein boulot. »

Elle lui signifia que ce n'était rien d'un geste de la main.

« Je suis curieux, malgré tout. C'était Charlie Lee, le détective privé ?

— Oui, dit-elle avec un regard amusé, en croisant les bras. Il m'arrivait de l'embaucher quand j'étais avocate. Et là j'avais une petite mission pour lui.

— Je pensais que vous rédigiez des études, maintenant ? »

Elle reposa son téléphone sur le plan de travail.

« Oui. J'ai fait appel à lui pour retrouver la trace d'anciens clients que je souhaiterais interroger.

— Je vois. Intéressant. »

Elle hocha la tête.

« Donc, l'emploi du temps de Nick. Je crois qu'il n'a pas de cours après 15 ou 16 heures. En tout cas, je suis sûre qu'il n'a pas de cours le soir, ce semestre. »

Elle prit la théière, la fit tourner délicatement, puis l'inclina au-dessus de sa tasse.

L'eau se déversa du bec avec un clapotis musical qui fit regretter à Rice d'avoir décliné son offre.

« Vous vouliez le voir pour quoi ?

— Je tenais à m'assurer que tout allait bien après la publication de la lettre. Et puis, ajouta-t-il, se repositionnant contre le plan de travail, pendant que je suis là, est-ce que Nick vous a parlé du garçon qu'il était censé voir ce soir-là ?

— Chris ? demanda-t-elle, surprise.

— Oui. »

Elle réfléchit.

« Je crois que je ne sais rien sur lui, en fait.

— Est-ce qu'ils sortent ensemble ?

— Non. Nick avait le béguin pour lui à un moment, je me souviens qu'il l'a mentionné l'été dernier.

— OK.

— Quel est le rapport avec l'affaire ?

— Aucun, sans doute. Mais je ne veux rien négliger. Être sûr qu'on ne passe pas à côté d'une information.

— Je vois, répondit-elle lentement. Il faudra lui poser la question. »

Rice resta assis quelques instants derrière le volant avant de démarrer. Il avait noyé le poisson avec ses histoires de flic consciencieux. Mais Julia avait peut-être deviné où il voulait en venir. Elle avait été avocate, après tout.

Raymond Walker était capable de tourner les faits à son avantage, il n'y avait qu'à lire sa lettre. Il avait fait des aveux, mais il avait aussi riposté. Et, comme Linda le craignait, le sexe de la victime suscitait un certain intérêt médiatique. Walker avait embauché Eva Barr, qui allait faire appel à un détective privé. La défense ne tarderait pas à connaître l'existence de Chris. Et c'était un problème, car maintenant Nick avait une raison d'avoir menti. Chris était une faiblesse que la défense ne manquerait pas d'exploiter.

25

Nick Hall, 2015

Nick sentit son ventre se nouer lorsqu'il entendit son téléphone. La brève vibration indiquait qu'il s'agissait d'un SMS. Il mit la vidéo en pause sur l'ordinateur et se tourna vers la table de chevet. C'était Tony.

Ça va ?

Il grommela. C'était simplement son message quotidien.

Oui, répondit-il, comme d'habitude.

Heureusement qu'il n'était pas resté chez son frère. Au moins il n'avait pas à le subir en personne. Tony le bombardait de textos et de messages sur Snapchat. Et il était particulièrement insistant ces derniers jours. Devoir le rassurer constamment épuisait Nick. Et, chaque fois qu'un message arrivait, il redoutait de voir s'afficher sur l'écran le nom d'un ami de plus qui prenait des nouvelles parce qu'il avait entendu parler de l'affaire. Ou pire, parce qu'une nouvelle information était sortie au sujet de la soirée. Mais ce n'était pas possible : seuls lui et Ray savaient ce qui s'était passé dans cette chambre, et ils avaient déjà tous les deux donné leur version.

On frappa et Johnny passa la tête dans l'entrebâillement de la porte.

« C'est la police. L'inspecteur.

— Pour quoi ?

— Il ne me l'a pas dit. »

Le téléphone de Nick vibra dans sa main.

Tony : *Tu as besoin de quelque chose ?*

Il tapa rapidement : *Oui. Qu'on m'écoute quand je dis que ça va.*

L'inspecteur Rice se tenait en bas de l'escalier, dans l'entrée où régnait un véritable capharnaüm.

« Est-ce qu'il y a un endroit tranquille où on pourrait parler ?

— Pas vraiment. »

Il ne tenait pas à lui montrer sa chambre.

« On va faire un tour, alors ? »

Nick attrapa un blouson et un bonnet, et le suivit dehors. Ils empruntèrent Spring Street en direction du campus. L'inspecteur évoqua d'abord la lettre.

Ce n'était pas grave, il allait bien, lui assura Nick.

En fait, c'était un avantage pour son équipe, lui expliqua le policier. À présent qu'ils connaissaient la ligne de défense de Walker, ils pouvaient se préparer. Et ils pourraient utiliser la lettre contre lui au tribunal.

« Bien », répondit le jeune homme.

Rice passa à la suite sans attendre.

« Sinon, je voulais vous demander, quelle est votre relation avec Chris ?

— Il n'y en a pas.

— Vous n'êtes pas ensemble ?

— Non. »

Nick n'avait répondu à aucun des SMS de Chris depuis cette funeste soirée. Il était la dernière personne sur cette planète à qui il souhaitait parler de ce qui s'était passé.

« Et le soir de l'agression ?

— Il m'a posé un lapin. »

Le policier secoua la tête, comme si Nick ne le comprenait pas.

« Je veux dire : était-ce votre petit copain ?

— Non. Il n'était pas intéressé. »

Dans quelle langue fallait-il le lui dire ?

« Ça aurait pu avoir de l'importance pour lui, si vous couchiez avec quelqu'un d'autre ? »

Je n'ai pas couché avec quelqu'un d'autre ! pensa Nick. Ses yeux avaient dû le trahir, car le policier se reprit aussitôt.

« Je sais que vous n'avez pas couché avec Walker, ce que j'essaie de vous expliquer, c'est que... L'assistante du procureur a besoin de précisions sur votre relation, parce qu'il va sans doute en être question au tribunal. Vous avez lu ce que Walker a écrit. Son avocate et lui vont insinuer que vous vouliez cacher la vérité à Chris. Que vous aviez peur qu'il apprenne que vous l'aviez trompé.

— Comment est-ce qu'ils pourraient connaître l'existence de Chris ?

— Il fait partie de l'histoire. Son nom apparaît dans mon rapport, dans votre déposition, ailleurs. Ils auront accès à toutes ces informations.

— Attendez, vous voulez dire que des gens vont lui parler ?

— Je n'en sais rien. Sans doute. Ils vont probablement l'interroger. Il faudra peut-être que je lui parle, moi aussi.

— Il n'a rien à voir avec ce qui s'est passé.

— Je comprends que ce soit déroutant pour vous. Mais je ne veux pas enjoliver les choses. La procédure peut révéler certains aspects de votre vie que vous ne souhaitiez pas voir étalés au grand jour. »

Nick songea à ce que lui avait dit son psy au cours de leur première séance. Jeff avait évoqué plusieurs points liés à la confidentialité, comme s'il énumérait une liste mémorisée par cœur, et il lui avait dit qu'un tribunal pouvait ordonner à un psychothérapeute de produire ses dossiers.

« En quoi le fait que j'ai été violé ou non a un rapport avec Chris ?

— Si Walker n'arrive pas à trouver une bonne raison pour laquelle vous auriez pu mentir, il est dans la merde. C'est aussi simple que ça. »

Entendre l'inspecteur Rice parler ainsi le décontenança. L'homme n'avait pas l'air d'un tendre : il était grand et costaud, vieux, et il portait une arme sous sa veste. Son visage était vérolé et ridé. Mais il n'avait jamais employé de langage grossier devant lui.

« Il va tenter de vous faire passer pour un menteur. Il n'a pas d'autre solution, Nick. Il risque plusieurs années de prison. Voire plusieurs décennies. Et une inscription à vie au registre des délinquants sexuels. »

Nick sentit sa respiration s'accélérer. Il avait l'impression qu'ils se disputaient, même il ne savait pas à quel sujet.

Le policier continuait de parler.

« Il va essayer de vous traîner dans la boue. Il n'y aura pas de quartier. On vous a prévenu ?

— Vous auriez pu le faire. »

Rice parut surpris. Il baissa la voix.

« Vous souffriez. »

En d'autres termes : *je ne voulais pas en rajouter*. L'inspecteur l'avait pris pour un bébé. Comme Tony. Comme tous ceux qui lui parlaient de cette putain d'histoire. On l'infantilisait. Et ça marchait. Chaque fois qu'il était question de l'affaire, il avait l'impression de glisser en arrière, de s'éloigner encore de l'homme qu'il était avant cette soirée.

« On ne sortait pas ensemble. J'aurais bien aimé ; pas lui. Chris s'en foutait que je couche avec quelqu'un d'autre. Voilà. Il n'y a rien de plus.

— Très bien, dit Rice d'une voix calme. Si vous me cachez quoi que ce soit au sujet de Chris et vous, vous devriez m'en parler maintenant.

— Pourquoi ?

— Parce que, si vous modifiez votre version des faits plus tard, ça risque de vous nuire. »

Il se passait quelque chose. Il sentait monter les larmes, ses yeux menaçaient de déborder.

« Je n'ai pas le droit de garder vos secrets, poursuivit Rice. Vous me dites quelque chose, l'assistante du procureur le répète à l'accusé. On ne triche pas avec lui. C'est le principe d'une justice équitable. »

Mais il ne peut pas savoir ce que la police ignore, pensa Nick. Ray ne peut pas savoir ce que tu ne révèles à personne.

Les larmes refluèrent.

« Je ne vois pas ce que vous attendez de moi.

— La vérité, c'est tout.

— Vous la connaissez déjà. »

26

Tony Hall, 2015

Il y avait un trou dans l'une des baskets de Tony, là où son gros orteil frottait contre le filet. À l'origine, elles étaient grises avec des motifs blancs, même si maintenant elles étaient tachées d'herbe et ternies par la boue. Il les portait principalement pour jouer avec les enfants et pour tondre la pelouse. Il n'avait pas couru depuis une éternité. Il termina de lacer ses chaussures et trottina jusqu'au bout de l'allée. Puis il tourna à droite, à l'opposé du centre-ville. Il ferait demi-tour au petit pont, à un peu plus de trois kilomètres. L'air était froid et sec dans ses narines et chaque foulée réveillait une douleur dans ses mollets.

La première fois qu'il avait couru, c'était l'été qui avait suivi sa licence. Une période charnière, il s'en souvenait parfaitement. Le dernier été où il s'était battu. Et à une exception près, le dernier où il avait bu. Tout était lié.

L'alcool était son point faible : plus de deux verres et le voyant « self-control » s'éteignait dans son cerveau.

Ses membres se détendaient, il riait trop fort, il était drôle et sympa, et n'avait pas peur de chanter, de danser et de draguer les jolies filles. Mais il y avait des fois où il n'était pas aussi drôle qu'il le croyait, où ses blagues étaient trop agressives. Et des fois où il n'était pas sympa. Surtout si un autre type le regardait de travers, s'il se prenait pour un dur et voulait le prouver à Tony. Il s'était retrouvé entraîné dans quelques altercations, toujours provoquées par ce genre d'attitude : une façon de rouler des mécaniques, un « Qu'est-ce t'as ? » lourdingue. Deux fois, il en était venu aux mains. Aujourd'hui encore, ses amis évoquaient ces incidents en leur donnant une dimension épique, comme si Tony était Rocky. Il avait essayé de se voir à travers leurs yeux : un mec qui en avait et ne se laissait pas emmerder. Mais en réalité, il était bien conscient que ses bras s'agitaient dans tous les sens et qu'il ne maîtrisait rien. Il avait la sensation que lui et l'autre gars étaient des marionnettes qui se heurtaient et s'entrechoquaient.

Sa dernière bagarre avait donc eu lieu pendant l'été. C'était sa petite amie de l'époque qui avait utilisé ce mot, et il était resté, mais c'était plus une bousculade qu'autre chose. Un type l'avait attrapé par le col, il l'avait repoussé violemment. Voilà.

Le lendemain matin, elle lui en voulait encore.

« Tu es trop vieux pour ce genre de conneries.

— Il m'a attaqué, répondit Tony avec incrédulité.

— Tu lui criais dessus.

— Si tu penses que ça, c'est crier…

— Tu avais bien vu que c'était un idiot bourré.

— Il a traité ce mec de pédé.

— Le mec en question ne l'avait même pas entendu.

— Et après ?

— Tu ne peux pas jouer les justiciers avec tout le monde. Et si tu avais été arrêté ? S'il avait pété un plomb et t'avait blessé, s'il s'en était pris à moi ? Tu ne penses pas aux risques, tu passes direct en mode héros pour des gens qui ne t'ont rien demandé. Je n'aime pas être avec toi quand tu es dans cet état, j'ai constamment peur que tu exploses. Tu n'es pas comme ça quand tu es sobre.

— Tu penses que je n'aurais rien dit si je n'avais pas bu ?

— Je pense que tu ne te serais pas laissé entraîner dans un combat de coqs, c'est clair. »

À cause de la bagarre et pour d'autres raisons, ils avaient fini par rompre. Elle envoya un e-mail d'adieu à la mère de Tony. Celle-ci ne le lui fit pas lire, mais apparemment le message mentionnait l'alcool, car lorsqu'ils se virent, elle aborda le sujet avec lui.

« Tu sais que ton père démarre au quart de tour, quand il a bu.

— Est-ce que tu me compares sérieusement à lui ?

— Non, mon chéri. Je sais bien que tu ne cherches pas constamment la bagarre. Et quand ça arrive, tu as peut-être d'excellentes raisons. Mais l'alcool peut fausser le jugement. »

Tony avait toujours vu Ron s'énerver pour des bêtises qu'une personne sobre n'aurait peut-être même pas remarquées. Des regards perçus comme irrespectueux. Des soupçons d'infidélités ne reposant sur rien. Chaque fois qu'il ouvrait une cannette de bière, il trouvait de nouvelles raisons d'être jaloux, furieux, méfiant.

« Je ne suis pas un salaud comme lui, maman.

— Je le sais bien. »

Ils étaient attablés dans la cuisine, devant le plat de lasagnes qu'elle lui avait préparé.

« Quand tu es sobre, tu es une crème. Parfois, je n'en reviens pas que tu t'en sois aussi bien sorti. Surtout quand je vois comme tu t'occupes de ton petit frère. Je suis restée avec ton père tant que j'ai pu, parce que j'avais peur qu'un divorce soit pire pour toi. Avec tout ce qu'on raconte sur les enfants de parents séparés. Si j'avais su quel homme merveilleux tu deviendrais, je ne me serais pas inquiétée. Je t'aurais mis dans la voiture et je serais partie sans attendre. Tu ne lui ressembles pas... Tu ne lui ressembles pas quand tu es sobre. Mais l'alcool... On ne change pas du jour au lendemain. C'est une pente glissante. Lorsque j'ai fait la connaissance de ton père, il était charmant. Et quel danseur ! Il n'était pas parfait, il a toujours été colérique, mais c'était différent. C'est venu petit à petit. Et l'alcool a certainement accéléré et aggravé les choses. »

Peu après, Tony était allé voir une thérapeute spécialiste des addictions.

« Est-ce que vous pensez être alcoolique ? lui avait-elle demandé.

— Non. Mais est-ce qu'on peut être préalcoolique ?

— Comme si vous étiez au bord d'un précipice ?

— Oui.

— C'est possible. »

Elle attendait la suite.

« Je crois que c'est ce que pense ma mère. Elle n'est pas du genre à dramatiser. Ni du genre étouffant ou culpabilisant. Et elle sait de quoi elle parle. Mon père était alcoolique. Alors, le fait qu'elle pense... »

Il s'était interrompu. C'était trop douloureux. Il avait laissé échapper une expiration bruyante.

« Je ne voudrais surtout pas devenir comme lui. Elle ne mérite pas ça. Et mon petit frère… il m'admire. Ça me fait plaisir, et j'ai l'impression que je sers à quelque chose. Je ne veux pas qu'il grandisse en pensant que notre père est normal. Je veux jouer ce rôle pour lui. Si je tombe dans ce précipice…

— Eh bien, reculez. »

Il avait décidé d'arrêter de boire jusqu'à la fin de l'été, pour voir. La psychologue lui avait donné une liste de réunions des Alcooliques anonymes près de chez lui, dont il ne s'était jamais servi. Elle lui avait aussi conseillé de se trouver un passe-temps, quelque chose qui l'aiderait à se défouler. Il s'était mis au jogging. C'était ce qui lui permettait d'évacuer les pensées inutiles et le trop-plein d'énergie. À la fin de l'été, il avait continué. Il courait plus longtemps et l'effet euphorisant s'était consolidé.

Il avait abandonné alors qu'il sortait avec Julia depuis quelques mois. Il avait été surpris de voir à quelle vitesse il en avait perdu l'habitude : un beau matin, il s'était rendu compte qu'il n'avait pas couru depuis plusieurs semaines. Pourtant il aimait ça. Il aimait toujours ça. Déjà, il sentait ses chevilles s'assouplir et ses foulées s'allonger. Il n'avait pas oublié : les tensions qui se dénouaient à mesure que les muscles s'échauffaient.

Il avait peut-être cessé d'en avoir besoin. Il s'était désaccoutumé de l'alcool. Il était satisfait de la personne qu'il était devenu. Et à quoi bon les endorphines du sport quand on avait une nouvelle petite amie ? Elle le faisait planer. Avec elle, il était épanoui et confiant.

Calme et fort. Il était loin d'être irréprochable. Il avait quand même passé le poing à travers une vitre dix jours plus tôt. S'était cassé l'auriculaire. Cela lui faisait l'effet d'une insulte cosmique : *Alors, on se prend pour un dur et on fracasse des vitres ? Pauvre chou qui s'est cassé son petit doigt.*

Il longea la ferme des voisins. Ils avaient une grange et un vieux silo à grain qui tombait en ruine : il manquait de gros morceaux de métal sur les côtés et le dessus. L'air glacé commençait à lui brûler les poumons. C'était le mois de novembre, enfin. Octobre avait été pourri du début à la fin. Il était heureux d'avoir Nick à la maison, mais son séjour l'avait épuisé. Et la lettre de Walker l'avait achevé. Tout allait bien depuis si longtemps. Quinze ans… tant que ça ? Quinze ans depuis qu'il avait changé. Et ça avait marché, pensait-il.

Une fois où il courait, il était passé devant un arbre abattu qui lui avait rappelé une fable que sa mère lui lisait quand il était enfant, au sujet d'un chêne et d'un roseau. Le premier, avec son tronc épais, avait l'air incontestablement plus solide que le second au bord de la rivière. Mais le jour où une violente tempête s'était déchaînée, le chêne avait été déraciné. En revanche, le mince roseau, capable de ployer sous le vent, avait survécu. Il avait soudain compris ce que sa mère essayait de lui dire. Son père se prenait pour un coriace, et il voulait que tout le monde le sache, alors qu'en réalité, c'était l'être le plus faible qu'il connaissait. Ron Hall ne pouvait pas démarrer la journée sans sa cannette de Budweiser. Il cassait des objets pour effrayer sa femme. Frappait ses fils. Il était pitoyable. La mère de Tony, elle, paraissait douce et délicate, mais sa force intérieure était infinie. Ce jour-là, il avait eu une révélation. Et il avait retenu la leçon. Pendant les quinze années suivantes, il avait continué de travailler sur lui. Il avait essayé d'apprendre la souplesse.

Pourtant, malgré ses efforts, il arrivait encore que la colère l'emporte sans crier gare. Il avait lu la lettre de Walker, ses mots écœurants, et il avait été aveuglé par la rage. Il s'était persuadé que frapper quelque chose, n'importe quoi, soulagerait cette souffrance intolérable. Le mécanisme de défense de son père serait toujours là, prêt à ressurgir. *Ne te conduis pas comme une tapette, sois un homme. Rends chaque coup. Ne te laisse pas faire*. Quinze ans, et dans le fond rien n'avait changé. Et qu'est-ce que ça lui avait apporté ? Un doigt cassé, un ego froissé, et, le plus grave, deux enfants terrifiés. Seb s'était mis à hurler, puis Chloe l'avait imité. Il avait honte rien que d'y penser.

Et pourtant, il était toujours en colère. Après tout, c'était la faute de Walker. Il en voulait même un peu à Julia de son air choqué. Ce qu'il avait fait n'était pas rationnel, il était le premier à l'admettre. C'était effrayant. Violent. Tout ce qu'il n'était pas en temps normal. Mais elle avait lu cette lettre, elle aussi. Elle devait comprendre, non ? Agresser Nick n'avait pas suffi à cet homme, voilà qu'il s'insinuait dans leur foyer. Leur imposait sa duplicité. Réécrivait l'histoire et entortillait Nick dans ses mensonges.

Il accéléra. Ses pieds battaient le goudron. La douleur dans ses poumons augmenta et sa bouche s'emplit de salive. Raymond Walker était un salopard. Qu'il aille se faire foutre, avec ses bobards, et sa lettre prétentieuse à propos de la vérité et de la justice. Comment avait-il pu faire ça à Nick ?

Nick.

Il sentait venir un point de côté. Il ralentit, puis continua en marchant pour reprendre son souffle et calmer le cisaillement qui lui transperçait le flanc. Nick lui avait demandé de laisser tomber. Nick allait bien. Il ne l'avait pas cru, au début ; il ne pouvait pas imaginer que la lettre ne le perturbe pas plus que ça. Mais il lui avait assuré que tout allait bien, et c'était peut-être vrai, tout compte fait. Il répondait à ses SMS. Lui envoyait des messages sur Snapchat. Il avait reçu une photo de lui s'ennuyant en classe. Et une photo de la télé qu'il regardait avec l'un de ses colocataires. Sa vie avait repris son cours. En fait, si quelque chose l'irritait, c'était la sollicitude constante de Tony.

Tony ne l'aidait pas et en plus il se rendait malade. Il fit demi-tour pour rentrer à la maison. Il n'était pas allé jusqu'au pont, mais il s'en moquait.

27

Julia Hall, 2015

Mi-novembre, lorsque le nom de Charlie Lee apparut sur son écran, Julia s'isola dans son bureau pour prendre la communication.

Charlie passa en revue la liste de ses anciens clients, assez lentement pour qu'elle ait le temps de noter les adresses ou les numéros de téléphone qu'il lui donnait. Lorsqu'il eut terminé, il baissa la voix, et continua sur un ton faussement conspirateur.

« En ce qui concerne l'autre projet… »

Il parlait comme s'ils partageaient un secret. Ce qui était le cas, en fait. Nul ne devait se douter qu'elle payait Charlie pour trouver des informations compromettantes sur Raymond Walker.

Il ne lui apprit que deux éléments qu'elle ne savait pas déjà par l'intermédiaire de Nick ou de l'inspecteur.

D'une part, Raymond Walker n'avait pas loué lui-même la chambre de motel où il avait emmené Nick. Selon le réceptionniste, c'était une femme qui avait réglé en espèces. Si le client payait d'avance et fournissait un permis de conduire que l'employé pouvait photocopier, le motel ne réclamait pas de carte de crédit. Charlie n'avait pas retrouvé la femme en question et il pensait que c'était une travailleuse itinérante. Walker avait dû lui offrir de l'argent pour prendre la chambre à sa place. « C'est plus fréquent qu'on pourrait le croire », ajouta Charlie.

Julia supposait que la police était au courant. Les enquêteurs avaient dû interroger le réceptionniste lorsqu'ils cherchaient « Josh ». Il était difficile d'imaginer une raison innocente justifiant cette attitude. Les mots « intention malveillante avec préméditation » lui vinrent aussitôt à l'esprit. Ce n'était pas un terme que les avocats utilisaient très souvent dans le Maine, mais elle l'avait appris à l'université. Réserver une chambre sous un autre nom avant d'y amener quelqu'un... Walker avait manifestement prévu son coup. Elle était étonnée que l'inspecteur Rice n'ait pas jugé bon de les en informer, s'il était au courant. Il aurait pu au moins le dire à Nick. Mais c'était sans doute idiot de penser ça. Il n'était pas là pour leur fournir des renseignements.

La seconde surprise, c'était que Walker n'avait pas de casier judiciaire et qu'on n'avait jamais pris d'ordonnance de protection contre lui.

« Je ne m'y attendais pas, admit Charlie, mais les victimes sont sans doute moins enclines à porter plainte dans ce genre de situation. Je vais passer quelques appels en dehors de l'État, puisqu'il lui arrive de voyager pour son travail.

— Je ne vous paye pas assez pour faire des heures supplémentaires.

— Ne vous inquiétez pas. Je ne suis pas débordé, en ce moment. Et ça m'intéresse. Ce type semble trop clean pour être honnête. Personne n'est comme ça dans la vraie vie. À part vous », ajouta-t-il avec un petit rire.

28

Nick Hall, 2015

De la fenêtre de sa chambre, Nick vit son frère se garer dans la rue.

Il se regarda dans le miroir une dernière fois. Une chemise bleu pâle, le pantalon fauve de Tony, des chaussures de ville marron éraflées. Il avait l'air respectable, adulte, limite ennuyeux. Tout ce qu'il fallait pour témoigner devant un grand jury, *a priori*.

Dehors, il faisait un temps à neiger, mais le ciel était dégagé.

Nick grimpa dans le SUV.

« Merci de m'emmener.

— Pas de problème. Je voulais t'accompagner.

— Je t'ai prévenu à la dernière minute. »

Tony démarra sans le regarder.

« Il n'y a pas de problème. Je sais que j'ai été un peu étouffant.

— Mais non. »

En vérité, oui. Tony avait été étouffant. Depuis la lettre ouverte de Walker à la presse, il lui écrivait presque tous les jours.

Comment ça va ? Je viens juste aux nouvelles.

Donner des nouvelles, toujours des nouvelles, c'était épuisant. Nick avait eu recours à sa méthode habituelle, quand son frère le couvait trop : de brèves réponses superficielles.

Ça va. Pas le temps. En cours.

En gros, il en disait juste assez pour rassurer Tony et couper court à toute tentative de conversation. À force, il avait fini par le laisser tranquille. Mais Nick se sentait coupable. Son frère ne voulait que son bien. Était-ce si grave ?

Dans un premier temps, irrité par la sollicitude de Tony, il lui avait dit qu'il irait au tribunal seul. Celui-ci avait un peu insisté, avant de se résigner. Mais, le jour de l'audience, Nick s'était réveillé en suffoquant, les mains à la gorge. Il lui avait fallu quelques secondes, des secondes interminables, pour se rendre compte qu'il était dans son lit et qu'il ne risquait rien. Puis le rire horrible qui résonnait dans sa tête s'était tu. Il était en sécurité. En sécurité, mais seul. Alors il avait écrit à Tony pour lui demander s'il voulait l'accompagner, tout compte fait.

En arrivant au tribunal, Nick alla aux toilettes pour la quatrième fois de la matinée. Son estomac était en vrac. Il s'était pourtant contenté de toasts au petit déjeuner, mais ça ne passait pas.

Un marshal leur indiqua la salle, au premier étage. Linda sortit dans le couloir et Nick lui présenta Tony. Elle leur conseilla de s'asseoir sur le banc contre le mur avant de retourner à l'intérieur : ils risquaient d'attendre un petit moment.

Ils patientèrent en bavardant. La télévision, les cours de Nick. Tony raconta une anecdote amusante au sujet de Chloe. Ils parlèrent de tout, sauf de ce qui les amenait ici.

L'estomac de Nick gargouillait si fort qu'il était difficile d'ignorer le bruit. Une ou deux fois, il vit les yeux de son frère se baisser brièvement vers son ventre sans un mot.

« On dirait qu'il y a un tonneau de serpents là-dedans », dit-il enfin, n'y tenant plus.

Nick éclata de rire, surpris et ravi par l'absurdité de la comparaison. Tony l'imita, manifestement content de lui.

« Tu as dû chier tout ce que tu avais dans le bide ce matin.

— Je suis nerveux », avoua Nick, hilare.

Il l'était toujours, mais le rire avait calmé son ventre.

La porte s'ouvrit sur Linda.

« Vous êtes prêt ? »

Soudain, Nick sentit la main de Tony se fermer sur la sienne. Trois pressions : *Je t'aime*, comme quand il était petit. Il serra celle de son frère en retour quatre fois. Il aimait vraiment Tony. Peut-être plus que n'importe qui. C'était un emmerdeur, mais il pouvait toujours compter sur lui.

Nick regarda d'abord le jury. Sherie, sa représentante, l'avait appelé la semaine précédente pour lui expliquer que les jurés seraient au nombre de vingt-trois. Vingt-trois citoyens qui décideraient si oui ou non Linda avait assez d'éléments pour mettre Ray en examen. Vingt-trois inconnus qui décideraient s'ils croyaient Nick.

Il y avait du lambris, un drapeau américain et un autre du Maine dans le coin, mais à part ça, la salle ne ressemblait pas vraiment à un tribunal. Il n'y avait pas de juge, pas de sièges pour le public. Il s'assit dans un petit box qui rappelait ceux qu'il avait vus dans des films. Linda se tenait debout à côté de lui, et il faisait face aux jurés.

Linda commença par lui poser des questions élémentaires. Son nom, son âge, l'endroit où il vivait, ce qu'il étudiait.

« À présent, j'aimerais vous interroger sur ce qui s'est passé le 2 octobre de cette année. »

Nick sentit les battements de son cœur accélérer. Il hocha la tête.

Pourquoi était-il sorti ? Qui l'accompagnait ? Chris était-il venu ? Était-ce son petit ami ? Qu'est-ce qu'Ella et lui avaient fait au bar ? Combien de verres avait-il bus ? En combien de temps ? Alors, il n'était pas ivre ? Quand avait-il remarqué l'homme qui se faisait appeler Josh ?

« Quand je me suis approché du comptoir. Ella m'avait envoyé chercher une autre tournée.

— Quelle heure était-il ? »

Il ne s'en souvenait plus. Était-ce grave ? La sueur perla à son front.

« Je ne m'en souviens plus.

— Est-ce que vous vous rappelleriez si vous voyiez votre déposition ? »

Il acquiesça.

Linda sortit une liasse de feuilles agrafées d'un dossier sur la table à côté d'elle. Elle souligna un passage au crayon et la tendit à Nick.

C'était un rapport de police. INSPECTEUR JOHN RICE, lut-il en haut. Il alla directement à la phrase soulignée : *Nick Hall affirme avoir rencontré l'homme identifié plus tard comme étant* RAYMOND WALKER *au Jimmy's aux alentours de 22 h 30 et avant 23 heures.*

« Vous vous en souvenez, maintenant ?

— Oui. C'était entre 22 h 30 et 23 heures.

— Bien. Et était-il au bar quand vous avez commandé ? »

Les yeux de Nick se posèrent sur la moquette. Il revit la scène.

« Non. Il s'est assis à côté de moi pendant que j'attendais mes boissons.

— Qui a engagé la conversation ? »

Il n'eut pas besoin de réfléchir.

« C'est lui. »

Nick avait essayé d'oublier cette nuit : il voulait que ses souvenirs se dessèchent et meurent dans le noir. Mais Ray avait publié cette lettre ouverte, et il avait prétendu que c'était Nick qui l'avait abordé. Alors il n'avait pas pu s'empêcher de se repasser la scène, de comparer leurs deux versions. Et cette partie n'était pas vraie.

Linda continua son interrogatoire. Quel nom l'homme avait-il donné à Nick ? De quoi avaient-ils parlé ? Pendant combien de temps ? Combien de verres Nick avait-il bus ? Et « Josh » ? Qui avait proposé à l'autre de partir ?

« C'est lui. » Il l'entendait encore : « On met les voiles ? » Ça aurait pu paraître ringard, mais Josh – Ray – avait la voix parfaite pour ça.

« Comment avez-vous décidé de l'endroit où vous alliez ?

— Il a dit qu'il avait une chambre d'hôtel.

— Où était cette chambre ?
— Au Motel 4.
— Comment vous y êtes-vous rendus ?
— En taxi.
— Que s'est-il passé dans le taxi ? »
Nick se sentit rougir.
Josh lui plaisait vraiment. Il se sentait désinhibé et malléable, à cause de l'alcool et du rejet de Chris. Josh était séduisant, mûr, avec de petites rides au coin de ses yeux clairs. Il semblait parfaitement à l'aise. Ils étaient montés dans un taxi avec un homme au volant, et Josh avait dit « Au Motel 4 », avant de se pencher vers lui. Il ne se souciait pas de ce que pensait le chauffeur, et, à cet instant, Nick non plus.
« On s'est embrassés. »
C'était clair, maintenant. Pas uniquement qu'il était gay – ce qui en soi était sans doute un problème pour certains –, mais qu'il était consentant. Au début, se répéta-t-il. Tu étais consentant au début.
Il faisait face aux jurés et son regard croisa accidentellement un homme au premier rang. Celui-ci détourna aussitôt les yeux.
« Seulement embrassés ? » demanda Linda.
Nick, qui avait les mains sur les genoux, se mit à frotter son avant-bras droit. Il faisait sombre dans le taxi, ils respiraient vite, et Josh avait caressé l'entrejambe de Nick. Il ne l'avait dit à personne jusque-là.
« Oui. »
Son pouce glissa sous sa manche.

Lorsqu'il sortit de la salle, Tony se tenait au bout du couloir.

« Alors ? fit-il, le rejoignant à grandes enjambées.
— Linda a dit que je pouvais partir, maintenant.
— Comment ça s'est passé ?
— Ça a été. »
À la fois long et rapide. Épuisant, stressant, mais pas aussi dur que ce qu'il craignait. Il n'avait pas dévié de sa déposition. N'avait pas tout fait foirer.
« Je pense que je m'en suis pas trop mal sorti.
— Il est mis en examen ?
— Elle n'a pas terminé. »
Tony regarda la porte derrière Nick.
« Tu ne veux pas attendre un peu ? »
Nick secoua la tête. L'adrénaline qui l'avait soutenu pendant l'audience refluait.
« Je veux rentrer à la maison. »
Sur le parking, Tony voulut l'emmener déjeuner quelque part, mais Nick était trop fatigué.
Il s'assit à l'avant et se laissa aller contre le dossier. Il risquait de s'endormir pendant le trajet. Alors qu'il mettait sa ceinture de sécurité, il sentit une brûlure à l'avant-bras, là où la chair tendre frottait contre sa manche. Il finit de s'attacher et retourna son poignet, baissant les yeux aussi discrètement que possible. Un petit point de sang était apparu sur le tissu.

29

John Rice, 2019

Julia n'avait pas répondu. Elle continuait de boire son thé à petites gorgées. Aujourd'hui encore, il ne pouvait pas s'empêcher de penser à Irene lorsqu'il la regardait. Irene était solide comme un roc. Julia avait l'air solide, elle aussi, mais à présent ses mains tremblaient.

« Vous n'avez jamais assisté à une audience de grand jury ?

— Non.

— En général, c'est relativement ennuyeux. Mais dans le cas de Nick, c'était assez intéressant.

— Pourquoi ?

— D'abord, la victime ne témoigne pas toujours, mais je ne vous apprends rien. Linda voulait qu'il fasse un galop d'essai, voir comment il se comportait.

— Oui.

— Est-ce que vous saviez qu'il avait commis une erreur ?

— Non. »

C'était tellement subtil que même Linda Davis, habituellement très attentive aux détails, ne l'avait pas relevé.

Mais quelque chose chiffonnait Rice. Le jeune homme avait atteint la partie de son récit où Raymond Walker et lui entraient dans la chambre d'hôtel. Il avait fermé la porte et Walker l'avait frappé à la tête. Il s'était écroulé et Walker avait allumé. Et ensuite, le trou noir. Rice regardait le garçon. Il avait baissé les yeux, ce qui n'avait rien d'anormal. Ce n'était pas des choses faciles à dire, surtout devant une salle remplie d'inconnus. Mais Rice avait senti une soudaine démangeaison sous son col et le besoin de se lever. Il avait attendu que Nick quitte le prétoire et que Linda commence à parler aux jurés. Alors, il avait ouvert sa pochette aussi discrètement que possible et il avait sorti ses notes. Mais il devrait réécouter l'enregistrement pour être sûr.

De retour au poste, il s'était assis à son bureau, le casque sur les oreilles. Penché en avant, les mains sur les genoux, il avait écouté la déposition de Nick. Oui, c'était un détail, mais quand même. Jamais il n'avait mentionné jusque-là que Walker avait éclairé la pièce.

Lorsqu'il l'avait interrogé, il avait affirmé qu'il faisait noir au moment où Walker l'avait assommé et que c'était la dernière chose dont il se souvenait. Maintenant, il disait qu'il était tombé par terre et que Walker avait actionné l'interrupteur. Une telle précision sensorielle. Le genre de scène qui frappait l'imagination : la chambre de motel obscure baignant soudain dans une lumière jaune. Pourquoi ne pas l'avoir mentionné avant ?

« Il a modifié son récit, dit Rice à Julia.

— Devant le grand jury ?

— Oui. Ça peut paraître fou, mais c'est le moment où tout a basculé. C'est à ce moment-là que l'affaire m'a échappé. »

On ne maîtrisait jamais totalement une affaire du début à la fin : c'était tout simplement impossible. Ce n'était pas ce dont Rice parlait. Il était arrivé au tribunal aussi confiant qu'on pouvait l'être dans ce genre de situation. Nick n'avait pas dévié de son récit. Ils avaient des preuves physiques. Même Chris Gosling ne semblait pas devoir leur poser de problème. Il avait confirmé à Megan O'Malley les dires de Nick : ils ne sortaient pas ensemble. *A priori*, le jeune homme n'avait aucun mobile sérieux pour inventer une agression sexuelle.

Et voilà qu'à l'audience Nick modifiait son témoignage sur un point déconcertant.

« Comment ça, l'affaire vous a échappé ?

— Je savais qu'il y avait quelque chose qui clochait, et je n'ai rien fait. »

Julia le dévisageait, désemparée.

Il n'y avait pas d'expiation possible pour les péchés qu'il avait commis, mais au moins il pouvait se confesser.

« Vous savez pourquoi je vous ai demandé de venir ici, n'est-ce pas ? »

30

Julia Hall, 2015

La semaine précédente, la mise en examen de Raymond Walker avait été confirmée. On ne leur avait pas communiqué beaucoup de détails sur l'audience, simplement le résultat. Cette bonne nouvelle s'accompagnait d'une autre beaucoup moins réjouissante : les médias s'intéressaient de près à l'affaire.

Linda avait été prévoyante en demandant que l'anonymat de Nick soit préservé, car le fait que la victime soit un homme semblait passionner la presse. On en avait parlé jusque dans un journal du nord de l'État. Autant qu'elle s'en souvienne, aucun des dossiers qu'elle avait plaidés n'avait eu droit à une couverture dépassant le cadre local ni à des mises à jour régulières.

Les articles récapitulaient les étapes de la procédure – l'arrestation, la caution, le grand jury – et contenaient deux commentaires de l'avocate de Walker, Eva Barr. C'étaient les mêmes citations qui revenaient dans toute la presse : elle avait dû les envoyer par e-mail. *Nous ne sommes pas surpris par la décision du grand jury, dans la mesure où il n'a entendu que la version de l'accusation. Quand Raymond Walker aura la possibilité de s'exprimer, il sera acquitté*. L'article reprenait alors la lettre ouverte du prévenu : selon lui, la victime présumée avait bu, elle avait abordé Walker au bar, et les deux hommes avaient eu une « relation brutale entre adultes consentants ».

C'était pénible à lire, mais la pire crainte de Julia était que l'identité de Nick apparaisse quelque part, et qu'il perde le peu de vie privée qu'il lui restait. Elle se méfiait des journalistes, mais, dans la mesure où la justice avait tranché, elle ne pensait pas que l'un d'eux prendrait le risque de révéler son nom. En revanche, elle n'avait aucun contrôle sur la section commentaires sous les articles. Pour des raisons qui la dépassaient, un tas de gens se sentaient obligés de donner leur opinion. Outre les professionnels impliqués dans l'affaire, seuls sa famille et quelques proches connaissaient l'identité de « la victime » mentionnée dans la presse. Même si cela semblait peu probable, elle craignait que quelqu'un divulgue son nom. Le lendemain de l'audience, elle parcourut les commentaires de tous les articles en ligne. Elle voulait uniquement chercher les N et les H, mais finalement, elle ne put résister à la tentation de lire. Si beaucoup n'étaient pas tendres avec Walker, quelques-uns prenaient malgré tout sa défense.

Il y avait le commentaire sexiste :

Si la victime était une femme frêle, je pourrais encore le croire, mais un gars d'une vingtaine d'années assommé d'un coup d'un seul ? À d'autres.

Et l'homophobe :

Ça ne se passe pas toujours comme ça entre deux mecs ?

La plupart des commentaires négatifs mettaient en doute le récit de Nick.

Franchement, ça ressemble à un plan cul olé, olé, non ?

Est-ce qu'on souhaite vraiment que les juges – autrement dit le contribuable – s'amusent à essayer de déterminer le niveau de consentement quand deux adultes ivres se retrouvent dans une chambre d'hôtel ?

Il y a un moment où il faut dire les choses comme elles sont, ce type n'a jamais été frappé à la tête ou je ne sais quelle connerie... C'est juste un mec qui ne veut pas admettre qu'il était ivre mort. Et ce n'est pas parce qu'il ne se souvient de rien qu'il n'était pas consentant à ce moment-là.

Si elle retourna dans son esprit les commentaires pendant des heures, Tony, lui, les ressassa pendant des jours. Il voulait toujours lui en montrer de nouveaux. De nouvelles bombes de haine qui explosaient à la figure de ceux qui se risquaient à les lire.

« J'en ai assez vu.

— Pourquoi ?

— C'est trop douloureux et ça ne fait que... Les gens sont cons. Je ne tiens pas à savoir les mille et une manières qu'ils ont d'être cons.

— Et si Nick voit ça ? »

Ils étaient au lit. Tony avait les yeux sur son téléphone. Julia posa l'ouvrage que son mari l'empêchait de lire.

« Il les voit peut-être », répondit-elle.

Tony lui lança un regard qui signifiait clairement : *justement !* Comme si elle avait le pouvoir de changer la section commentaires du *Seaside News* ! Il s'excitait contre ces lecteurs anonymes qui donnaient leur avis, et Julia était la seule personne à qui il pouvait en parler. Elle avait beau le comprendre, elle commençait à en avoir par-dessus la tête.

« C'est horrible, mais je ne sais pas ce qu'on peut faire.

— Je voudrais tous les tuer. »

Elle se blottit contre lui.

« Voilà qui est parfaitement raisonnable. »

Il rit doucement.

« On pourrait enterrer quelques corps dans le jardin », ajouta-t-elle.

Tony se calma pendant deux jours, mais manifestement pas assez pour cesser de chercher des informations sur Internet. Elle était sous la douche lorsqu'il entra dans la salle de bains.

« Ce connard a recommencé. »

Elle repoussa le rideau.

« Qui a recommencé quoi ?

— Walker. »

Il lui fourra son téléphone sous le nez. C'était une page Facebook. Elle lut à haute voix.

« "J'en étais sûre : celui qui accuse mon fils a un petit ami." Oh non ! C'est la mère ?

— Oui. Lis la suite.

— Je suis sous la douche, lui rappela-t-elle. Ça ne peut pas attendre ? »

Tony continua de lire à sa place.

« "À votre avis, pourquoi quelqu'un refuserait d'avouer une simple relation sexuelle, dans cette situation ?" »

Julia coupa l'eau.

« C'est dégueulasse.

— Ce doit être lui qui lui a demandé de publier ça.

— Tu veux bien me passer ma serviette ? »

Tony obéit tandis qu'elle essorait ses cheveux.

« Ils ne peuvent pas utiliser ce genre de trucs contre Walker au tribunal ? »

Elle enroula la serviette autour de son torse.

« Une publication de sa mère ? Ils peuvent l'interroger à ce sujet, mais je n'en vois pas vraiment l'intérêt.

— Pourquoi est-ce que ça n'a pas l'air de te perturber plus que ça ? »

Elle ouvrit le rideau.

« Sans doute parce qu'on savait que ça allait arriver. On savait qu'ils allaient essayer d'utiliser Chris.

— Le juge ne peut pas faire taire Walker ?

— Ce n'est pas lui qui l'a écrit.

— Mais un juge ne peut pas faire ce genre de chose ?

— Une ordonnance de non-publication ? soupira-t-elle.

— Je t'embête, dit Tony, l'air pincé.

— Un peu. Je dois m'habiller. Il faut que j'aille faire des courses. »

C'était bientôt Thanksgiving. Ce serait la folie au supermarché.

« Je peux y aller.

— Non. Je sais que c'est difficile. C'est ton frère. Tu en baves assez comme ça. Je m'occupe des courses. »

En réalité, elle avait besoin de prendre l'air.

La liste de Julia était longue, avec les provisions pour une semaine normale, plus un repas pour dix, car Nick venait avec sa colocataire, Ella. Jeudi prochain, ils fêteraient Thanksgiving à la maison, comme ils le faisaient depuis des années. Julia estimait que leur petite cellule – Tony, elle-même et les enfants – constituait le moyeu de la roue familiale. Sa mère, les parents divorcés de Tony, Jeannie et Nick en étaient les rayons. Un jour, Nick aurait un copain sérieux et il célébrerait peut-être Thanksgiving dans la famille de celui-ci, mais elle espérait que, une fois marié, s'il avait des enfants, il continuerait à les rejoindre pour les grandes occasions. Elle éprouvait une immense tendresse pour lui. Pourtant, à l'automne, Tony s'était parfois conduit comme s'il ne la croyait pas. Elle avait été effondrée lorsqu'elle avait appris ce qui était arrivé. Et elle souffrait pour Nick de l'aspect intrusif de la procédure judiciaire. Mais ses sentiments n'avaient pas la constance et l'intensité de ceux de Tony. Il le prenait de manière beaucoup plus personnelle. Peut-être l'aurait-elle mieux compris si elle avait eu un frère, mais elle avait l'impression que c'était encore plus fort que ça. Leur relation ne ressemblait pas à celle des autres fratries qu'elle connaissait. Tony se sentait responsable de Nick.

Le temps que Seb et elle rentrent de Shop'N Save, Tony se serait sans doute calmé. Par chance, leur fils ne se lassait pas du supermarché, en ce moment. Si Chloe était heureuse d'éviter la cohue du week-end, Seb était prêt à se rouler par terre si on le laissait à la maison. Julia imaginait que c'était à cela que devait ressembler un trip sous acide, lorsqu'elle voyait son fils franchir les portes automatiques dans un état second, émerveillé par les couleurs, les odeurs et les sons qui l'assaillaient de toute part.

En réalité, le Shop'N Save d'Orange ne s'appelait plus ainsi depuis une bonne dizaine d'années. Une grosse société l'avait racheté et l'enseigne avait changé bien avant l'arrivée de Julia, mais leurs voisins continuaient d'utiliser l'ancien nom. Les produits et les prix visaient surtout la population du centre-ville – la bourgeoisie hippie caractéristique du sud du Maine, plutôt démocrate et plutôt aisée. Parfois, leurs voisins s'en plaignaient, et Julia feignait de les approuver avec un pincement de culpabilité. Parce qu'elle vivait dans une vieille ferme délabrée et travaillait à la maison, ils ne se doutaient pas qu'elle venait d'une famille aisée de Yarmouth. Et ils ignoraient qu'en réalité, elle adorait acheter des pains au romarin à six dollars pièce et des huiles de beauté aux herbes. Chez elle, tout était bio, jusqu'aux haricots en boîte. Shop'N Overpay[1], plaisantait son voisin Willie quand il parlait du magasin. Elle apaisait sa culpabilité en lui achetant ses œufs chaque semaine. Comble de l'ironie, ils étaient hors de prix.

Ce week-end, c'était le chaos et Seb était aux anges. Il se dirigeait vers le chariot, les bras chargés de patates douces, et en fit tomber une quand sa mère tenta de l'intercepter. Puis il prit un oignon rouge et l'examina d'un œil sévère, avant de le soumettre à un vieux monsieur qui considérait les légumes à sa gauche.

« Excellent choix », approuva celui-ci, au plus grand bonheur de l'enfant. Dans les allées, il saluait les voisins comme les inconnus. Au rayon céréales, Julia était

1. « Achète et fais-toi plumer », en référence au nom du supermarché, qui signifie « Achète et économise ». (*N.d.T.*)

accroupie pour attraper une boîte de flocons d'avoine, lorsqu'elle l'entendit s'écrier : « Inspecteur ! »

Elle se retourna pour découvrir Rice qui la dominait de toute sa hauteur. Elle devait avoir l'air interloquée, car il s'excusa de lui avoir causé une frayeur.

« Ce n'est rien, dit-elle en se relevant. Bonjour.

— Bonjour », répondit-il avec un grand sourire.

Une femme s'approcha avec son chariot et il s'écarta pour la laisser passer dans l'allée exiguë.

« J'ignorais que vous habitiez ici.

— Non, mais ma belle-sœur et ses enfants, oui. Je déjeune avec eux et je me suis arrêté pour acheter du pain. »

Il tenait une miche à la main qu'il avait prise à la boulangerie à l'autre bout du magasin. L'avait-il suivie ?

« Est-ce que vous faites des sandwichs avec les restes ? demanda Seb joyeusement.

— Mais j'espère bien, bonhomme.

— Votre femme est avec vous ?

— Elle est décédée il y a un peu plus de cinq ans. »

Julia se mordit les lèvres. Il poursuivit sans lui laisser le temps de parler.

« Vous ne pouviez pas savoir, et ça va, maintenant.

— C'est trop triste ! dit Seb. Elle vous manque ? »

Julia posa une main sur l'épaule de son fils. Une part d'elle voulait le faire taire. En même temps, sa compassion naïve était plutôt attendrissante.

« Beaucoup, répondit l'inspecteur.

— Comment est-ce que…

— Chéri, l'inspecteur Rice doit aller voir sa famille. »

Le policier saisit la balle au bond et hocha la tête.

« Je vous ai aperçue dans le magasin et je voulais en profiter pour prendre des nouvelles. On parle beaucoup de l'affaire dans la presse, dit-il, restant vague pour épargner Seb. J'espère que vous et les vôtres allez bien. »

Elle sentit soudain sur ses épaules le poids de la fatigue accumulée.

« Ça va. »

Elle soutint son regard une seconde. Que pouvait-elle dire ? Il n'y avait rien à faire, hormis attendre que ça passe. La justice était lente, et ni le policier ni personne ne pouvait museler la rumeur.

Il salua Julia poliment et fit un signe de main à Seb, qui s'était éloigné, las de ces discussions d'adultes ennuyeuses. Julia suivit des yeux l'inspecteur qui s'était légèrement voûté, l'air soudain plus vieux, presque plus petit. Était-ce parce qu'elle venait d'apprendre qu'il était veuf ? Ou était-ce de l'avoir vu s'inquiéter pour les Hall, alors qu'il était en week-end ? Julia connaissait trop bien cette frustration du temps où elle était avocate. Cette impression de ne pas pouvoir véritablement aider ceux qui en avaient désespérément besoin. Elle aurait cru qu'un homme possédant son expérience serait immunisé contre ce sentiment d'échec, mais elle l'avait sans doute mal jugé.

31

Tony Hall, 2015

Au moins vingt minutes s'étaient écoulées depuis que la respiration de Julia s'était modifiée, signifiant qu'elle s'était endormie. Tony, lui, sentait son cerveau surchauffer au lieu de se calmer pour la nuit. Dans quelques heures, ce serait Thanksgiving et il y aurait beaucoup à faire avant le déjeuner. Tony préparerait la dinde, la purée et la tarte ; Julia se chargerait de la salade, des hors-d'œuvre et de la table. Les enfants « aideraient », c'est-à-dire qu'ils multiplieraient par deux le temps nécessaire à chaque tâche. Les invités arriveraient vers midi. Leurs mères respectives seraient à l'heure ; Nick sans doute pas. Quant à Ron et Jeannie, on ne savait jamais, avec eux. La première fois que Tony et Julia avaient reçu toute la famille pour Thanksgiving, Ron avait débarqué déjà éméché. Il avait bu un pack de six bières à table et Tony avait finalement dû lui demander de partir. Jeannie et lui n'avaient pas fait la scène qu'il redoutait, mais ils n'étaient pas venus les deux années suivantes.

Tony n'aurait pas su dire si ses relations avec son père s'étaient améliorées ou dégradées au fil des ans. Aux yeux de Ron, son fils était sans doute devenu un homme irrespectueux, qui, gagné par la sensiblerie ambiante, s'était convaincu d'avoir été maltraité. Tony, lui, savait qu'il était désormais trop grand et trop costaud pour que son père tente encore de le brutaliser verbalement ou physiquement. Et Ron s'était suffisamment assagi pour qu'il l'autorise à voir ses enfants, tant que Julia ou lui-même étaient présents. Cependant, entre eux, une tension constante bouillonnait sous la surface de leur trêve forcée. Ils n'éprouvaient l'un pour l'autre ni respect ni réelle affection.

Sans son frère, Tony aurait probablement coupé les ponts depuis longtemps. Mais il y avait Nick. Et celui-ci adorait sa mère, si pénible soit-elle. Donc Tony l'invitait. Et comme Jeannie ne serait pas venue sans Ron, on l'invitait aussi. Sans compter que Nick devait éprouver une forme d'affection pour lui. Après tout, il avait eu droit à une version légèrement améliorée de leur père. Il restait calamiteux, mais ç'aurait pu être pire si Tony n'était pas intervenu.

C'était arrivé l'été où il avait arrêté de boire. L'été où il avait donné son dernier coup de poing.

Nick avait cinq ans. Tony venait d'obtenir sa licence. Il était retourné vivre chez sa mère, le temps de décider ce qu'il allait faire. Il avait pris un job de serveur en attendant, et il travaillait en général le soir. Il passait donc voir Nick dans la journée.

Un après-midi, il le trouva en train de jouer tout seul dehors. L'enfant était assis devant la maison de plain-pied, et faisait se battre des figurines dans l'herbe. À la vue de son grand frère, il se précipita pour ouvrir la portière.

« Tony, Tony, Tony ! »

Celui-ci descendit de la voiture de Cynthia et le souleva, passant un bras sous ses fesses pour le soutenir.

Aussitôt, une odeur nauséabonde lui envahit les narines et il sentit quelque chose de mou contre son bras. Tony le reposa. Nick avait fait caca.

Il s'accroupit à sa hauteur.

« Tu as eu un petit accident ? » demanda-t-il avec douceur.

Nick sourit et mit la main sur son épaule, ignorant la question.

« Je peux regarder ? »

Il le fit tourner et se rendit compte que l'enfant portait une couche. *C'est quoi ce délire ?*

Il prit sa menotte et l'escorta jusqu'à la maison.

Ron et Jeannie étaient vautrés sur le canapé, tenant chacun une bière à la main, quelques cannettes vides à leurs pieds. Le son de la télé était au maximum.

« Nick a besoin d'être changé, dit Tony.

— OK », fit Jeannie.

Il les regarda, interloqué. Ils savaient évidemment que le petit portait des couches. Ce n'était pas Nick qui les mettait tout seul. Qu'espérait-il ? Une explication ?

Il emmena son frère dans sa chambre et le lava.

« Tu fais du fromage ? » demanda Nick – c'était son expression pour désigner les macaronis au fromage.

On était en plein milieu de l'après-midi.

« C'est un peu tôt pour dîner. »

Le petit garçon fit la moue.

« Qu'est-ce que tu as mangé à midi ?

— Rien.

— Tu n'as pas déjeuné ? »

Il secoua la tête.

Que se passait-il dans cette maison ?

Tony retourna dans le salon.

« Il a déjeuné ?

— Pas encore, répondit Jeannie.

— Il va être 15 heures.

— J'ai essayé à midi, dit Jeannie, le regardant pour la première fois. Mais il n'avait pas faim.

— Alors, il saute carrément un repas ?

— Il est assez grand pour décider quand il veut manger.

— Tu n'as qu'à le nourrir, s'il a faim », intervint Ron.

Tony les aurait engueulés tous les deux – il porte encore des couches, mais il est assez grand pour sauter un repas ? –, si Nick n'avait pas été à côté de lui. Il se mordit la lèvre, et alla à la cuisine mettre de l'eau à chauffer. Il trouva un paquet de macaronis au fromage Kraft et une boîte de haricots verts.

Tony s'assit à côté de son frère pendant qu'il mangeait. Il termina les pâtes mais ne toucha pas aux haricots.

« Je peux en avoir encore ? »

Ron se leva pour prendre une autre bière au frigo.

« D'abord, tu termines tes légumes », dit Tony.

Ron ricana derrière lui, arrachant la languette de sa cannette avec un bruit sec.

« Pas si simple, hein ?

— Plus facile que tu le crois.

— Qu'est-ce que t'as dit ?

— J'aime pas, dit Nick, repoussant l'assiette.

— Ferme-la et mange », dit Ron, lui flanquant une taloche sur l'oreille.

Tout alla si vite que Tony ne se rendit même pas compte qu'il se levait. Ses mains se retrouvèrent sur le col de son père et il le plaqua brutalement contre le frigo. La bière tomba et aspergea de liquide froid les jambes du jeune homme. La suite était floue dans sa mémoire. Jeannie hurlait : « Arrête, arrête ! » Ron disait quelque chose, il agitait les mains. Le poing de Tony partit. Le coup était maladroit, mais il savait qu'il l'avait touché parce qu'il avait senti les dents de son père contre ses articulations. Encore des cris et du fracas. Tony recula. Ron ne bougea pas.

« Fiche le camp d'ici. »

À table, Nick pleurait.

« Tout va bien, tout va bien », répétait Jeannie.

Tony voulut s'approcher de son frère, mais Ron fit un pas vers lui, la main sur sa mâchoire.

« De-hors. »

Tony revint le lendemain. Ron lui laissa à peine le temps de se garer.

« T'as rien à faire ici. »

Tony se dirigea vers la maison.

« Va-t'en ou c'est moi qui te fous dehors.

— C'est lui que je viens voir.

— Dommage pour toi.

— Je n'ai pas besoin de vous voir, toi et Jeannie. Je veux juste voir Nick.

— Il fallait y penser avant, répliqua Ron en haussant les épaules.

— J'appellerai les services sociaux. »

Il y eut un silence.

« Et tu leur diras quoi ?
— Il ne va pas au pot, il a faim, et tu le frappes.
— Tu m'as agressé. Je pourrais porter plainte.
— Vas-y. Je m'en fous. Ils te le prendront quand même.
— D'accord, répondit Ron avec un sourire ignoble. Appelle. Qu'ils le mettent dans une famille d'accueil.
— Tu sais ce que j'ai appris ? rétorqua Tony, sentant un reflet du sourire de son père déformer ses traits. Ils s'adresseront d'abord à la famille.
— Ils ne te le confieront pas.
— Peut-être pas à moi. Mais à ma mère, si. »
Le visage de Ron s'assombrit.
« Elle n'a aucun lien de sang avec lui.
— C'est la mère de son frère. Et elle le prendra. »
Il n'en avait pas touché un mot à Cynthia, mais ça, Ron ne pouvait pas le savoir.
« Elle se risquerait pas à m'emmerder.
— Elle te hait, cracha-t-il entre ses dents serrées. Si tu savais à quel point j'ai dû insister pour qu'elle m'autorise à te voir après qu'elle t'a largué.
— Tu voulais me voir, dit Ron, comme si c'était une insulte, comme si essayer de garder une relation avec son père était une preuve de faiblesse.
— J'étais trop bête. Je le suis moins, maintenant.
— Dans ce cas, pourquoi tu nous lâches pas la grappe ?
— Pour lui, dit Tony, indiquant la maison. Je sais qu'il a besoin de moi, parce que moi aussi j'avais besoin d'une figure paternelle. Au point que j'étais prêt à me contenter d'une ordure de ton espèce.
— Tu commences à me chauffer les oreilles.

— Si tu le touches encore une fois, j'appelle les services sociaux. Si je viens et qu'il a faim, qu'il a froid ou qu'il baigne dans sa merde, j'appelle. Si tu le traites comme il faut, je te fous la paix. »

Le changement ne s'était pas produit du jour au lendemain, mais Ron avait dû sentir qu'il ne s'agissait pas de menaces en l'air. Tony ne l'avait plus jamais surpris en train de frapper Nick.

Tony regarda l'heure sur son téléphone. Presque minuit et il avait les nerfs en pelote. Il fallait qu'il mette son cerveau en pause et qu'il dorme, sinon, il serait une loque demain matin. Voir Nick lui ferait du bien. Ils avaient échangé quelques messages depuis le grand jury, la semaine précédente, mais ce n'était pas comme de se voir en personne. Tony avait besoin de s'assurer que son frère allait aussi bien qu'il le prétendait. Puis il se souvint de la publication de Darlene Walker sur Facebook et il décida de jeter un œil sur sa page.

Il inclina le téléphone vers lui pour que la lumière ne gêne pas Julia, et il cliqua sur la page de Darlene. Il aurait mieux fait de s'abstenir.

Retenez la leçon : si vous couchez avec un tordu, pensez à filmer, au cas où il vous accuserait de viol après.

La publication datait du mardi précédent. Le sang de Tony ne fit qu'un tour. Il se leva et traversa le couloir plongé dans l'obscurité. Il ferma la porte de la salle de bains et relut la phrase.

Il n'y avait aucune raison de croire que Nick avait consulté la page Facebook de Darlene, mais Tony était inquiet. Il se sentirait agressé s'il tombait dessus. Et même si Nick n'avait pas vu ses publications, elles empoisonnaient les esprits. Tony regardait fixement son écran. Le pire, c'était que Walker mettait le doigt sur une triste réalité.

Sa défense ne tenait pas la route, mais, même aujourd'hui, en 2015, il y avait des gens persuadés que les homosexuels étaient tous des obsédés sexuels dégénérés. Des gens qui pensaient que Nick l'avait cherché. Qui préféraient croire qu'il avait demandé à être frappé au sang et étranglé plutôt que d'admettre qu'on avait pu le violer.

Et si l'un d'eux se retrouvait parmi les jurés ? Si Walker créait assez de remous pour faire peur à l'assistante du procureur ? S'il s'en tirait en plaidant coupable pour un chef d'accusation mineur ? Un procès ne changerait pas ce qui était arrivé à Nick, il en était bien conscient, mais son nom ne devait pas être sali. Et Ray Walker méritait de payer pour ce qu'il avait fait.

Il alla sur Google et tapa les mots auxquels il pensait depuis plus d'un mois – une démarche qu'il n'avait pas pris le temps de faire jusque-là. Il cliqua sur le lien. Il y avait une autre barre de recherche. Un menu déroulant. « Recherche par propriétaire ». Il entendit un craquement dans le couloir et sursauta. Il passa la tête par la porte. Personne, simplement les bruits de la maison. Pendant un instant, il avait eu l'impression d'être en train de commettre un acte répréhensible. Et c'était peut-être le cas. Il s'énervait encore tout seul contre quelque chose que tout le monde, y compris son frère, semblait avoir accepté. Walker allait essayer de rejeter la faute sur la victime pour se défendre. Nick allait devoir attendre que les rumeurs autour de l'affaire se calment, même si ça devait durer un an. De toute manière, personne ne connaissait son identité, pour l'instant en tout cas. Tony referma le navigateur. Il avait besoin de dormir.

« Je peux sortir de table ? »

Seb avait de la purée et de la sauce aux coins de la bouche.

« Essuie-toi », dit Tony, lui montrant sa serviette.

Il s'était réveillé dans un état de grande fébrilité et, pour ne rien arranger, il avait bu deux tasses de café sans rien manger jusqu'au moment de se mettre à table, vers 13 heures. À présent qu'il digérait le copieux déjeuner, il sentait la fatigue s'abattre sur lui d'un coup. Il était plus calme, aussi. Tout se passait au mieux. Le repas avait été délicieux – sa meilleure dinde, selon Julia – et l'atmosphère était conviviale. La mère de Julia, Marjorie, stimulait le sens de l'humour de Cynthia, et les deux femmes plaisantaient ensemble. Ron et Jeannie étaient arrivés sobres et d'humeur amicale. Nick allait bien. Il était venu avec sa colocataire Ella, celle qui se trouvait avec lui au bar, ce soir-là. Tony redoutait de la voir sans trop savoir pourquoi, mais quand Nick avait demandé s'il pouvait l'amener, il n'avait pas envisagé de refuser.

« Et moi ? » supplia Chloe.

Cela faisait près d'une heure qu'ils étaient assis avec les adultes.

« D'abord, est-ce qu'on peut faire un tour de table pour que chacun exprime sa gratitude ? » proposa Cynthia.

Elle agitait son marque-place, manifestement désireuse de remercier les enfants, qui, à la demande de leur mère, avaient écrit les noms des invités sur un petit carton.

Après que Julia avait ajouté une table pliante à celle de la salle à manger, et les avait couvertes d'une longue nappe, Tony avait remarqué qu'elle avait placé Ron et Cynthia aussi loin l'un de l'autre que possible.

Il regarda Julia, qui leva son verre.

« Vas-y.

— Eh bien, je voulais dire que je suis heureuse de vous avoir tous dans ma vie et que je vous aime de tout mon cœur. »

Elle tendit la main vers Chloe, à sa droite, et lui pinça la joue. Celle-ci sourit et se dégagea.

« J'ai la meilleure famille du monde et je me réjouis que nous soyons réunis ici. Tous ensemble », ajouta-t-elle en regardant Ron et Jeannie, ce qui était plutôt mignon.

Marjorie prit la parole après elle, puis Ella, dans le sens des aiguilles d'une montre. Alors que le tour de Nick approchait, Tony constata qu'il n'avait pas l'air très à l'aise – il se tordait les mains sous la table.

Mais le plus mal à l'aise d'entre eux était sans nul doute Seb, qui s'ennuyait ferme. Il se laissa glisser de sa chaise au ralenti.

« Lapin, reste encore un peu », murmura Tony, sans succès.

Ella remercia les Hall de l'avoir invitée à ce repas familial, puis elle s'adressa à Nick.

« Et je suis heureuse de t'avoir toi, Nick. Tu es mon meilleur ami et la meilleure personne que je connaisse. Tu es incroyablement courageux.

— Seb, rassieds-toi, insista Tony, plus fort.

— C'est quoi, ça ? » fit une petite voix étouffée sous la table.

Les deux mains de Nick heurtèrent brutalement le dessous du plateau, faisant vibrer les couverts au-dessus. Il était livide.

« Chéri, assieds-toi, ordonna Julia.

— Qu'est-ce qu'il y a ? demanda Ella, soulevant la nappe.

— C'est quoi, sur ton bras, oncle Nick ? »

Jeannie regarda son fils qui tirait sur ses manches.

« Qu'est-ce que tu as au bras ? »

Elle tendit la main pour remonter sa manche.

De sa chaise, Tony vit une longue plaie rouge boursouflée qui courait le long de l'avant-bras de son frère et disparaissait sous son pull.

« Putain, mais c'est quoi ? s'écria-t-il sans réfléchir.

— Tony. »

Julia le reprenait systématiquement quand il jurait devant les enfants.

« Quelle horreur ! »

Jeannie remonta entièrement la manche de Nick, exposant la blessure. Celui-ci se dégagea et se leva, se cognant contre le rebord de la fenêtre derrière lui.

« Maman ! »

Il tira sur sa manche et passa derrière ses parents pour traverser le salon.

Tony repoussa brutalement sa chaise et le suivit.

« Tony ! » appela Julia.

Il gravit l'escalier et arriva devant la salle de bains au moment où la porte se refermait sous son nez. Le bruit donna une soudaine réalité à ce qu'il venait de voir. Il hésita.

« Nick ?

— Laisse-moi. »

La voix du jeune homme claqua, martelant chaque mot.

Tony résista au désir de tourner la poignée – leurs vieilles portes ne se verrouillaient pas. Il appuya son front contre le panneau.

« S'il te plaît. Ouvre. J'ai peur. »

Prononcer ces mots lui procura un soulagement inattendu.

Au bout d'un instant, il entendit bouger de l'autre côté. Le battant s'entrebâilla.

Le visage de Nick apparu, noyé de larmes. Tony l'attira contre lui. Le garçon trembla et hoqueta contre le cou de son frère, son souffle humide et chaud.

C'était quoi ?

Tony serra les dents pour ne pas poser la question. De toute façon, il savait ce que c'était. Il se mit à pleurer à son tour, étreignant Nick plus fort.

Ils restèrent ainsi un petit moment. Puis, peu à peu, ils reprirent conscience de l'endroit où ils se trouvaient. Ils se tenaient dans le couloir et des voix excitées leur parvenaient du rez-de-chaussée.

Nick se tortilla pour se dégager.

« Est-ce qu'on peut parler, s'il te plaît ? »

Le jeune homme hocha la tête.

Ils s'assirent sur le lit dans la chambre de Tony et Julia, et Nick laissa échapper un soupir tremblant. Tony ne tenait pas à revoir la blessure. Mais n'était-ce pas son devoir de regarder de plus près ?

« Alors, c'est… Tu… Quand est-ce que tu… as commencé à faire ça ? »

Nick haussa les épaules.

« Il n'y a pas très longtemps. »

Est-ce que lui demander pourquoi était idiot ? Il n'en savait rien.

Il valait mieux s'en tenir à ce qui était évident.

« Tu ne vas pas bien. »

Nick haussa une nouvelle fois les épaules. Il avait les bras et les jambes croisées, comme s'il voulait se recroqueviller sur lui-même. Se rendant compte qu'il l'avait imité machinalement, Tony écarta les genoux.

« Ton psy est au courant ?

— Pas encore.

— Je pense que ce serait bien que tu en parles avec lui.

— Je vais le faire. »

Tony avait du mal à le croire, dans la mesure où il ne lui avait rien dit jusque-là. Mais comment le lui expliquer ?

« Je ne veux pas que tu le prennes mal. »

Nick leva les yeux.

« Vas-y.

— J'ai peur que tu ne le fasses pas.

— Je le lui dirai, promis. »

Tony regarda les bras de Nick.

« J'ai le sentiment que tu m'as menti. »

Nick fronça les sourcils et se détourna.

« Tu te scarifies ?

— Non. C'est juste… Je ne me coupe pas.

— C'est quoi, alors ?

— C'est… Je me gratte, plutôt, répondit le jeune homme après un long silence.

— Nick… »

Il souffrait. Bien plus que ce que Tony avait cru.

« Je t'ai menti », dit Nick d'une voix douce.

À propos de la blessure ou d'autre chose ? Tony ne dit rien, attendant qu'il s'explique.

« Tout le monde sait que c'est moi. »

Que voulait-il dire ?

« Tout le monde sait que c'est toi la victime ? Dans l'affaire ? »

Nick hocha la tête. Les larmes ruisselaient sur son visage.

« Comment ?

— Qu'est-ce que ça peut faire ?

— Qui sait ?

— Tout le monde, à la fac.

— Merde, siffla Tony.

— Ouais. »

Nick s'essuya les joues et posa les paumes sur ses genoux.

« Qu'est-ce que je peux faire ? Merde, Nick. Qu'est-ce que je peux faire pour toi ? »

Il fixait le sol devant eux. Tony lui prit la main, la serra trois fois.

« Tu veux bien aller me chercher des mouchoirs en papier ? soupira-t-il.

— D'accord. Je peux revenir avec Julia ?

— Oui. »

Environ une heure plus tard, Tony, Nick et Julia rejoignirent Marjorie et Ella qui se trouvaient dans le salon avec les enfants. Quand Julia était montée, elle leur avait dit que les autres partaient pour leur laisser un peu d'intimité. Tony avait entendu Jeannie. Elle était en colère. Julia lui avait sans doute demandé de laisser son fils tranquille.

« Pardon pour ce bazar », bredouilla Nick à la mère de Julia.

Marjorie secoua la tête et l'étreignit chaleureusement. Elle lui murmura quelques mots inaudibles à l'oreille.

Ella était assise sur le canapé, un enfant de chaque côté, tous les deux en partie affalés sur ses genoux. Elle se tourna vers eux, sa silhouette se découpant devant *Le Livre de la jungle* qui passait à la télé. Elle ne dit rien et Nick ne lui adressa pas un regard.

Au premier étage, Julia avait géré la situation avec le calme d'un médecin urgentiste. Elle s'était agenouillée devant Nick. Elle voulait qu'il appelle une ligne d'écoute. Il avait commencé par résister, protestant qu'il n'était pas suicidaire, qu'il ne se coupait pas vraiment, mais Julia avait insisté avec douceur jusqu'à ce qu'il cède. La femme au téléphone avait mis en place un rendez-vous pour le lendemain matin, le psychothérapeute de Nick étant en congé jusqu'au lundi.

Nick refusa de rester dormir chez eux et Tony eut honte de se sentir soulagé lorsque son frère dit à Ella : « On y va quand tu veux. »

De la fenêtre, il les regarda monter dans une voiture qu'il ne connaissait pas et disparaître.

« Papa, tu as dit un gros mot », lança Chloe derrière lui.

Tony se retourna. Seb avait les yeux rivés sur la télé, mais sa fille le dévisageait.

« Je suis désolé, poussin, je n'aurais pas dû.

— Pourquoi tu l'as fait, alors ?

— J'ai eu peur.

— Peur comment ? »

Une lassitude immense l'envahit. Il ne savait pas quoi lui répondre. Julia s'en chargerait.

« Juste peur. Il faut que je monte me laver. On en parlera plus tard. »

Il trouva Julia et Marjorie dans la cuisine, en train de faire la vaisselle.

« Tu n'as pas à faire ça, dit-il à cette dernière. On s'en occupera.

— Ne sois pas ridicule. Je suis restée pour vous aider.

— Ça va, chéri ? lui demanda Julia, s'approchant de lui.

— Sincèrement, je crois que je pourrais aller me coucher maintenant.

— Vas-y. Sérieusement. On finit de ranger. La journée a été rude.

— Je vais quand même vous donner un coup de main », dit-il malgré lui.

Dans la salle à manger, les assiettes et les couverts sales avaient été débarrassés ; il restait des serviettes chiffonnées sur la table et sur les chaises, et des verres un peu partout.

Il empila les verres à eau, puis prit deux verres à vin. L'un des deux, celui de Julia, était encore plein au tiers. Il risquait de le renverser. Il jeta un coup d'œil autour de lui et le vida d'un trait.

La chambre était plongée dans le noir.

« Combien de temps on va tenir ? » marmonna Tony d'une voix ensommeillée.

Julia, qui était en train de se coucher à côté de lui, se figea.

« Quoi ? »

Il sentit qu'il sortait de sa torpeur. Ses yeux se posèrent sur la table de chevet, le réveil, la lampe.

« Hein ?

— Tu as dit quelque chose ?

— Pardon, je rêvais. »

Il voulait s'accrocher au sommeil, mais il lui échappait.

« Il est quelle heure ?

— 23 heures passées. Ma mère a fini par partir, dit-elle en riant. J'ai essayé de te réveiller, mais tu dormais comme une bûche. »

Il était monté d'un pas lourd et s'était écroulé sur le lit aux alentours de 16 heures. Il ne se rappelait même pas s'être assoupi.

Julia se blottit contre lui et lui embrassa l'oreille.

« Ça va ? »

Pas maintenant, s'il te plaît. Je suis trop fatigué.

« J'ai besoin de dormir encore, grommela-t-il en s'écartant. Je t'aime.

— Moi aussi, je t'aime », dit-elle, caressant l'arrière de son crâne.

Il essaya de retrouver le sommeil doucement, sans rien forcer.

La blessure au bras de Nick apparut dans son esprit.

Non.

Le visage en larmes de Nick dans son cou.

Stop. Il s'obligea à respirer lentement, profondément. L'air qui passait dans sa gorge lui fit remonter un goût d'alcool dans la bouche. Il avait bu un verre de vin avant de se coucher. Ou l'avait-il rêvé ? L'avait-il réellement fait ?

Ce cirque avait assez duré. Il fallait faire quelque chose. Encore un an de ce calvaire ? Un an d'articles, de commentaires, de lettres, de Facebook, alors que tous les amis de Nick, les gens qu'il côtoyait tous les jours, savaient que c'était lui ? Son corps, son histoire, sa réputation ? Un an à tenter de survivre ? Non. Ce n'était pas possible. Il fallait agir.

Nick devait parler à un psy dans la matinée. Il allait s'en sortir.

Mais il voyait déjà un psy et ça ne l'avait pas empêché de se labourer le bras.

Tony sentait la pulsation de l'adrénaline, maintenant. Inutile d'essayer.

Lentement, ses pieds cherchèrent le sol. Il écarta les draps et se leva. *Marche, fais comme si tu allais aux toilettes*. Il sortit de la chambre d'un pas assuré et Julia ne broncha pas.

En bas de l'escalier, il se dirigea vers le salon. Rien. Il fit le tour du rez-de-chaussée et finit par le trouver dans la cuisine : son téléphone. Il s'adossa au plan de travail et effleura l'écran. Il terminerait ce qu'il avait commencé la nuit précédente. Bureau des taxes foncières de la ville de Salisbury. Banque de données en ligne. Recherche par propriétaire. Walker. Et voilà. L'adresse de Raymond Walker.

32

Julia Hall, 2015

Lorsque Julia ouvrit les paupières, elle découvrit le visage de Chloe à quelques centimètres du sien.

« Hé ! Tu m'as fait peur !

— Seb mange des biscuits et il n'a même pas pris son petit déjeuner, déclara Chloe avec une moue fâchée.

— Quelle heure est-il ? » demanda Julia en se frottant les yeux.

Elle se retourna et vit que Tony était déjà levé. D'après son téléphone, il était 8 h 23. Comment avait-elle pu dormir aussi tard ?

« Ma puce, ce n'est pas bien de rapporter. Sauf si quelqu'un est en danger.

— Mais tu as dit que c'était mauvais pour la santé de manger des sucreries avant le petit déjeuner. »

Chloe la dévisageait avec sérieux, comme si elles étaient face à face au tribunal. Cette gamine était trop maligne. Julia n'était pas assez réveillée pour trouver une meilleure définition de rapporter. Elle étouffa un rire, songeant à un célèbre arrêt de la Cour suprême à propos de la pornographie : il y avait des choses qui se passaient de définition, on les reconnaissait en les voyant.

« Et pourquoi est-ce que c'est moi que tu gratifies de cette information ? Pourquoi tu ne t'adresses pas à papa ?

— Il est parti. »

Un autre jogging, se dit Julia. Enfin. Ça l'aiderait peut-être à évacuer la gueule de bois émotionnelle qu'il devait avoir au réveil. Rien qu'en pensant à la journée de la veille, elle eut une boule dans la gorge. Pauvre Nick.

« Viens me faire un câlin. »

Chloe ne se fit pas prier. Julia referma ses bras sur sa fille et enfouit son visage dans ses cheveux.

« Je peux avoir un biscuit, alors ? » demanda la petite d'une voix assourdie.

Julia la serra plus fort.

« Allez, on va tous manger des biscuits pour le petit déj. »

Elles se levèrent et Julia suivit Chloe.

Dans la cuisine, ses yeux glissèrent sur les chaussures de sport de Tony sans les voir. Elles se trouvaient à l'endroit habituel, dans le coin à côté de la porte. Si elle avait été un peu plus réveillée et en état d'analyser ce qu'elle voyait, si elle avait compris que Tony n'était pas sorti courir, tout aurait peut-être été très différent.

33

Tony Hall, 2015

Tony attendait dans sa voiture depuis des heures, en face de chez Raymond Walker. À un moment ou un autre, il prendrait sa décision ou Walker l'y obligerait en franchissant la porte.

Il avait revérifié le site pour être sûr de ne pas se tromper. C'était bien là. Un pavillon gris dans une rue paisible de Salisbury, loin de chez Nick et du bar où ils s'étaient rencontrés. Ce n'était pas ce que Tony avait imaginé. Devant la maison, les plates-bandes étaient bien entretenues : de grandes fleurs violettes, des globes de pétales blancs au bout de minces tiges, des éclats orange et jaune. L'allée était vide et le garage indépendant était fermé.

Tony avait répété ce qu'il allait lui dire : sa femme était avocate, et si sa mère et lui ne cessaient pas de publier des mensonges sur Nick en ligne, ils les poursuivraient pour atteinte à la vie privée ou diffamation. Julia pensait qu'il n'y avait sans doute pas matière à procès, mais Walker n'avait pas besoin de le savoir. Tony se dresserait de toute sa hauteur, le regarderait dans les yeux et lui dirait de laisser son frère tranquille. Qu'il avait de la chance que l'affaire soit entre les mains de la justice et pas entre les siennes, à lui.

Mais, maintenant qu'il était là, quelque chose l'empêchait de descendre de voiture. À l'instant où il frapperait à la porte de cette maison, il ne pourrait plus revenir en arrière. Il contemplait le soleil qui grimpait dans le ciel de l'autre côté du pare-brise, conscient que ses menaces ne serviraient sans doute à rien. Walker s'en contrefichait. Il prenait plaisir à faire souffrir les autres et Tony ne réussirait qu'à lui prouver qu'il y était parvenu. Et que se passerait-il s'il mettait en rogne un type pareil ?

Soudain, une porte s'ouvrit sur le côté de la maison et une silhouette apparut. Raymond Walker. L'homme qui avait causé tant de mal à Nick que celui-ci continuait de se torturer. Il verrouilla derrière lui, puis se dirigea vers le garage. Il partait.

Tony descendit de voiture précipitamment.

« Hé ! » cria-t-il.

La porte du garage se soulevait. Walker attendait devant. Surpris, il se retourna.

« Raymond Walker », dit Tony en traversant la rue à grandes enjambées. Sa voix claqua dans le silence, autoritaire.

L'autre inclina légèrement la tête sur le côté.

« Oui ? »

Tony était dans l'allée à présent. Ses jambes le portaient trop vite pour lui laisser le temps de réfléchir.

Walker fit un pas en arrière vers le pick-up qui se trouvait dans le garage.

« Oh, oh, oh ! » glapit-il.

Tony l'attrapa par le revers de sa veste et le projeta contre l'arrière du véhicule.

« Maintenant, tu fiches la paix à Nick Hall, connard », lança-t-il d'une voix soudain mal assurée.

L'autre leva les mains, ferma les yeux.

« OK. OK. »

Le jet de salive partit tout seul et le crachat brillait à présent au front de Walker. Il était si proche de lui qu'il voyait les pores de son nez.

Tony recula. Il fit demi-tour et s'éloigna. Qu'est-ce qu'il lui avait pris ? Pourquoi avait-il fait ça ?

Il était dans la rue quand la voix de Walker s'éleva.

« Hé, si on me pose la question, vous êtes le frangin, ou le petit copain ? »

Il le narguait. Tony devait prendre le volant et partir très vite d'ici. Mais ses jambes s'immobilisèrent. Il vacilla, mais il ne se retourna pas. *Avance. Monte dans la voiture.*

« Il ne tarissait pas d'éloges sur son grand frère, poursuivit Walker, avec une joie forcée. C'est vrai que tu es pas mal. »

Fais un pas, l'autre suivra. Monte dans la voiture.

« Quand tout ça se sera tassé, peut-être que…

— Ouvre encore la bouche et je te tue. »

Tony avait fait volte-face. L'autorité dans sa voix s'était envolée. Et même sa voix tout court. Des larmes brûlantes jaillirent de ses yeux et il termina dans un murmure.

« Je te tuerai. Fous-lui la paix. »

Walker eut un horrible sourire satisfait.

Tony regagna rapidement sa voiture, claqua la portière et démarra sous le regard narquois de l'autre homme.

34

John Rice, 2015

Rice venait à peine de franchir les portes du service lorsque l'agent Thompson le héla.

« Inspecteur, téléphone.

— Vous voyez bien que je ne suis pas à mon bureau. Prenez le message.

— Pardon, inspecteur. »

Il était nouveau, d'une jeunesse exaspérante et pas très au fait des usages. Rice avait été appelé sur les lieux d'un cambriolage et d'une agression à 4 heures du matin. Il n'avait pas besoin qu'on lui saute dessus à peine arrivé au poste.

Rice se dirigeait tranquillement vers la salle de pause, lorsqu'il entendit Thompson dire : « Pardon, monsieur Walker, je vais prendre votre message pour…

— Hé ! »

Rice avait fait demi-tour et il agitait sa main libre en direction de Thompson, le café giclant contre le couvercle de son gobelet en polystyrène.

« Je le prends, articula-t-il.

— Ah, fit le policier, les yeux sur son supérieur. Le voilà, en fait. Je vous transfère. »

Rice posa le café sur son bureau qui se trouvait au fond de la salle et appuya sur la touche haut-parleur afin de pouvoir rester debout. Le service était relativement calme, et son dos le faisait souffrir : il avait oublié de prendre son anti-inflammatoire avant de partir de chez lui.

« Inspecteur Rice à l'appareil.

— Bonjour, inspecteur. Je suis ravi de vous tomber dessus. »

Sa voix doucereuse semblait presque sarcastique. Il faisait trop d'efforts pour être charmant. Rice cala son propre ton sur celui de son interlocuteur.

« Que puis-je faire pour vous, Ray ?

— Je voulais vous signaler que le frère de Nick Hall est venu chez moi et a menacé de me tuer. »

Rice prit le combiné.

« Vous êtes sérieux ?

— Hélas, oui. Je le comprends. Ce doit être dur pour lui. Il ne peut pas savoir que son frère raconte des salades. »

Rice se retint de répondre. Walker enregistrait peut-être l'appel. On vivait une époque où il valait mieux éviter de dire au téléphone quelque chose qu'on ne souhaitait pas entendre au tribunal.

« Je compatis avec la famille. Mais je ne peux pas accepter qu'on vienne chez moi, qu'on me prenne par le col, qu'on me bouscule. »

Rice grimaça. Tony Hall était-il aussi bête ?

« Il faut bien fixer des limites, non ? La compassion n'excuse pas tout. »

Rice avait-il vraiment envie qu'on l'entende dire « compassion, mon cul ! » au tribunal ?

« Vous êtes certain que c'était bien le frère de Nick Hall ?

— Oh oui, la ressemblance est frappante. Et je suis sûr que vous savez qu'il conduit un Ford Explorer gris. »

Merde. Qu'est-ce que Tony avait dans le crâne ? Une tentative d'intimidation, ça pouvait chercher loin. Sans parler de l'agression. Ça n'allait faire que compliquer la situation. Julia devait être dans tous ses états. Rice en avait presque le vertige. Il secoua la tête pour chasser ces pensées.

« Très bien, Ray. Est-ce que vous pouvez passer pour qu'on prenne votre déposition ?

— Oh, je ne compte pas porter plainte. »

Hein ?

Constatant que le policier ne disait rien, Walker poursuivit.

« Je le ferai si ça se reproduit, mais, pour cette fois, je tenais simplement à le signaler. Il m'a fait peur, inspecteur. Il a menacé de me tuer. Mais je suis un homme sensé. Je sais qu'il souffre. Et il n'a aucune raison de me croire, moi, plutôt que son frère… pour l'instant. »

À quoi jouait-il ? Rice sortit un stylo de sa poche de poitrine et prit une feuille blanche sur le bureau. Il nota : *27-11-15 Appel de RW. TH a menacé de le tuer. Ne porte pas plainte, veut simplement le signaler, sait qu'il souffre*. Rice s'interrompit, puis ajouta des guillemets à *simplement le signaler*.

« Ma foi, c'est à vous de décider.

— Et je décide de ne pas porter plainte.

— C'est arrivé à quelle heure ? »

Un silence.

« Ce matin, vers 9h50.

— Il est presque 14 heures. Pourquoi avoir autant attendu ?

— Je suis allé bruncher d'abord. Je sortais quand il m'est tombé dessus. Il faisait le pied de grue devant chez moi.

— Ah oui. Et vous avez brunché où ?

— Pourquoi ?

— Pour mon rapport. Au cas où vous changeriez d'avis. Si vous décidez de porter plainte, je préfère noter les détails maintenant, pendant que c'est encore frais.

— Fork & Napkin. Bon, il faut que je vous laisse. »

Il avait l'air bien pressé, soudain. Et il y avait quelque chose dans sa voix. Il voulait que Rice écrive exactement ce qu'il voulait... et il ne tenait pas à s'appesantir sur le restaurant.

« À Ogunquit ? Un super petit resto. Pas de problème, Ray. Je vous laisse vaquer à vos affaires. Je fais un rapport et je le classe.

— Merci », répondit l'autre sèchement.

Rice raccrocha, lentement. À quoi jouait-il ?

Lorsqu'il téléphona à Fork & Napkin, il tomba sur une voix jeune, une femme. Ils avaient eu beaucoup de monde, ce matin, comme toujours le lendemain de Thanksgiving. Mais oui, elle se souvenait d'un homme qui était arrivé seul. Elle ignorait comment il s'appelait.

La trentaine, peut-être plus, peut-être moins, elle était nulle avec les âges. Mais il l'avait marquée.

« Il m'a dit qu'il avait rendez-vous à 10 heures et qu'il était en retard. Il m'a donné une série de noms pour la réservation. Je l'ai bien retrouvée, mais personne ne s'était présenté. À part lui, bien sûr. »

Elle communiqua à Rice le nom sous lequel la table avait été réservée – *a priori*, personne en relation avec l'enquête – et elle poursuivit.

« Il avait l'air déçu quand je lui ai dit que les autres n'étaient pas là. Manifestement, on lui avait posé un lapin. »

Rice la remercia et raccrocha. Au moins, certains des amis de Ray Walker avaient assez de bon sens pour prendre leurs distances avec lui. Si seulement les idiots qui le soutenaient sur Internet pouvaient en faire autant.

Il allait devoir dire deux mots à Tony Hall. Si l'histoire de Walker n'était pas un tissu de mensonges… Comment avait-il pu être aussi inconséquent ? Le policier savait qu'il était proche de son frère. Tony était une figure paternelle pour Nick. Cette histoire l'affectait beaucoup, c'était évident. Mais il avait juste réussi à donner des arguments à Walker. *Vous voyez ? Les Hall sont des gens instables*. Il faisait du mal à celui qu'il essayait de protéger. Sans parler ce qui pourrait lui arriver à lui, des conséquences pour ses enfants, sa femme…

Ses pensées s'arrêtèrent sur Julia. D'habitude, lorsque son visage surgissait dans son esprit, il l'écartait, mais ce jour-là, il n'en fit rien. Ses cheveux étaient auréolés de soleil, comme la fois où il l'avait vue à l'évier de la cuisine. Plus il y réfléchissait, plus la ressemblance avec son épouse lui semblait flagrante. Ce n'étaient pas les mêmes cheveux, pas le même nez, ni la même silhouette, mais les yeux, le sourire, la chaleur… Oui, elle était comme Irene. Des femmes d'une bienveillance infinie. Des femmes mariées à des hommes qui devaient mener une lutte constante pour être à la hauteur.

35

Julia Hall, 2015

Le portable de Tony sonna dans la cuisine. Julia monta le son de la télé et rejoignit son mari. Il était rentré dans la matinée et lui avait tout avoué : il avait cherché Walker dans le registre foncier de Salisbury, il était allé chez lui, il l'avait bousculé, l'avait menacé. Elle s'était fâchée, il avait pleuré, et elle s'était réfugiée dans le salon avec les enfants, refusant de lui adresser la parole, le temps de digérer sa confession.

Il ne se passa rien pendant quelques heures. Mais elle savait que c'était le calme avant la tempête.

« Je viens d'avoir un appel de Ray Walker », annonça l'inspecteur Rice au téléphone.

Julia se figea. Tony allait être arrêté.

Celui-ci ouvrit la bouche pour parler. Elle leva la main pour l'interrompre. Quoi qu'il ait l'intention de dire, elle ne tenait pas à ce que la police l'entende. Pas d'aveu.

« Vous êtes là ? » demanda Rice.

Julia regarda Tony en hochant la tête.

« Oui.

— Et Julia ?

— Oui.

— Bon. Tony, Ray Walker affirme que vous l'avez agressé chez lui, ce matin. »

Les yeux de Julia allèrent du téléphone au visage de son mari. Ses paupières bouffies étaient fermées et son front était plissé d'inquiétude.

« Il dit que vous avez menacé de le tuer. »

Elle sentit un frisson glacé lui parcourir l'échine.

« Si je résume, ça nous fait agression, menace et tentative d'intimidation. »

Julia porta les mains à son visage. Comme si l'affaire de Nick ne suffisait pas. Tout allait recommencer, avec cette fois Tony dans le rôle de l'accusé. Son esprit dressait la liste des issues possibles : liberté conditionnelle, emprisonnement, casier judiciaire. On finirait par l'apprendre au cabinet de Tony – les avocats étaient de vraies commères. La presse. Déjà qu'elle faisait ses choux gras de l'histoire de Nick. Tout le monde saurait.

« Voilà ce dont vous auriez pu être accusé », dit enfin Rice après un long silence.

Julia releva la tête. Tony la regarda, dérouté.

« Il ne porte pas plainte.

— Quoi ? fit Julia.

— Oui. Vous avez de la chance. »

Tony donna le téléphone à Julia et s'étendit sur le sol de la cuisine.

« Alors... C'est tout ? demanda-t-elle.

— Pour l'instant. Tony, je ne sais pas ce qui vous est passé par la tête. Mais ce genre d'attitude ne rend service à personne, vous me comprenez ? »

Par terre, l'intéressé fit signe que oui, les bras le long du corps.

« *Les Anges de Boston*, ce n'est pas ma tasse de thé, OK ? Vous nous laissez faire notre travail.

— Merci, dit Julia.

— Ne me remerciez pas. On aurait eu une tout autre conversation si Walker avait voulu porter plainte. »

Ils raccrochèrent.

« Je ne sais pas ce qui m'a pris, dit Tony, les yeux au plafond. Je ne comprends pas. »

Julia comprenait très bien, elle. Tony avait la manie de vouloir tout réparer. Il aimait régler les problèmes, et surtout ceux des autres.

Lorsqu'ils s'étaient rencontrés, elle ne l'avait pas vu tout de suite, mais du jour où elle s'en était rendu compte, ça l'avait agacée. La lumière devant chez elle ne marchait plus : il débarquait avec une ampoule neuve, un tournevis et un escabeau. Elle prenait froid : il lui préparait un bol de soupe et insistait pour qu'elle fasse une sieste. Elle était de mauvaise humeur : il voulait qu'ils parlent. Sa meilleure amie, Margot, le trouvait romantique. Pour Julia, c'était surtout un manque de respect. Comme s'il ne la pensait pas capable de s'occuper d'elle toute seule. Julia avait peut-être eu une enfance protégée et bénéficié de toute la sécurité économique et affective dont on pouvait rêver, mais ses années de fac avaient été rudes. Son père était tombé malade et un mois plus tard il était décédé. Sa mère avait dû vendre sa société. Julia travaillait dans un bar pour financer ses études. Lorsqu'elle avait fait la connaissance de Tony, elle se débrouillait seule et elle en était fière.

Et puis, un soir, pendant leur premier hiver ensemble, une de ses collègues avait été dévalisée. Elle regagnait sa voiture après la fermeture du Ruby, le bar de Portland où elles travaillaient toutes les deux, quand un homme blanc au visage en partie dissimulé par un chapeau et une écharpe l'avait menacée avec un cran d'arrêt et avait exigé son sac. Elle s'en était sortie indemne, mais elle était secouée. Julia avait raconté ce qui s'était passé à Tony au téléphone, alors qu'elle se rendait au bar. Elle l'avait aussitôt regretté. En l'espace de cinq minutes, il lui avait ordonné de ne pas y aller, lui avait demandé si elle allait chercher un autre emploi, pour finalement s'énerver et lui dire qu'elle devait démissionner. Elle lui avait raccroché au nez. C'était la première fois qu'elle entendait parler de ce genre d'agression à Portland. Il y avait peu de chances qu'il lui arrive la même mésaventure, sa camarade allait bien et Julia ne possédait de toute manière pas grand-chose de valeur. À la fin de son service, Tony débarqua au bar. Il s'excusa et reconnut qu'il avait exagéré. Elle était prête à se laisser amadouer, lorsqu'elle se rendit compte qu'il était uniquement là pour la raccompagner à sa voiture. Après le départ des derniers piliers de bar, elle se tourna vers Tony. Elle déballa tout ce qu'elle avait tu jusque-là, comme si elle avait patiemment rédigé une liste en prévision de ce jour. Elle voyait bien où il voulait en venir. Il ne la croyait pas capable de s'occuper d'elle. Il ne respectait pas ses décisions. Et il y avait pire :

« Tu es possessif.

— Possessif ? répéta Tony, déconcerté.

— Oui.

— Tu dis n'importe quoi. La fille qui bosse avec toi a été agressée hier soir. Elle a eu de la chance qu'il se contente d'agiter un couteau.

— Il n'y a pas que ça ! Tu crois que je suis incapable de changer une ampoule toute seule ! Tu m'étouffes ! Je ne suis pas ta fille !

— Comment ça, ma fille ? Tu es ma copine et je t'aime. Pourquoi c'est si difficile à supporter ?

— Pourquoi c'est si difficile de me laisser m'occuper de moi ?

— C'est ce que je fais, répondit Tony, se levant brutalement du tabouret où il était assis. Je prends soin des gens que j'aime. Mon amour t'étouffe ? »

Il haletait, comme s'il venait de piquer un sprint.

Elle croisa les bras, s'efforçant de se ressaisir, soudain terrifiée. Peut-être n'était-ce pas une dispute. Peut-être était-ce la fin.

« Il y a beaucoup de choses qui me plaisent dans ta façon de m'aimer. Mais si tu dois constamment sauver quelqu'un… Ce n'est pas possible pour moi. Je n'ai pas besoin de ça, je n'en veux pas. Et j'espère que toi non plus : j'espère que tu n'as pas besoin d'être avec une femme faible pour avoir l'impression d'être un homme. »

Il ouvrit la bouche, mais elle l'interrompit.

« Je ne pense pas que ce soit le cas. Pas consciemment, en tout cas. Mais tu dois écouter ce que je te dis. La façon dont tu me traites en ce moment, ce n'est pas ce que j'attends d'un homme. Il faut que tu changes. »

Elle prit une inspiration. Elle expira. Merde, elle pleurait, maintenant.

« Ou il faut que tu partes. »

Elle avait dit ce qu'elle avait à dire. Elle le regarda dans les yeux, le mettant au défi de la contredire. Ses cheveux bruns paraissaient noirs, dans la lumière blafarde. Il s'approcha, les traits anguleux, la peau pâle, et il posa son visage contre son cou. Il embrassa sa clavicule et s'écarta.

« D'accord », murmura-t-il.

Il ouvrit le verrou derrière elle, la contourna, poussa la porte et sortit dans la rue.

Il partait. Il la quittait.

Il se retourna.

« Je ne te quitte pas, dit-il, comme s'il avait lu dans ses pensées. Je te laisse retourner seule à ta voiture », ajouta-t-il, avec une lueur espiègle dans les yeux, malgré sa colère.

Il secoua la tête et partit.

Elle avait eu raison de revendiquer ce qu'elle voulait, ce soir-là, et elle avait eu tort aussi. L'amour reposait sur tellement de contradictions. Pour Tony, aimer Julia signifiait la laisser être sa propre héroïne, même si son estime de soi dépendait de ce qu'il pouvait faire pour ceux qu'il aimait. Pour elle, aimer Tony signifiait le laisser prendre soin d'elle, même si elle avait peur de devenir tributaire de quelqu'un qu'elle risquait de perdre un jour.

Et maintenant, Tony voulait s'occuper de Nick. Son petit frère, le garçon qu'il avait déjà sauvé à maintes reprises. Il ne savait pas quoi faire de toute cette colère et de ce désespoir.

Julia s'allongea sur le carrelage frais de la cuisine à côté de lui, et prit sa main dans la sienne.

Le lendemain, ils passèrent une partie de l'après-midi à jouer au football américain dans le jardin. Chloe avait une vision très personnelle du sport, qui consistait à jeter le ballon en mousse sur les participants, et avait décrété une ligne de but délimitée par le pommier et commune aux deux équipes. C'était d'autant plus déroutant que Chloe ne cessait d'inventer de nouvelles règles. Mais Julia la trouvait trop mignonne pour discuter et tout le monde obtempéra. Les enfants la firent tellement rire qu'elle retrouva sa bonne humeur. De son côté, Tony faisait de son mieux. Il galopait d'un bout à l'autre du terrain, râlait contre les règles en plaisantant et lui lançait des regards en douce pour s'assurer qu'elle s'amusait. Il s'excusait à sa façon.

« Attends, Seb », dit Chloe.

Celui-ci s'immobilisa en pleine course en direction du pommier, serrant le ballon entre ses petites mains.

« L'arbre, c'est la prison, maintenant.

— Quoi ? fit Tony en secouant la tête.

— La prison, papa, répéta-t-elle, comme si elle avait affaire à un demeuré.

— Quel est le rapport entre le foot et la prison ? » demanda Julia en riant.

Tony tendit la main vers elle pour la remercier d'avoir formulé à voix haute sa pensée. Julia lui sourit, soutenant son regard. Même quand c'était contre leurs propres enfants, ça faisait du bien de sentir qu'ils formaient de nouveau une équipe.

« On arrête le foot. On joue à la balle aux prisonniers.

— Touchée », gloussa Seb, lançant le ballon sur sa sœur.

Le téléphone de Julia sonna dans sa poche. Elle n'aurait répondu qu'à très peu de gens dans un moment pareil. Charlie Lee en faisait partie.

« Il faut que je prenne cet appel, je reviens », dit-elle en s'éloignant au petit trot en direction de la maison pour être tranquille.

Elle s'arrêta devant les marches et s'assit à côté des citrouilles transformées en lanternes, qu'ils avaient laissé pourrir depuis Halloween.

Charlie s'excusa de la déranger pendant le week-end.

« Vous plaisantez ? J'attendais de vos nouvelles avec impatience.

— Ah », soupira-t-il.

Soudain, elle regretta d'avoir décroché.

« Quoi ? Rien ?

— Je suis désolé, Julia. S'il a fait ça à d'autres, je ne les ai pas trouvés. »

Merde.

« Tant pis.

— J'ai bien cru avoir une piste à un moment, mais…

— Mais quoi ?

— C'était une impasse. Un barman à Providence qui pensait avoir vu Ray Walker un week-end, il y a deux ans.

— Providence, dans l'État de Rhode Island ?

— Oui. La société de Walker est partout en Nouvelle-Angleterre. Donc j'ai contacté quelques bars gays dans les plus grandes villes. »

Elle entendait son cœur battre dans son oreille contre le téléphone.

« Alors ?

— Rien, à vrai dire. Il se souvenait d'un homme très séduisant. Il est venu deux soirs de suite. Il a dragué un habitué, un jeune gars timide. La seconde fois, ils sont repartis ensemble. Le barman comptait taquiner le gamin le week-end suivant, mais il n'a jamais remis les pieds dans l'établissement. »

Un glapissement de Chloe attira l'attention de Julia. Tony la pourchassait avec le ballon.

« Longtemps après, le barman a croisé le jeune à un marché de petits producteurs. Il était avec une fille. Ils se conduisaient comme s'ils sortaient ensemble, mais ils donnaient le change, selon le barman. Quoi qu'il en soit, l'idée que la soirée avec l'inconnu avait pu déraper ne lui était jamais venue à l'esprit. Jusqu'à ce qu'il reçoive mon e-mail.

— Est-ce qu'il se souvenait du nom de l'habitué ?

— Non. Pas son nom de famille, en tout cas.

— Donc… »

Donc il n'avait vraiment rien.

Julia examina ses chaussures. Elle tordit les chevilles pour regarder sous ses semelles. Les rainures étaient incrustées de boue et d'herbe.

« Je suis déçu. Ce qu'il a fait à votre beau-frère, il a dû le faire à d'autres. Il doit y avoir d'autres victimes. C'est seulement qu'elles sont difficiles à trouver.

— Vous avez fait ce que vous avez pu, merci.

— Tous les bars n'ont pas répondu. Il se peut que j'aie encore des retours. Le cas échéant…

— Appelez-moi, bien sûr, mais ne perdez pas plus de temps là-dessus.

— Je sais que vous êtes inquiète au sujet du procès, mais essayez de ne pas trop vous en faire. »

Julia remonta la manche de son blouson pour s'essuyer le nez sur sa chemise en flanelle. Elle était au bord des larmes.

« Ils ont largement de quoi l'épingler. Si vous voulez mon avis, Raymond Walker est un homme qui a eu beaucoup de bol jusque-là, mais sa chance est finalement en train de tourner. »

Après avoir raccroché, Julia resta un moment assise à côté des citrouilles, tripotant le téléphone. Il avait eu beaucoup de bol jusque-là, possible. Charlie était gentil, mais si personne n'avait signalé Walker, si personne n'avait de photos de lui, si personne n'avait fait de prélèvements ADN... Elle frissonna. Beaucoup de bol. Ses yeux s'attardèrent sur sa famille dans le jardin. Tony faisait tournoyer Chloe, la tenant par la taille, tandis que Seb sautillait sur place, essayant d'arracher le ballon à sa sœur. Les enfants riaient et criaient. Hilare, Tony reposa la petite, roula des épaules. Puis son sourire s'effaça. Il regarda son fils et sa fille courir vers le pommier, avec une expression qui ressemblait à de la nostalgie. Un tel bonheur. Eux aussi avaient eu beaucoup de chance. Est-ce qu'elle n'était pas en train de tourner également ?

36

Julia Hall, 2019

Il avait neigé le dernier jour de novembre, cette année-là. Ils s'étaient réveillés un matin pour découvrir que l'automne était terminé. L'hiver qui suivit les ensevelit.

C'est au cours de cet hiver que Julia apprit qu'on pouvait s'égarer dans la neige. Il était facile de perdre ses repères, si on ne faisait pas très attention. Pourtant, on n'avait jamais été si proche du printemps, mais, entre la lumière blafarde et la neige qui s'accumulait, on avait tendance à l'oublier. À l'image de la végétation, il fallait se mettre à nu et s'endurcir pour survivre.

Elle lança un regard de biais à Rice.

Si elle n'avait jamais revu cet homme, elle aurait peut-être pu mourir heureuse.

« Vous savez pourquoi je vous ai demandé de venir, n'est-ce pas ? »

Oui.

« Non. »

Voyait-il la sueur à la racine de ses cheveux ?

« Quand je songe à cette affaire, toutes les erreurs que j'ai commises me sautent aux yeux. Ce que j'ai négligé. Ce que j'ai raté. Lorsque Walker m'a appelé pour me dire ce que Tony avait fait… Je repense à ce jour, et je regrette de ne pas avoir vu ce que ça signifiait. »

Le policier prenait son temps. Il lui offrait ses souvenirs comme des pommes cueillies ici et là au gré d'une promenade dans un verger. Comme s'il les lui soumettait au fur et à mesure qu'ils se présentaient à son esprit. En réalité, elle voyait bien qu'il avançait chronologiquement et méthodiquement. Il lui avait fait revivre l'automne, puis viendrait l'hiver.

Pendant quelques instants, Julia s'autorisa à écouter la voix de sa victime intérieure. *Je ne veux pas revisiter tout ça. Ce n'est pas juste*. Puis elle la fit taire. La voix disait n'importe quoi. En vérité, elle pensait fréquemment à cet hiver. Elle n'avait pas besoin de l'appel d'un policier en fin de vie pour ça. Elle avait appris à contrôler les émotions violentes liées à cette période : les souvenirs étaient toujours là, mais elle les contemplait avec le détachement froid d'une scientifique examinant les actes d'inconnus. Ce n'étaient pas eux, Tony et Julia. C'était un autre couple. Quand ce couple s'insinuait dans ses pensées – les nuits d'hiver, juste après un cauchemar, ou, curieusement, lorsque Tony préparait des sandwichs bacon-laitue-tomates –, elle l'observait quelques instants, avant de le laisser s'évanouir.

Aujourd'hui, cependant, une émotion en sommeil avait remué au fond d'elle, réveillée par le policier, l'incarnation de la justice. Sa peau qui s'affaissait et sa mauvaise mine étaient une distraction, une ruse providentielle, mais elle savait à quoi s'en tenir. Un flic restait toujours un flic, à la retraite ou non, à l'agonie ou non. Et l'Histoire réclamait toujours justice, non ?

Parce qu'elle savait pourquoi elle était ici. Elle anticipait la suite. L'inspecteur avait pris son temps, mais ils se rapprochaient du but : l'hiver où Raymond Walker avait disparu.

TROISIÈME PARTIE

DÉCEMBRE

J'ai entendu un oiseau chanter
Au plus sombre de décembre
Moment magique
Et souvenir charmant.
« Le printemps est plus proche
Qu'il ne l'était en septembre »,
J'ai entendu un oiseau chanter
Au plus sombre de décembre

Oliver HERFORD, « I Heard A Bird Sing »

37

Nick Hall, 2015

Le cabinet de Jeff était petit et surchauffé. Il y avait un mur en brique derrière le siège de Nick, et la lumière éclatante qui se déversait par la fenêtre éclairait le visage bienveillant du psychologue. Comme d'habitude, il portait un pull et un pantalon décontracté. De temps en temps, il passait un doigt sous le bracelet de sa montre en argent et tirait dessus, tout en écoutant son patient. Nick avait laissé ses bottillons à la porte, et il frottait ses pieds sur l'épais tapis.

« Ça vous apporte un genre de soulagement, si je comprends bien ?

— Oui. »

Ils discutaient de ce que Nick s'était infligé. Les mutilations.

Il en avait déjà parlé à l'autre thérapeute, après Thanksgiving. Revenir dessus ne servirait à rien. Il savait pourquoi il se grattait. C'était pour ne pas penser à la vérité. Il avait failli l'avouer à Jeff, une fois. L'avait presque dit à Tony, le jeudi de Thanksgiving. Il avait cru pouvoir changer la réalité à force de répéter le même mensonge, mais ça devenait de plus en plus dur.

Jeff disait quelque chose. Il l'interrompit.

« Est-ce que vous pourriez me réexpliquer comment ça se passe pour nous, avec le procès, je veux dire ?

— Comment ça ?

— Eh bien, je sais que vous pouvez révéler ce que je vous ai confié si vous pensez que je risque de me faire du mal ou d'en faire à quelqu'un d'autre, mais vous avez aussi parlé du procès.

— Oui ?

— La première fois que je suis venu, vous avez dit qu'un juge pouvait exiger de consulter mon dossier.

— Ah. En effet, c'est possible. Mais ça dépend des cas. Je préfère annoncer la couleur d'entrée de jeu. Je veux que vous sachiez que vous pouvez me parler sans craindre que je vous trahisse, mais je tiens aussi à ce que vous compreniez que, dans certaines circonstances exceptionnelles, le secret professionnel peut être levé. J'estime important d'en informer mes patients avant tout échange. »

Nick porta la main à son crâne. La croûte était toujours là. Plus petite, plus sèche. Mais il la tripotait trop souvent pour la laisser totalement cicatriser.

« Nick », dit Jeff avec un geste du menton.

Celui-ci baissa aussitôt le bras.

« En ce qui nous concerne, je n'imagine aucun scénario où Ray se verrait accorder l'accès à votre dossier, si c'est ce qui vous préoccupe. »

Dans le cabinet de Jeff, c'était Ray. Nick n'aimait pas l'appeler Walker, comme le faisaient l'assistante du procureur et Tony.

« De quoi souhaitez-vous me parler ? »

Son bras le démangeait et il le frotta.

« Nick. »

Il joignit les mains sur ses genoux. Il ne pouvait pas continuer à garder le secret. Il avait essayé de l'étouffer, de l'ensevelir en lui, mais il était faible. S'il n'en parlait pas à quelqu'un, il ne savait pas ce qu'il allait faire.

« Je veux vous raconter ce qui s'est réellement passé. »

Nick entendit la Volvo rouillée de Johnny avant de la voir. Son colocataire était arrivé un peu en avance et il l'attendait, comme il l'avait fait après chaque séance depuis que Nick n'habitait plus chez son frère.

Il se dévissa le cou pour repérer la voiture dont le moteur tournait au ralenti, derrière la congère laissée par la chute de neige de la veille. Il avait le visage bouffi, tellement il avait pleuré au cours de l'heure précédente. L'air glacé lui piquait les yeux, mais il sentait sa poitrine gonflée d'un espoir nouveau. Il avait enfin fait ce qu'il avait prétendu faire de nombreuses fois depuis octobre. Il avait raconté à quelqu'un toute la vérité et rien que la vérité. À la fin, Jeff s'était penché vers lui et il avait dit son nom. Nick avait relevé la tête pour affronter son regard. Jeff avait alors prononcé les trois mots auxquels il s'attendait le moins.

« Je vous pardonne. »

Jeff avait dit beaucoup d'autres choses, ensuite, mais ces trois mots résonnaient encore dans son esprit lorsqu'il rejoignit Johnny.

« Je vous pardonne. »

Il pouvait être pardonné.

Il ouvrit la portière et s'installa à l'avant. De l'extérieur, la Volvo avait piètre allure, et elle grondait lorsqu'elle atteignait les soixante-dix kilomètres à l'heure, mais à l'intérieur elle était propre et accueillante, et elle sentait la fraise. Johnny essayait tous les désodorisants possibles et imaginables, et le dernier en date était une gelée rose qui se fixait sur la grille d'aération côté passager. Ça donnait envie de manger des tartines de beurre et de confiture.

« Ça s'est bien passé ?

— Oui. Super, dit Nick avec un sourire, tirant sur sa ceinture de sécurité. Merci d'être venu me chercher. »

Johnny lui rendit son sourire.

« Tu n'as pas besoin de le répéter chaque fois… Tant que tu paies l'essence », ajouta-t-il d'un air plus sérieux.

Nick laissa échapper un petit rire. Johnny étant le seul à posséder une voiture, il était condamné à véhiculer ses colocataires. Il s'en était agacé au début, puis s'était radouci quand les autres avaient proposé de participer aux frais. Mais maintenant, le principe était simple : pas d'argent, pas de Taxi Maserati – c'était Nick qui avait baptisé ainsi la Volvo en septembre. Cela faisait une éternité qu'il n'avait pas utilisé ce surnom.

Une fois à la maison, Nick tendit un billet de cinq dollars à Johnny et monta l'escalier qui sentait le renfermé.

Il referma la porte de sa chambre et sortit son téléphone pour chercher les coordonnées du bureau du procureur. Jeff lui avait conseillé de s'adresser à Sherie, la représentante des victimes. Ce serait sans doute plus facile de lui parler à elle. Il appela le numéro qui figurait sur le site. S'il ne le faisait pas maintenant, alors qu'il ressentait encore les bienfaits de la séance et qu'il était convaincu que c'était la meilleure chose à faire, il craignait de ne jamais s'y résoudre.

Il tomba sur une boîte vocale et dut presser plusieurs touches pour être mis en relation avec un être humain.

« Bureau du procureur. Jodi à l'appareil.

— Bonjour. Je... je souhaiterais parler à Sherie, s'il vous plaît.

— Sherie est absente cette semaine. Est-ce que vous êtes une victime dans une affaire en cours ? »

Ce mot encore.

« Oui. C'est ça. Oui. »

La voix s'adoucit.

« Elle a eu un décès dans sa famille. Elle devrait être de retour lundi. Est-ce que vous souhaitez parler à l'assistante du procureur qui s'occupe de votre dossier ? »

Le voulait-il ? Non. Il trouvait Linda intimidante. Sherie était là pour aider Nick. Ce serait plus facile avec elle.

« Est-ce que l'assistante du procureur est la bonne interlocutrice si on veut parler de son témoignage... sa déposition... si... »

Qu'est-ce que je suis en train de faire ?

« Non, rien, je rappellerai la semaine prochaine, merci.

— Est-ce que je peux... »

Nick avait déjà raccroché. Il devait parler à Sherie et à personne d'autre, pour l'instant. Il pouvait bien patienter quelques jours. Il n'était plus seul à porter son secret : Jeff savait, désormais, et ce n'était pas rien.

Il retroussa délicatement ses manches, veillant à ne pas arracher les croûtes. Elles couraient tout le long de la face interne de ses avant-bras, sèches, marron-rouge, cernées de rose. Il était tenté de les gratter. Mais il se contenta de les examiner. Elles ressemblaient à de petites îles. Il revit le visage de Tony quand il avait découvert ce qu'il s'était infligé. Il baissa ses manches et se leva. *Arrête de t'apitoyer sur ton sort. Réoriente tes pensées, comme dirait Jeff.*

Nick descendit chercher un glaçon dans le congélateur. Il le serra dans sa main gauche jusqu'à ce que le froid lui fasse mal. Il demeura ainsi, laissa la glace fondue couler dans l'évier. Il ne sentait plus que sa paume douloureuse. Exactement ce qu'il voulait.

38

Julia Hall, 2015

Au premier étage, Julia écoutait les bruits venant du rez-de-chaussée. Le grésillement du bacon, les crachotements de la cafetière, les voix familières aux informations. Channel Eight diffusait une émission inepte appelée *Les Samedis de Michelle et Miguel*, que Tony regardait parfois lorsqu'il préparait le petit déjeuner. Toutes ces matinales régionales se ressemblaient, avec des nouvelles locales ressassées jusqu'à la nausée, entrecoupées de recettes de cuisine ou de sujets sur des animaux abandonnés. Mais elle ne protestait pas, car quand elle entendait l'émission, cela signifiait qu'elle pourrait bientôt mettre les pieds sous la table.

Julia s'immobilisa sur le seuil du salon, où les enfants jouaient. Au bout du couloir, une troisième voix se mêlait à celles de Michelle et Miguel. Elle ne la connaissait pas, mais elle sut immédiatement de quoi il était question.

« Ce qui rend cette affaire particulièrement intéressante, c'est que la victime est un homme adulte. Je ne dirais pas que c'est inédit, mais presque. »

Elle se précipita dans la cuisine, où elle trouva Tony en jogging, figé devant le poste. Un gros type en costume pontifiait à l'écran.

« C'est quoi ?

— Chut ! » fit Tony.

L'homme était assis dans un fauteuil, face aux deux présentateurs.

« Ce sera passionnant de voir comment le jury va appréhender cette situation. »

Julia fit un pas vers la télé.

« Pourquoi t'infliges-tu ça ? »

Elle s'avança pour éteindre. Tony l'obligea à baisser la main.

« Laisse. Je regarde.

— Tu te fais du mal. Pourquoi ?

— Tais-toi, s'il te plaît », répliqua-t-il, agacé.

Elle se campa à côté de lui et croisa les bras.

Miguel se penchait vers l'invité.

« Et que sait-on de la situation, justement ?

— Les deux hommes se sont rencontrés dans un bar, le Jimmy's, à Salisbury. Ils ont décidé qu'ils se plaisaient et ils ont quitté l'établissement ensemble pour se rendre dans la chambre d'hôtel de M. Walker. L'accusation devra prouver que M. Walker a assommé la victime présumée et l'a violée alors qu'elle était sans connaissance.

— En quoi le sexe de la victime change-t-il quoi que ce soit ? intervint Michelle.

— Tout dépendra de la manière dont chaque partie présentera les faits. L'angle choisi peut influencer la perception des jurés. Un jury sera-t-il prêt à croire qu'un jeune homme fort et en bonne santé s'est évanoui et n'a aucun souvenir de ce qui s'est passé ? Il y a beaucoup de spéculations sur la quantité d'alcool ingérée par la victime, même si un homme a un seuil de tolérance plus élevé qu'une femme, bien sûr. Et là, il n'y aura sans doute pas de question sur la tenue qu'il portait », ajouta l'invité avec un petit rire salace.

Julia lui cloua le bec d'un coup de télécommande. Immobile, Tony avait toujours les yeux rivés sur l'écran noir. Elle fit un geste vers lui, mais il recula et sa main fendit l'air.

Sans un mot, il sortit de la cuisine. Un instant plus tard, la porte d'entrée claquait. Elle entendit le crissement des semelles sur le gravier s'estomper.

Tony était au lit, un livre sur les genoux. Il contemplait la fenêtre en face de lui. Il lisait le même ouvrage depuis un mois. Faisait semblant, plutôt : Julia le voyait toujours ainsi, le livre à la main, la tête ailleurs. Elle se coucha à côté de lui et prit son propre roman sur la table de chevet.

« Ce connard mérite d'aller en taule », dit-il soudain.

Il parlait de Walker. Il ne parlait plus que de Walker.

« C'est ce qui va probablement lui arriver. »

Elle n'avait pas terminé, mais il l'interrompit.

« Probablement ?

— On ne peut jamais être sûr. De toute façon, même s'il va en prison, Nick ne va pas arrêter de se faire du mal pour autant.

— Qu'est-ce que tu en sais ?

— Je pense que tu simplifies à l'excès ce que traverse Nick.

— C'est-à-dire ?

— La condamnation de Walker n'aidera pas Nick à accepter ce qui s'est passé ce soir-là, quoi qu'il soit arrivé. »

Un petit sourire se dessina sur le visage de Tony. C'était un sourire effrayant, qui disait : *exactement*. Comme si elle lui avait donné raison.

« Quoi ?

— Rien, répondit-il, ouvrant son livre.

— Ce n'était pas une critique.

— D'accord, dit-il, refermant le volume. Parfois, je me demande si tu crois ce que dit Nick.

— Quoi ? Qu'est-ce qui te permet de dire une chose pareille ?

— C'est juste une impression, à cause de la manière dont tu parles de lui.

— Et j'en parle comment ?

— Comme s'il ne savait pas lui-même ce qui lui est arrivé.

— C'est seulement que, s'il était sans connaissance, on ignore ce…

— Stop. »

Il écarta la couette et se leva.

« Hé ! »

Elle avait manifestement perdu une occasion de se taire.

Il était devant la commode.

« Avant d'ajouter quoi que ce soit, rappelle-toi dans quel état il était, à l'hôpital. Chez nous. Ce que l'infirmière a dit. En fait, je n'ai pas envie de savoir ce que tu penses.

— Tony…

— Je ne pourrai plus te regarder en face, si tu…

— Tony…

— Non. Arrête. Changeons de sujet. »

Ils parlaient en même temps.

Elle ne voulait pas hausser le ton avec les enfants au bout du couloir.

« Tony. *Tony*. Écoute-moi. Je pense que Nick dit la vérité, mais il a reconnu lui-même qu'il ignorait ce qui s'était passé. Et tu ne trouves pas ça étrange que Walker n'ait jamais agressé quelqu'un d'autre ? »

Tony la regarda d'un drôle d'air.

« Il y a une première fois à tout.

— Tu parles de quoi ? Du fait qu'on soit en désaccord ?

— De toute manière, on n'est pas sûrs qu'il n'y a pas eu d'autres victimes.

— Et si on en était sûrs ?

— Comment pourrait-on le savoir ? La police n'a pas le temps de les chercher.

— La police, non.

— Qu'est-ce que ça veut dire ? »

Souhaitait-elle lui parler de Charlie Lee ? Elle avait cru que non, pour lui éviter une déception. Mais inconsciemment elle devait le désirer, puisqu'elle avait orienté la conversation dans cette direction.

« J'ai demandé à Charlie de faire quelques recherches.

— À qui ?

— Tu sais, le détective avec qui je travaillais avant.

— Tu as engagé un détective ? » s'écria-t-il, interloqué.

Cela ne représentait pas une grosse somme, mais elle aimait mieux laisser cette question de côté.

« Je l'avais contacté pour mon rapport sur les casiers judiciaires des mineurs.

— Quand est-ce que tu lui as parlé ?

— Pour la dernière fois ?

— Tu travailles avec un détective et tu ne m'as rien dit !

— Ça me semblait préférable. Tu venais de passer le poing à travers la porte devant les enfants. »

Il se renfrogna, et soudain son visage ressembla à celui de Seb quand il était au bord des larmes. Elle avait été brutale. Elle n'aurait pas dû dire ça. Sa voix s'adoucit.

« Je suis désolée. Mais je pense qu'on doit être réaliste à propos de ce procès. Je sais qu'il y a des preuves, mais au bout du compte ce sera la parole de Nick contre celle de Walker. Ce n'est pas génial. Donc Charlie a cherché d'autres victimes. Et il n'en a pas trouvé. Pourtant, il est bon.

— Ah ouais ? Il a appelé tous les homosexuels du monde et il leur a demandé : Hé, est-ce que vous avez déjà...

— Bien sûr que non. Mais il a contacté plusieurs bars gays en Nouvelle-Angleterre, dans des villes où Walker avait pu se rendre en voyage d'affaires. Un seul pensait l'avoir vu. »

Le visage de Tony s'éclaira.

« Quelqu'un l'a reconnu ?

— Non, peut-être, il n'était pas sûr. Il ressemblait à un type qui était parti avec un habitué beaucoup plus jeune, c'est tout. Charlie n'a pas pu retrouver le jeune en question, donc, tout ce qu'on sait, c'est que quelqu'un qui ressemble à Walker est rentré avec un garçon timide, et que le barman n'a jamais eu le fin mot de l'histoire.

— Tu t'entends ? Il a un type de victime, c'est clair. Un mode opératoire. Il faut filer l'info au bureau du procureur.

— Quoi ? Tu plaisantes ! Si j'étais l'avocate de Walker, je m'en donnerais à cœur joie avec une piste aussi maigre. *Et d'où vient l'information ? La famille de Nick Hall a embauché un détective privé ? Et tout ce qu'il a trouvé c'est un individu ressemblant vaguement à mon client qui serait parti avec un jeune homme rencontré dans un bar il y a deux ans ?* C'est pire que de ne rien avoir du tout.

— Voilà ! s'écria Tony, la pointant du doigt. C'est ça, ton problème.

— Pardon ?

— *Si tu étais son avocate* : tu l'as été, justement. Tu as défendu des ordures dans son genre.

— Et après ?

— Tu adoptes son point de vue alors que tu devrais te mettre à la place de Nick.

— C'est dégueulasse, ce que tu dis. C'était mon travail. Là, c'est personnel, c'est la famille. Je veux seulement te préparer à toutes les éventualités. Il y aura peut-être un procès et dans ce cas, Nick devra témoigner, et Walker pourrait gagner. »

Tony leva la main.

« J'ai besoin de prendre l'air. »

La fenêtre à l'autre bout de la chambre était un miroir noir.

« Maintenant ? Il fait nuit et il gèle.

— Je m'habillerai bien. »

Il faisait bien trop froid pour aller se promener. Et que voulait-il faire ? Un tour à pied ou en voiture ? Dans ce dernier cas, où finirait-il sans même y penser ? Chez Walker.

« S'il te plaît, ne sors pas maintenant. »

Si elle exprimait ses craintes, ils allaient s'enfermer un peu plus là-dedans, dans cette dispute, si c'en était une. Mais elle voulait être sûre qu'il ne ferait rien qu'il risquait de regretter.

« S'il te plaît. Ne retourne pas chez lui. »

Il le redoutait peut-être autant qu'elle, car il céda sans difficulté.

« D'accord. »

Il s'empara de l'oreiller à côté d'elle et prit son livre, sans lui adresser un regard.

« D'accord », dit-elle à son tour.

Devant la porte, il se retourna.

« Quand même, pour quelqu'un qui me soupçonne de dissimuler je ne sais quoi, c'était un sacré secret. Embaucher ce détective dans mon dos… »

Elle chercha des mots d'excuse, mais n'en trouva pas. Elle avait fait ce qu'elle devait faire.

« Bonne nuit », dit-elle, tendant la main vers la lampe de chevet. Elle éteignit, renvoyant Tony à l'obscurité.

39

John Rice, 2019

Ils avaient terminé leur thé et il commençait à se faire tard. Rice trouvait étrange que Julia l'ait laissé retracer l'automne, puis l'hiver – cet hiver-là – sans protester. Sans lui demander où il voulait en venir. Elle était aussi pâle que lui lorsqu'il surprenait son reflet dans la boîte à pain (il avait ôté les miroirs il y avait des semaines de cela). Était-ce la docilité des civils que lui assurait son statut de policier quand il les passait sur le gril, même s'il n'avait pas l'habitude de conduire d'interrogatoire à Maple Street ? Possible. Ou alors, Julia n'avait pas besoin de lui demander où il voulait en venir, parce qu'elle le savait déjà.

« Mais je parle de moi et de mes sentiments, alors que je n'avais pas idée de ce que votre beau-frère vivait.

— Moi non plus, pas vraiment.

— Est-ce que vous avez su pourquoi...

— Il a tenté de faire une overdose ? compléta Julia froidement.

— Oui.

— Je suppose que c'était l'accumulation… »

Elle tourna la tête, réfléchit un instant.

« Je me souviens que la semaine avait été particulièrement dure. »

40

Nick Hall, 2015

Voici comment s'était passée sa semaine.

Le samedi soir, Nick but seul. Il vida la vodka de Mary Jo avec du jus de canneberge qui traînait au fond du frigo. Il se demanda si elle lui poserait des questions quand elle verrait le cadavre de la bouteille, ou si elle esquiverait le sujet, comme elle évitait de parler de l'agression depuis que son copain avait répandu la nouvelle sur le campus. Nick continuait de surprendre des inconnus en train de le dévisager, qui chuchotaient même, tout ça parce que cette idiote ne s'était pas rendu compte qu'elle sortait avec un pauvre type.

Nick finit la soirée dans les toilettes, agenouillé devant la cuvette tachée, se forçant à vomir dans l'espoir de s'épargner une gueule de bois carabinée. Puis il se leva, se rinça la bouche et regarda sans complaisance son reflet dans le miroir. Était-ce réellement lui ? Les traits du visage étaient durs, les yeux humides et vides. L'image était nette, mais son cerveau se brouillait, fondait. Il aurait aimé pouvoir se dissoudre dans l'eau froide et disparaître par la bonde.

Le dimanche, il eut la gueule de bois malgré tout.

Sherie l'appela le lundi. Il pensa d'abord qu'elle savait qu'il avait essayé de la joindre la semaine précédente. Mais il s'aperçut rapidement qu'il s'agissait d'une simple coïncidence. Il y avait un rendez-vous au tribunal le mardi suivant. Elle avait l'air de croire qu'elle lui rappelait la date, mais il ne se souvenait pas qu'on lui en ait jamais parlé.

« C'est une audience préliminaire, où les deux parties s'efforcent de s'entendre sur un chef d'accusation et une peine.

— Ça signifie que tout pourrait être fini mardi ?

— En théorie, mais ne comptez pas trop dessus. »

Ah oui. Nick se souvenait de la réunion au bureau du procureur. Si l'accusé acceptait de plaider coupable, ce serait sans doute plus près de la date du procès. Ces deux mois lui avaient paru une vie entière, pourtant, ils n'en étaient qu'aux prémices de l'affaire.

« Comment ça se passe ?

— À l'audience ? L'accusé est présent, ainsi qu'un juge pendant une partie de la procédure, mais c'est surtout les avocats qui discutent ensemble. Linda dira à Eva – c'est l'avocate de la défense – pourquoi elle pense qu'elle va gagner et quelle serait une peine équitable selon elle. De son côté, Eva expliquera pourquoi elle est sûre que Linda va perdre, et ce qu'elle devrait accepter pour éviter le procès.

— Et on peut envisager quoi, comme peine ?

— Linda voulait votre avis justement. Quatre ans de prison, qui pourraient être portés à dix s'il se rendait coupable d'une nouvelle infraction pendant la période de sursis. Qu'en pensez-vous ? »

Nick ne savait pas quoi répondre. Quatre ans derrière les barreaux, ça semblait beaucoup. Et en même temps, ce n'était pas tant que ça. S'ils concluaient un accord maintenant, alors, on estimerait que c'était ce que Walker méritait pour les faits dont Nick l'accusait : l'avoir conduit à son motel, assommé, puis violé pendant qu'il était sans connaissance. Quatre ans, ce n'était pas cher payé, dans ce cas.

« C'est juste une offre pour l'inciter à reconnaître sa culpabilité. S'il refuse et si Linda gagne le procès, elle réclamera beaucoup plus.

— Donc ce serait quatre ans si on évite le procès.

— Exactement. »

S'il n'y avait pas de procès, il n'avait aucune raison de tout raconter à l'assistante du procureur. Est-ce qu'il se sentirait plus libre, simplement parce qu'il avait avoué la vérité, si ça ne servait à rien ?

« Ça me paraît un bon compromis », décréta Nick, et il ne dit rien à Sherie.

Le mardi, il voyait son psy. Il pénétra dans le cabinet, décidé à lui expliquer la conclusion à laquelle il était arrivé lorsqu'il avait eu Sherie au téléphone : il attendrait le résultat de l'audience préliminaire. Mais, face à Jeff, il sentit fondre sa résolution. Nick avait appris à l'apprécier. Au cours des deux derniers mois, le psychothérapeute lui avait montré comment être un homme quand on avait été une victime. Il lui avait prouvé que Nick lui aussi pouvait être une victime sans que ça le définisse. Jeff était marié. Il était drôle, mais également bienveillant. Il était sûr de lui. Il était le genre d'homme que Nick voulait être. Et il risquait de perdre tout respect pour lui s'il apprenait que Nick préférait attendre au cas où le procès pourrait être évité. Il le prendrait pour un lâche, penserait : Ah, il n'est pas aussi courageux que je le croyais. Il décida donc de mentir.

« Vous avez parlé à votre représentante ?

— Je l'ai appelée la semaine dernière, mais elle était absente pour raisons familiales. »

Ce n'est même pas un mensonge, pensa-t-il. Malgré tout, il se sentait coupable.

« Ah. Et vous avez pu parler à l'assistante du procureur ?

— Non. Je préfère attendre que Sherie soit rentrée. J'essaierai de la rappeler en sortant. »

Ça, en revanche, c'était un mensonge.

Jeff passa un doigt sous le bracelet de sa montre.

« Vous n'êtes pas obligé de le faire si vous n'êtes pas prêt. C'est vous qui prenez les décisions. Personne d'autre. »

Nick entendait le tic-tac discret de l'horloge au mur derrière lui.

« Et comme je vous le disais la semaine derrière, si vous voulez que je sois à vos côtés quand vous appelez, ça ne me pose aucun problème, au contraire. »

Quand il raconterait tout à Sherie – s'il y était obligé, si les négociations n'aboutissaient pas – il se sentirait mieux. Plus à l'aise.

« On verra », dit Nick.

Peut-être qu'il se sentirait mieux, ou peut-être que ça ne changerait rien. Qu'il aurait simplement l'impression d'être un gamin qui avait renversé un verre de lait et regardait un adulte nettoyer à sa place.

En sortant, Nick était encore plus mal qu'à son arrivée. Dans la voiture de Johnny, il se surprit à souhaiter un accident. Il imaginait un autre véhicule les percuter, enfoncer l'aile de la Volvo. Il perdrait connaissance et tomberait dans le coma ; Johnny s'en tirerait miraculeusement, sans une égratignure. Et personne ne serait effondré, car ses proches sauraient qu'il se rétablirait. Sa mère, Tony, Johnny et Ella : aucun d'eux n'aurait à s'inquiéter. Nick dormirait jusqu'à ce que tout soit réglé. À son réveil, l'affaire aurait été jugée et les gens auraient oublié pourquoi ils s'étaient autant intéressés à lui à un moment donné.

Comme cela arrivait parfois après une mauvaise journée, mercredi se déroula sans incident.

Le jeudi, il rêva qu'Ella frappait à sa porte et lui demandait s'il avait lu la presse. Elle lui tendait un téléphone, mais l'écran était flou.

« Tu as menti, disait-elle. Tu as menti. Et je t'ai cru. J'ai vu ce que j'avais envie de voir et tu n'as rien dit. Mais tout le monde sait, maintenant. Tout le monde sait qui tu es. »

Elle pleurait. Nick pleurait. Et il se réveilla.

Il se précipita sur son téléphone. Chercha son nom. Rien de nouveau. Chercha celui de Walker. Rien non plus. Il aurait dû s'en tenir là, mais c'était plus fort que lui. Il était rongé par la culpabilité. Cette fois, cependant, il ne se gratterait pas. À la place, il lirait.

Il fit défiler l'article le plus récent du *Seaside*. Il n'y avait pas de nouveau commentaire, alors il relut les plus anciens.

Si la victime était une femme frêle, je pourrais encore le croire, mais un gars d'une vingtaine d'années assommé d'un coup d'un seul ? À d'autres.

Il y a un moment où il faut dire les choses comme elles sont, ce type n'a jamais été frappé à la tête ou je ne sais quelle connerie... C'est juste un mec qui ne veut pas admettre qu'il était ivre mort. Et ce n'est pas parce qu'il ne se souvient de rien qu'il n'était pas consentant à ce moment-là.

Nick avait eu raison de ne pas parler à Sherie. Et il se tairait tant que c'était possible. Il ne souhaitait pas savoir ce que diraient les gens, ce qu'ils penseraient de lui, s'ils connaissaient la vérité.

Il était capable de tenir encore une semaine – même pas une semaine. Avec un peu de chance, il y aurait un arrangement à l'amiable. Sinon, il faudrait prendre une décision. Avouerait-il, regarderait-il l'affaire tourner à la débâcle et sa réputation s'effondrer ? Ou se couperait-il en deux : d'un côté le vrai Nick que seul Jeff avait le droit de voir, et de l'autre le faux, qui était apparu dans la voiture et avait raconté une histoire que personne ne semblait croire ?

Sherie le rappela le vendredi. La date avait été repoussée au 12 janvier, lui annonça-t-elle.

Le 12 janvier ? C'était dans un mois !

« Pourquoi ?

— Son avocate a une autre audience ce jour-là. »

Et après ? Pourquoi cela devait-il coûter à Nick un autre mois de sa vie ?

« Donc… »

Que pouvait-il dire ? Que pouvait-elle faire ?

« En fait, il n'y a rien qu'on puisse faire en ce moment. Je vous appellerai après les négociations en janvier pour vous faire savoir où on en est. D'ici là, essayez de profiter des fêtes. Vous avez des projets particuliers ? »

Jusque-là, quand Nick pensait à Noël, il voyait uniquement que peut-être – avec un peu de chance – tout serait fini à cette date.

Le samedi soir, il était encore en train de boire seul lorsque Ella frappa.

Le souvenir de son rêve lui donna la nausée.

Elle ouvrit et passa la tête dans l'entrebâillement de la porte.

« Ooh ! glapit-elle. On picole ? »

41

John Rice, 2015

Le 13 décembre, Rice sortit de l'église calme et concentré. Il aspira l'air froid par les narines et le rejeta par la bouche, soufflant un nuage blanc glacé devant lui.

Son rituel du dimanche matin était immuable : messe à 8 heures pétantes, suivie d'un petit déjeuner en ville avec les vieux copains à 10 h 15. Bob Lucre et Jim Allen l'attendraient dans leur box habituel, au Dorothy's Diner, à Cape Elizabeth. Beaucoup de café, quelques pancakes et un résumé de la semaine. La plupart des gens semblaient regonflés par l'office. Rice, lui, se sentait vidé, comme si Dieu avait pris les fardeaux qui l'alourdissaient et ses pensées négatives. Ses erreurs et ses mauvais choix, grands et petits, étaient restés entre les poutres de l'église. C'était libérateur, cette sensation de légèreté, mais son petit déjeuner dominical lui permettait de retrouver une forme d'ancrage.

Le sel qu'on avait répandu sur les marches de la cathédrale crissait sous ses semelles. Les chutes de neige avaient été telles durant la semaine qu'il avait fallu déblayer le parking. Il s'était garé le long d'une petite congère déjà grise.

Il s'assit au volant et sortit son téléphone. Il avait deux appels en absence du poste, un message vocal et un SMS de Brendan Merlo.

Nick Hall à l'hosto. Tentative de suicide. J'y vais.

Le message avait été envoyé à 8h03.

Rice le relut plusieurs fois.

Il écrivit rapidement à ses amis – il ne prendrait pas le petit déjeuner avec eux –, puis fonça à l'hôpital.

Lorsqu'il s'engagea sur le parking des urgences, Merlo s'apprêtait à monter dans sa voiture balisée. Il donna deux brefs coups de klaxon. Le policier s'arrêta et attendit qu'il se gare.

Il émit un sifflement lorsque Rice ferma la portière.

« Tu es bien élégant.

— Je sors de la messe. Alors ? »

Merlo s'approcha d'un pas nonchalant.

« Je ne voulais pas te faire venir. Tout est en ordre.

— Que s'est-il passé ?

— La coloc du petit, Ellen, c'est elle qui nous a prévenus, vers 3 heures du matin. »

Merlo tira un calepin de son blouson.

« Pardon, Ella. Ils étaient à l'appartement, ils ont bu jusque tard dans la nuit. Elle pensait qu'ils s'amusaient bien, qu'ils décompressaient. Il lui a dit qu'il allait aux toilettes, mais comme il tardait, elle est allée voir. Elle l'a trouvé sans connaissance par terre avec un flacon vide d'antidépresseurs à côté de lui. Difficile de savoir si c'était une vraie tentative ou non.

— Ça veut dire quoi ?

— Que c'est difficile de savoir, rien de plus. Nick ne se rappelle pas avoir essayé de se tuer, et il ne se sent pas suicidaire. Avaler un flacon entier de médocs, ça ressemble à une tentative de suicide, bien sûr, mais j'ignore s'il a réellement voulu mourir.

— Il a pris quoi ?

— Je serais bien incapable de prononcer le nom. Le générique du Zoloft. Il affirme ne pas vouloir se faire de mal. Et je le crois. »

Rice n'était pas du même avis. Il sentit monter une frustration paniquée.

« Ils ne le laissent pas rentrer chez lui, quand même ?

— La question ne s'est pas posée. Sa belle-sœur l'a convaincu d'aller faire un genre de cure. À Goodspring, une maison de repos à Belfast. »

Il fallait qu'il lui parle.

« Merci, Brendan, dit-il en lui tapotant l'épaule au passage.

— Pas de quoi. »

Rice était déjà trois mètres plus loin. Il leva la main sans se retourner.

C'était la troisième fois qu'il empruntait un couloir stérile du York County Medical Center pour aller voir Nick Hall. Mais aujourd'hui, il était habité par une vive inquiétude, qu'il n'éprouvait pas lors des deux précédentes visites.

En franchissant le seuil du service, il eut l'impression de se réveiller brutalement. Il était aux urgences. Un dimanche, alors qu'il était en congé. Pour voir un jeune homme qui avait tenté de se suicider.

Une infirmière derrière un large bureau central leva les yeux du graphique qu'elle tenait à la main.

« Vous cherchez quelqu'un ? »

Il n'avait rien à faire ici. C'était totalement déplacé : personne n'avait réclamé son aide. Personne ne l'avait convié.

« Non. Non, je...

— Inspecteur Rice ? »

Julia se tenait un peu plus loin, devant une porte qui devait être celle des toilettes.

Merde.

« Julia, bonjour. »

Elle s'approcha avec un sourire hésitant.

« Vous êtes ici pour Nick ? Ou pour des raisons personnelles ? ajouta-t-elle, son regard s'attardant sur ses habits du dimanche.

— En fait, j'étais là pour des raisons personnelles et je suis tombé sur l'agent Merlo. Je voulais juste voir si je pouvais... »

Quoi ? Qu'est-ce qu'il pouvait faire pour les aider ?

Pendant une fraction de seconde, il eut l'impression que Julia se disait la même chose. Puis elle eut un petit sourire fatigué.

« C'est très aimable à vous, mais je pense que ça ira.

— Tant mieux. Je suis content. Il va à Goodspring, si j'ai bien compris ?

— Euh, ce n'est pas encore certain, dit-elle en fronçant les sourcils, mais il semble que oui. Pourquoi ?

— Comme ça. »

Elle croisa les bras sur sa poitrine et hocha la tête.

« Si ça doit affecter l'affaire, eh bien, ça affectera l'affaire. Il faudra faire avec.

— Julia, je… je ne pensais même pas à ça. Je veux que Nick se remette vite, c'est tout, je vous assure. »

Son visage s'adoucit.

« Moi aussi. Merci d'être passé, inspecteur.

— De rien. »

Il fit demi-tour et s'éloigna sans attendre.

42

Tony Hall, 2015

« *Recherche appartement ou maison*, c'est sympa comme émission, dit Tony.

— Quand tu es vieux, peut-être », rétorqua Nick.

Hissé sur la pointe des pieds, le bras tendu, Tony faisait défiler les chaînes sur la télévision placée en hauteur dans un coin de la chambre.

Une femme en robe de mariée apparut sur l'écran.

« Non.

— Et une émission sur les chiens ? » s'écria Tony avec un enthousiasme sincère.

Nick hocha la tête, tripotant la télécommande en panne.

« Pourquoi pas.

— On n'est pas obligés…

— C'est bon, laisse. »

Tony revint s'asseoir au chevet de Nick, faisant rouler ses épaules.

« Est-ce qu'on devrait prendre un chien ? » demanda-t-il, de peur qu'un silence insoutenable s'installe entre eux.

Il aurait pu poser la question à Chloe ou à Seb. Il n'était pas sérieux. C'était juste un jeu.

Nick le regarda, puis leva les yeux vers l'écran.

« Oui. Tiens, tu devrais prendre… celui-là. »

Un doberman miniature subissait un examen sur une table.

« Oh, je parie qu'il est encore plus dangereux que le grand modèle. »

Nick gloussa.

« D'ailleurs, pourquoi est-ce que vous n'avez pas de chien ?

— Julia est allergique.

— C'est vrai, j'avais oublié, dit-il, jouant toujours avec la télécommande inutile. Son seul défaut, littéralement. »

Ce n'était pas tout à fait exact. Aux yeux de beaucoup, Julia était parfaite. Jolie, prévenante, une bienveillance inépuisable. Elle n'arrivait jamais les mains vides, se rappelait les anniversaires et les dates importantes, demandait aux gens comment ils allaient avec une sollicitude sincère. Mais elle pouvait aussi être têtue et critique quand elle pensait savoir mieux que les autres. Surtout s'il s'agissait de Tony. Parfois, elle ne le comprenait pas, ne voulait pas s'en remettre à lui. Jusqu'à son entrée à l'université, elle était riche, du moins par rapport à la famille Hall, et du jour au lendemain elle s'était retrouvée sans rien. À la mort de son père, sa mère et elle avaient vu leur monde s'écrouler. Tony l'avait rencontrée quelques années plus tard, à un moment de sa vie où se débrouiller seule était une obsession chez elle. Chaque fois qu'il essayait de l'aider, elle doutait, le critiquait et le repoussait. Aujourd'hui encore, il leur arrivait de se disputer à cause de ça.

« Quand on parle du loup, dit Nick, adressant un pâle sourire à Julia, qui était apparue sur le seuil.

— Vous parliez de moi ?

— De tes allergies, seulement. »

Elle plissa les yeux.

« Fascinant. Je descends à la cafétéria. Je passais juste pour prendre les commandes.

— Oui ! s'écria Nick avec plus d'enthousiasme qu'il n'en avait manifesté depuis leur arrivée ce matin. Un café avec du lait et du sucre.

— Il vaudrait peut-être mieux réduire la caféine en ce moment, dit Julia avec une grimace. Ça a tendance à accentuer les sentiments d'anxiété.

— Oh...

— Julia ! Laisse-le boire un café. »

Tony appuya ses doigts contre ses tempes. Il sentait venir une migraine carabinée.

« Oui, c'est idiot, excuse-moi, dit-elle, penaude.

— Pas du tout. Je peux prendre du thé à la place.

— Mais non, prends du café, dit Tony.

— Si c'est mieux...

— Un café ne fera aucune différence, décréta Julia, faisant quelques pas dans la chambre. Je ne sais même pas pourquoi j'ai dit ça. Tu veux quelque chose à grignoter avec ?

— Un cookie, s'ils en ont. Ou n'importe quoi de sucré.

— Ça marche. Tony ?

— Je t'accompagne. Il faut qu'on s'organise pour les enfants. »

Julia s'écarta pour le laisser passer. Elle déployait une énergie fébrile dès qu'il approchait, comme si elle avait peur de se tenir trop près de lui. C'était épuisant.

« On descend vite fait à la cafétéria, dit-elle à l'infirmier de service.

— Prenez votre temps. Je veille sur lui. »

Ils marchèrent en silence jusqu'au bout du couloir. Tony se demandait si elle préparait des excuses. Ce serait bien son genre, lui demander pardon alors que c'était lui qui avait été désagréable. Elle était trop prompte à battre sa coulpe, et ça ne pouvait pas toujours être sincère.

« L'inspecteur Rice est passé, dit-elle soudain.

— Où ? À la maison ?

— Ici, aux urgences.

— Quand ?

— À l'instant. Je suis tombée sur lui en sortant des toilettes. C'était un peu bizarre.

— Mais il était là pour lui ou…

— Non. Pour voir Nick. »

Ils traversèrent lentement l'atrium. Tony réfléchissait.

« Et il n'est pas entré dans la chambre ?

— Je lui ai dit que tout allait bien. Je trouvais que Nick avait vu assez de policiers comme ça. Et ce n'est pas comme s'ils se connaissaient en dehors de l'enquête. »

Tony hocha la tête.

« Je ne sais pas s'il était là parce qu'il s'inquiétait pour lui ou parce qu'il a un rôle clé dans une affaire en cours », ajouta-t-elle.

C'était le pompon. Évidemment, il était venu pour prendre des nouvelles de son témoin principal, s'assurer qu'il n'était pas trop instable pour être appelé à la barre. Ils n'allaient sans doute pas tarder à voir débarquer l'assistante du procureur.

« Si c'est le cas, il peut aller se faire foutre. »

Il y eut un silence.

« Je suis heureuse qu'il ait accepté d'aller à Goodspring.

— Tu connais un peu l'endroit ? demanda Tony, pensant qu'elle avait pu avoir des échos, du temps où elle était avocate.

— Je ne connais pas cet établissement en particulier, mais tout ce que je sais, c'est qu'il sera mieux là-bas que chez lui.

— Et chez nous ? »

Elle s'immobilisa et le prit par le bras.

« Chéri, on ne peut pas gérer ça. Il a besoin d'aide professionnelle. Quelqu'un doit… veiller sur lui en ce moment.

— Mais on pourrait le faire. Tu travailles à la maison et je pourrais prendre une semaine de congé.

— Non. Désolée, mais pas question, c'est une trop grande responsabilité, surtout avec les enfants.

— Les enfants ? Il ne ferait jamais rien devant eux. Il les adore.

— Je sais, mais il y a manifestement des choses qu'il ne contrôle pas.

— Il ne veut pas se faire de mal. Ça ne serait jamais arrivé s'il n'avait pas bu alors qu'il prenait un traitement ! Et il a compris la leçon. »

Julia s'était remise à marcher.

« Je ne veux pas parler de ça maintenant.

— Il va rater Noël, s'il est coincé là-bas, dit Tony, la rattrapant. Est-ce que tu y as pensé ?

— Noël ? »

Elle avait presque crié en se tournant vers lui et il recula d'un pas involontairement.

« Tony, c'est tous les autres Noëls de sa vie qu'il aurait pu rater ! Est-ce que tu... Il aurait pu y rester, la nuit dernière.

— Le médecin a dit...

— Ce n'est pas la question. Il aurait aussi pu s'y prendre différemment. Peu importe ce qu'il aurait fait s'il avait été sobre. Il était ivre et il a essayé de se tuer. »

Elle avait raison, mais ne s'arrêta pas là.

« J'en ai assez de te voir faire comme si tu savais mieux que les autres. Nick a besoin de soins professionnels, c'est ce qu'il veut, et on dirait que ça t'est insupportable. Il n'y a pas que toi qui peux t'occuper de lui. »

La poitrine de Tony se serra et il sentit son visage s'enflammer. Ses yeux le piquaient.

« Je sais. »

Le visage de Julia s'adoucit mais elle ne fit pas de geste vers lui.

« Vraiment ? »

Un homme passa devant eux. Elle se tut et lui sourit. Pas question qu'on les voie se disputer. C'était typique, ça aussi : elle avait honte au moindre signe de conflit.

« Je sais que tu es terrifié, reprit-elle, lorsque l'inconnu se fut éloigné. Je le suis autant que toi, ajouta-t-elle d'une voix étranglée, portant la main à sa poitrine. Je n'arrive pas à croire qu'on aurait pu le perdre. »

Il allait se mettre à pleurer si elle ne se taisait pas. Il s'essuya les yeux avant qu'ils débordent.

« Moi aussi, ça me rend dingue de me sentir impuissante, mais la seule chose qu'on puisse faire pour lui, c'est l'envoyer à Goodspring. »

Il ne savait pas quoi dire, alors il ne dit rien.

Ils ne prononcèrent plus un mot jusqu'à la cafétéria. Les paroles de Julia repassaient dans la tête de Tony comme une chanson triste.

Nick avait failli mourir. Il avait failli le perdre.

Ils avaient atteint un nouveau palier : à présent, la vie de Nick était en danger. Il ne s'agissait plus seulement de ce qu'on pensait de lui à la fac. Ou de ce qui se produirait au tribunal. C'était sa vie qui était en jeu.

Julia n'aimait pas se sentir impuissante, et Tony non plus. Mais il se demandait s'il l'était autant qu'elle le croyait.

Le trajet jusqu'à Goodspring fut long et silencieux. Tony essaya d'engager la conversation une ou deux fois, sans parvenir à distraire Nick de ce qui le préoccupait. Celui-ci ne cessait de consulter le GPS, comme s'il comptait les minutes qu'il devrait encore passer dans la voiture avec lui. Tony finit par renoncer et ils se turent tous les deux.

Comment en étaient-ils arrivés là ? Deux mois plus tôt, Nick était un étudiant comme les autres. Bon élève, en colocation avec des amis, de l'humour à revendre. Un garçon génial. Il était né ainsi, et Tony avait fait en sorte qu'il le reste. Ça pouvait paraître prétentieux, pourtant, c'était la vérité. Sinon, comment expliquer que Nick s'en sorte aussi bien, lui qui avait été élevé non pas par un, mais par deux alcooliques ? Tony avait toujours été là. Quand il était petit. Pendant l'abominable phase de la puberté masculine. C'était Tony que Nick venait trouver en cas de besoin. À seize ans, il s'était réfugié chez eux pendant plusieurs semaines – alors qu'ils avaient un enfant de trois ans –, après avoir été chassé par Ron, qui l'avait surpris en train d'embrasser un garçon dans le salon. Ensuite, c'était encore Tony qui avait parlementé avec Ron pour qu'il le reprenne à la maison, afin qu'il puisse terminer le lycée sans devoir changer d'établissement.

Avait-il sauvé Nick de leur père juste pour qu'il soit détruit par quelqu'un d'autre ?

Comme ils quittaient la voie rapide pour s'engager sur la route 3 en direction de Belfast, Tony sentit son frère se crisper à côté de lui. L'air devint plus lourd dans la voiture. Du coin de l'œil, il vit Nick tripoter ses manches, porter la main à ses cheveux, et s'empêcher d'aller plus loin.

Goodspring était un bâtiment bas, de type industriel, au bout d'une longue route à travers les bois. Il y avait des sentiers de randonnée tout autour de l'établissement, leur avait assuré une infirmière de l'hôpital. Nick aurait l'occasion de se promener puisqu'il devait y rester un mois. Tony hésita à dire quelque chose à ce sujet, n'importe quoi pour combler le silence, tandis qu'il se garait sur le parking.

« Il faut que je te parle, lança soudain Nick.

— Je t'écoute. »

Il frotta sa manche, puis glissa les mains sous ses cuisses.

« Tu peux me dire tout ce que tu veux, tu le sais.

— Je n'ai pas… »

Nick s'interrompit, prit une inspiration. Le cœur de Tony se mit à battre si violemment qu'il semblait secouer tout son buste sur le siège.

« Qu'est-ce qu'il y a ? »

Nick souffla un mince filet d'air entre ses lèvres, comme un enfant qui apprend à siffler.

« Je n'ai pas été honnête avec toi. À propos de cette soirée. »

Un frisson glacé parcourut Tony, tandis que son cerveau l'avertissait qu'il allait se passer quelque chose de grave.

« Je sais que si je vais mal en ce moment, ce n'est pas seulement à cause de ça. J'en suis parfaitement conscient, ajouta Nick, comme s'il essayait de se convaincre lui-même. Mais le mensonge… le mensonge a aggravé les choses. »

Le mensonge ? De quoi parlait-il ?

Tony ne put s'empêcher de penser à ce que Julia avait dit à propos de Nick.

Et pendant une fraction de seconde il se demanda si son frère avait tout inventé.

43

Nick Hall, 2015

Tony le dévisageait comme s'il lisait dans ses pensées, comme s'il voyait les mots qu'il allait prononcer se détacher sur une banderole au-dessus de sa tête. Alors Nick les dit à haute voix.

« Je me souviens de tout. »

Tony parut déconcerté.

« Je ne suis jamais tombé dans les pommes. »

Nick porta les mains à son visage et laissa échapper un gros sanglot. C'était exactement pareil que la première fois, quand il l'avait avoué à Jeff. La douleur qui remontait d'un coup et le terrassait. Ce que Ray lui avait fait. Ce qu'il s'était fait à lui-même. La honte, et la rage d'éprouver de la honte pour ça.

« Je me souviens de tout ce qu'il a fait, gémit-il au creux de ses paumes. J'ai cru que j'allais mourir.

— Nick ! Nick ! »

Tony prononçait son nom comme s'il était trop loin pour que son frère l'entende, et qu'il n'arrivait pas à l'atteindre.

Ses mains s'étaient posées sur les épaules de Nick, les serraient et les malaxaient. Il l'attira contre sa poitrine.

« Pardon, sanglotait le jeune homme, la morve dégoulinant de son nez sur le tee-shirt de Tony. Pardon.

— Mais de quoi tu t'excuses ?

— D'avoir menti. D'avoir tout foiré. »

Nick se dégagea et regarda Tony.

« Tu n'as rien foiré du tout.

— Si. Tous ces mensonges. J'ai menti sous serment. Quand ils vont l'apprendre, ils vont tous me détester. Même l'assistante du procureur et les policiers. Ils vont me détester. »

Tony secoua la tête.

« Ils comprendront. Tu étais en état de choc.

— Oui, au début. Mais après, j'ai continué de mentir. J'ai continué de raconter que je ne me rappelais pas ce qu'il s'était passé dans la chambre avec lui. »

Tony fronça les sourcils. Il se retenait. Mais Nick savait très bien ce qu'il voulait demander. C'était évident. Pourquoi avait-il menti ? Alors il prit les devants.

« Je l'ai décidé dans la voiture, sur le trajet de l'hôpital. Tout allait trop vite, j'étais mal, je ne pouvais pas respirer, je n'arrivais pas à réfléchir. Et puis d'un coup je me suis senti très calme et j'ai pensé : je vais juste leur dire qu'il m'a mis K.-O. Il m'a vraiment frappé.

— Je sais !

— C'était facile. C'était facile de dire que je n'avais aucun souvenir. Je n'avais pas envie de me souvenir.

— Je comprends.

— Quand tu es arrivé… »

Nick s'interrompit pour s'essuyer le nez sur sa manche.

« Quand tu es arrivé, j'avais déjà menti à la police, reprit-il. Et je me suis dit : Je ne l'avouerai à personne, jamais, et je finirai par oublier que c'est faux. »

Tony frotta le bras de Nick.

« Pourquoi est-ce que tu… C'était parce que tu ne voulais pas parler de… ce qu'il avait fait ?

— Non, je… je saignais, de toute manière. »

Les larmes coulaient sur le visage de Tony, à présent.

« Ça se voyait que j'avais été violé. Je ne pensais pas pouvoir le cacher. Mais c'est tout ce qu'il y a eu avant. Je ne supportais pas qu'on le sache.

— Mais pourquoi ?

— J'avais trop honte. C'était tellement bizarre. Avec Ray. Ça a changé du tout au tout… Au début c'était… Et puis… je n'ai pas eu le temps de comprendre ce qui se passait. Je ne voulais pas ça.

— Ce n'est pas ta faute, dit Tony précipitamment. Quoi que tu aies fait. Ça ne veut pas dire…

— Ce n'est pas de ça que je parle. Je lui ai dit d'arrêter. J'ai essayé de l'en empêcher… mais je n'ai pas… »

Il se tut, s'autorisant à se souvenir.

Ils étaient entrés dans la chambre. Il était nerveux, mais il avait envie de lui, ses mains tremblaient, fébriles. Josh – Ray – avait fermé la porte. Nick s'était assis sur le lit et il avait senti les ressorts rebondir sous lui. Ray avait souri, il s'était approché et l'avait fait se lever. Il l'avait embrassé. C'était agréable, un peu maladroit, plus brutal que dans le taxi. Puis il s'était écarté. Et il avait frappé Nick.

Pas comme il l'avait raconté à la police. C'était bizarre, il n'y avait pas d'autre mot pour ça. Avec le plat de la main, au ralenti, pas très fort, mais c'était déconcertant, incongru.

« T'aimes ça ? » avait-il demandé.

Nick avait répondu un truc idiot, il ne savait plus quoi, quelque chose comme : « Je n'en sais rien. »

Les yeux de Ray étaient rieurs.

« Vilain garçon. »

Nick avait senti une vive chaleur dans le ventre.

Ray l'avait de nouveau giflé. Plus fort, cette fois.

Les larmes avaient jailli. Il avait les oreilles qui bourdonnaient. Sa bouche s'était ouverte de surprise.

« Non, avait-il protesté d'une voix enfantine, hoquetant.

— Non ? avait fait Ray, se penchant pour l'embrasser dans le cou. Désolé, petit chou. »

Nick s'était figé. Il voulait partir. Il voulait le repousser et sortir, mais il était paralysé. Il ne savait pas pourquoi il n'avait pas bougé.

Ray l'avait renversé sur le lit.

Nick s'était raidi et avait lentement levé les mains vers les épaules de l'homme.

Il avait commencé à dire quelque chose. Il ne se rappelait plus quoi. S'il en avait parlé tout de suite à la police, il s'en souviendrait peut-être, maintenant. En tout cas, tout était allé très vite, après ça. Nick s'était débattu, il avait griffé les bras de Ray, avait même essayé de lui donner un coup de tête, mais l'autre avait gagné. Et il l'avait violé.

« Je ne l'ai pas vu venir, dit Nick à Tony. Je n'étais pas prêt. J'étais coincé sous lui et je n'arrivais pas à me dégager. »

Des larmes brûlantes ruisselaient sur ses joues et trempaient son col.

« Je n'étais pas assez fort. J'ai voulu me défendre, et j'ai perdu. »

Lorsque Tony parla, sa voix était glacée.

« Je vais le tuer.

— Quand je le dirai à l'assistante du procureur, elle devra le répéter à Ray et à son avocate. Ça changera tout. Ils s'en serviront contre moi. Ils raconteront que j'ai menti. Ce sera dans les journaux. Tout le monde saura.

— Je vais le tuer.

— Arrête tes bêtises. Ne parle pas comme ça. Il faut juste que je décide si je le leur dis ou pas.

— Tu n'as pas vraiment le choix, si ? » demanda Tony, s'agitant sur son siège.

Nick haussa les épaules.

« Je pourrais renoncer à porter plainte. Je ne suis même pas sûr que c'était vraiment ce que je voulais, de toute façon.

— Ne fais pas ça. Tu as dit à la police ce qu'elle avait besoin de savoir : qu'il t'avait agressé.

— Ce n'est pas moi qui l'ai dit. C'est Ella. Il était déjà trop tard quand ils m'ont demandé ce que je voulais faire.

— Ne le laisse pas gagner.

— Tu ne m'écoutes pas. Quoi que je fasse, je perds. »

Ils restèrent silencieux pendant quelques minutes. Nick regarda une femme sortir du bâtiment et monter dans une voiture.

« J'aurais aimé que tu me dises tout ça avant. »

Nick baissa les yeux, rongé par la culpabilité.

« Excuse-moi.
— Non. Je ne te reproche rien. C'est juste que j'aurais aimé pouvoir t'aider.
— Tu m'as aidé. Mais je… J'aurais dû te le dire, mais je ne voulais pas.
— Pourquoi ?
— Je n'en sais rien. »

Il y avait des émotions liées à ce refus, un enchevêtrement de sentiments que Nick pouvait plus ou moins catégoriser. Fierté, honte, peur, besoin de se protéger. Mais il ignorait comment aborder le sujet pour l'instant.

« Pourquoi tu as décidé de me le dire maintenant ?
— Honnêtement, je crois que j'étais fatigué de te le cacher, soupira-t-il.
— C'est pour ça que tu as avalé ce flacon de médicaments ?
— Je ne pourrais même pas dire pourquoi j'ai fait ça. Je n'étais pas dans mon état normal.
— Nick, dit Tony, les yeux secs à présent. Tu sais que si ça pouvait te sauver la vie, je serais prêt à faire n'importe quoi, n'est-ce pas ? »

44

Julia Hall, 2015

« J'en veux ! protesta Sebastian.

— Pas si fort, Seb ! » répliqua Chloe, encore plus fort.

Julia passa la tête dans la salle à manger. Sa fille brandissait le paquet de céréales hors de portée du petit garçon, qui tendait le bras, à moitié couché sur la table.

« Non, décréta Julia, le prenant des mains de Chloe. Si tu as faim, il reste de la bouillie d'avoine dans la cuisine. Pas plus d'une portion de céréales. »

L'un des deux enfants devait les avoir sorties du placard pendant qu'elle avait le dos tourné.

« Seb en a déjà eu », pleurnicha Chloe.

Julia se pencha vers elle.

« Tu sais que je n'aime pas qu'on rapporte. »

Elle l'embrassa sur le front pour lui montrer qu'elle était pardonnée.

« Et toi, Seb, si tu n'es pas capable d'obéir aux règles, on n'achètera plus de céréales. »

Il ouvrit des yeux effarés.

« Hein ? »

Elle dut se retenir pour ne pas éclater de rire tellement il était craquant.

« Est-ce que l'un de vous veut de la bouillie d'avoine ? »

Ils refusèrent tous les deux en marmonnant.

« Sacs à dos », ordonna Julia, avant de traverser le salon en direction de l'escalier.

Elle accompagnerait les enfants à l'arrêt de bus dans une minute, mais d'abord elle devait troquer son bas de pyjama contre un pantalon chaud. Le vent fouettait les vitres ce matin et il avait l'air de faire un froid sibérien dehors.

En haut des marches, elle entendit la voix de Tony dans son bureau. Il le lui empruntait très occasionnellement, principalement quand il avait besoin de passer un coup de fil à l'écart du brouhaha familial. Il s'en était déjà servi la veille. Pour le travail ; elle n'avait pas eu droit à plus d'explications.

« C'est mieux d'attendre après cette date, disait-il. Oui. »

Elle s'arrêta sur le seuil de la chambre, se demandant à qui il pouvait parler à cette heure matinale.

« Oui. Si tu le leur dis avant, ça ne… Exactement. D'accord. J'y pensais quand je me suis réveillé et je voulais savoir où tu en étais. Mais tu as raison, c'est la bonne décision. »

Elle ne comprit qu'au moment où il prit congé de son interlocuteur.

« Moi aussi, je t'embrasse, mon grand. »

C'était Nick. Bizarre. De quoi parlaient-ils ?

Elle ouvrit le placard dans la chambre et s'immobilisa. L'intérieur de la porte était tapissé de lettres d'amour qu'ils échangeaient depuis bien avant leur mariage. Il y avait des messages d'elle, d'autres de Tony, une note des enfants par-ci par-là. Quelques photos, des billets de concert, et le porte-cravates de Tony au milieu. Au fil des ans, le collage avait colonisé presque toute la surface.

Son jean avec une doublure en polaire était plié sur l'étagère du haut. Elle se débarrassa de son bas de pyjama et enfila le pantalon. Alors qu'elle le boutonnait – un peu plus serré chaque hiver –, elle embrassa du regard le pêle-mêle de sa vie.

La meilleure amie de Julia, Margot, était tombée dessus un soir où elle était venue dîner. Elle avait demandé à Julia ce qu'elle porterait au mariage d'une relation commune, et celle-ci l'avait fait monter et avait ouvert la porte du placard. Margot s'était avancée et avait soupiré.

« Non, mais j'hallucine. Vous êtes trop mignons, tous les deux.

— Pitié, ne fais pas attention à ça », avait dit Julia en souriant, cherchant la robe.

Attendrie, Margot passait en revue la collection.

« Impossible. Tu es une incorrigible romantique, Julia », avait-elle gloussé en la bousculant gentiment.

En réalité, c'était l'œuvre de Tony. Elle avait ajouté une pièce ici ou là, mais c'était lui le véritable conservateur de leur petit musée familial. C'était lui qui avait toujours un rouleau de Scotch dans son tiroir à chaussettes. Certains matins, elle le trouvait à moitié habillé devant le placard, contemplant la porte. Il pouvait rester comme ça une bonne minute avant de se tourner vers elle, les yeux brillants.

Sa douceur était l'une de ses principales qualités. Il était si beau, son corps si puissant que, même après plus de dix ans de vie commune, il lui arrivait d'être surprise par sa tendresse. Cette manière d'effleurer délicatement ses reins lorsqu'il passait derrière elle quand ils cuisinaient ensemble. La façon dont il déposait un baiser léger sur le front des enfants. La voix paternelle qu'il employait avec son jeune frère.

Tony refermait la porte du bureau lorsqu'elle sortit de la chambre.

« C'était Nick ?

— Oui. »

Il avait l'air gêné, comme si elle l'avait pris sur le fait.

« Qu'est-ce qui se passe ?

— Rien de spécial. On a un peu parlé du procès hier, dans la voiture. »

Il lui avait pourtant dit que Nick n'avait pas été très loquace pendant le trajet jusqu'à Goodspring. Qu'il n'avait pas mentionné l'overdose ni rien.

« Ah bon ?

— Juste un instant. Presque rien. C'est la perspective de devoir témoigner. Ça l'angoisse un peu. »

Elle hocha la tête. Elle comprenait. Il y avait peu de chance que les négociations aboutissent en janvier, mais elle se raccrochait à cette éventualité quand elle songeait à ce que Nick subirait si le procès avait lieu.

« Est-ce que tu lui conseillais de ne pas dire à l'assistante du procureur qu'il est nerveux ? Je suis sûre qu'elle est capable de comprendre ça.

— Non, je lui disais simplement de ne pas trop y penser, répondit-il, sur la défensive. Vu qu'il y aura peut-être un accord. C'est tout. »

Elle hocha la tête. C'était plausible. Entre l'overdose et la cure, Tony devait être complètement chamboulé. Elle se remémora leur dispute à l'hôpital – en était-ce véritablement une ? – et regretta sa brutalité. Mais il fallait qu'il comprenne la gravité de l'état de Nick. Ils ne pouvaient pas veiller sur lui seuls.

Et voilà que Nick et Tony se voyaient déjà au procès. Bien que prématurée, la crainte de son beau-frère était justifiée. Si l'affaire passait en jugement l'automne prochain, ce serait un cauchemar. Eva Barr tâcherait de faire croire que Nick était ivre et consentant. On montrerait des photos du corps du jeune homme au tribunal. Elle rétorquerait que l'enchaînement des actes de Nick n'avait qu'un aboutissement logique : une relation sexuelle avec son client.

À l'issue du procès, de simples citoyens du Maine devraient prendre une décision en fonction de ce qu'ils avaient perçu de la situation. Au moment du choix des jurés, la cour s'efforcerait d'éliminer tous ceux qui avaient des préjugés contre les homosexuels et les victimes de sexe masculin. Mais certains passeraient entre les mailles du filet : des hommes et des femmes qui avaient des a priori inconscients et des croyances implicites. Qui chercheraient dans les événements de cette nuit d'octobre la confirmation de leurs idées reçues.

Mais il était trop tôt pour se faire du mauvais sang. Elle embrassa Tony sur la joue, heureuse qu'ils soient du même avis sur ce point.

45

Tony Hall, 2015

Une bouffée de chaleur accueillit Tony lorsqu'il ouvrit la porte de la bibliothèque de Portland. Il était venu à pied du cabinet et il avait le visage engourdi par le froid. Une douleur lui transperça les oreilles alors qu'il traversait l'atrium où murmurait une fontaine.

Il prit l'escalier et se dirigea vers le rayon sciences humaines, évitant de regarder le comptoir de l'accueil. Il se souvenait qu'il avait cherché les cotes 363-364 ces deux derniers jours. Après, il passerait à la section pharmaceutique, mais chaque chose en son temps.

Il y avait toujours le risque de tomber sur une connaissance, mais il en avait assez de consacrer sa pause-déjeuner à faire des kilomètres pour se rendre dans des bibliothèques éloignées. Et au cas où, il avait préparé sa réponse durant l'un de ses trajets.

Oh, ça ? Rire penaud. *J'essaie d'écrire un roman policier. Je sais, c'est ridicule.*

Il était peut-être idiot de faire ce genre de recherches en bibliothèque. Mais se servir de son téléphone ou d'un ordinateur semblait encore plus dangereux. Il avait effacé son historique sur l'ordinateur de Julia plus tôt dans la semaine, mais il ne pouvait se défaire de la vague crainte que la police ait les moyens de récupérer toutes les données électroniques.

Tony fit le tour de la salle, lisant les numéros sur les rayons jusqu'à ce qu'il localise la bonne cote. Avec soulagement, il retrouva rapidement un livre au titre prometteur qu'il avait repéré la dernière fois. *Maintenant, prends-le et va t'asseoir.*

« Tony ? »

Sa main tressauta et le livre faillit tomber de l'étagère. Il le rattrapa maladroitement, l'ouvrant au milieu.

« Oh, désolé ! »

Il se retourna et reconnut Walt Abraham. Ils étaient ensemble en première année de droit.

« Walt, salut ! Quoi de neuf ? »

Ils avancèrent l'un vers l'autre et se serrèrent la main, puis Tony croisa les bras sur sa poitrine, cachant le livre en dessous.

Chaque fois qu'il tombait sur un ancien copain de la fac, c'était toujours les mêmes questions. Ça faisait combien de temps ? Que devenait-il ? Il avait eu raison d'arrêter ses études : avocat, ce n'était pas une vie. (Parce qu'ils croyaient que travailler au département des ressources humaines d'un cabinet d'avocats, c'était la panacée ?) Et Julia ? Quel âge avaient les enfants maintenant ? Le livre toujours serré contre lui, Tony répondit aussi brièvement que possible. Bien qu'il ait abandonné le droit au bout d'un an, il avait gardé un pied dans le milieu du fait de sa profession et de celle de Julia. En temps normal, ça ne le dérangeait pas de croiser un type comme Walt, mais ce n'était vraiment pas le moment.

« Bon, il faut que j'y aille, mais je voulais quand même te dire bonjour. En tout cas, ça me fait très plaisir de savoir que vous allez bien, Julia et toi. »

Il se rapprocha et baissa la voix.

« En général, je ne m'attends pas à trouver les vieux copains toujours avec la même femme sept ans plus tard. Mais regarde-toi ! En plus, tu as l'air heureux ! »

Walt avait divorcé alors qu'il était en deuxième année de droit. Tony avait appris par des connaissances communes qu'il s'était remarié quelques années après son diplôme. À en juger par l'absence d'alliance à sa main gauche, cette union n'avait pas duré non plus.

« C'est quoi, votre secret ?

— On a eu de la chance, je suppose.

— Content de t'avoir vu, lança Walt en s'éloignant.

— Pareil. »

Son cœur battait à tout rompre. Walt n'avait pas accordé un regard au livre. Et pourquoi en aurait-il été autrement ?

Il baissa les yeux vers l'ouvrage plaqué contre sa poitrine ; il y avait du café ou du thé sur la tranche. *Va t'asseoir. Tu te fais plus remarquer en restant planté là.* Il traversa la salle et s'installa dans un fauteuil bien rembourré.

Lorsqu'il regagna le cabinet, ce n'était pas ce qu'il avait lu au cours des quarante dernières minutes qui le préoccupait, mais la question de Walt. Comment Julia et lui étaient-ils parvenus à vivre heureux ensemble – abstraction faite des remous actuels – aussi longtemps ?

Pendant sa première et unique année de droit, il avait remarqué Julia Clark, bien sûr, mais d'autres étudiantes lui avaient tapé dans l'œil. Elle était discrète en cours, comme beaucoup d'entre eux, et il ne lui avait pas accordé de pensée particulière. Il était trop occupé à rater ses examens. À la fin de l'année universitaire, il avait décidé de tout arrêter. Pendant l'été, un soir, il était entré dans un bar avec un ami et il avait reconnu Julia derrière le comptoir.

L'établissement s'appelait le Ruby, et elle avait l'air différente dans ce nouveau décor. Ses boucles indisciplinées étaient retenues par une queue-de-cheval qui battait son cou, tandis qu'elle essuyait les verres. Elle portait un débardeur moulant, et un short en jean taille haute qui mettait en valeur ses fesses, les faisant paraître plus larges qu'elles ne l'étaient – il savait qu'elle avait un petit cul, il y avait jeté des coups d'œil à la dérobée pendant l'année, mais l'illusion l'excitait malgré tout.

Elle avait l'air tellement cool derrière le bar – qu'allait-elle penser de lui s'il demandait un soda ? Elle les salua et prit leur commande. Tony choisit un cocktail sur le tableau au-dessus d'elle. Il était vanillé et épicé, et on ne sentait pas le goût de l'alcool. Il vida son verre beaucoup trop vite.

Au bout d'une heure à rire et à bavarder, le copain de Tony les laissa, comprenant qu'il allait tenir la chandelle. Ils avaient parlé des autres étudiants, de la décision de Tony d'arrêter, et abordaient à présent la télévision, lorsque Julia lui demanda s'il voulait un autre cocktail : il buvait quoi, déjà ?

L'euphorie qu'il avait attribuée au désir le déserta soudain.

« Attends. »

Elle se retourna vers lui, les bouteilles d'alcool à l'arrière-plan – bleues, vertes, ambre. Une boucle folle caressait sa clavicule et l'éclairage tamisé du bar rehaussait les traits de son beau visage.

« Je ne bois pas.

— Ah… Mais tu viens de boire, dit-elle, regardant le verre propre qu'elle avait sorti.

— Oui, bien sûr, enfin, non, je peux boire, bredouilla-t-il, se sentant rougir. Mais j'évite. »

Et maintenant, elle allait lui demander pourquoi : était-il un alcoolique repenti ou avait-il peur d'en devenir un ?

« OK, dit-elle avec une moue dubitative. Un verre d'eau, alors ? »

Et d'un coup, tout avait changé. Ils avaient cessé de flirter pour vraiment se parler. Au cours des trois heures suivantes, ils s'étaient mis à nu, conscients que si l'un des deux se défilait après la soirée, ça ne comptait pas comme un râteau puisque ce n'était pas un véritable rendez-vous amoureux. Tony lui expliqua de son mieux pourquoi il ne buvait pas. Il lui parla de l'alcoolisme de son père, et de son petit frère qui vivait encore avec lui. De sa propre tendance à vouloir se battre quand il avait bu, alors même qu'il savait que c'était idiot.

« C'est sexy, un mec qui a des problèmes avec papa ?

— Tu veux que je te parle du mien, de père ? demanda Julia avec un sourire en coin.

— S'il te plaît », répondit Tony, se penchant vers elle.

Elle s'appuya sur ses coudes, le visage à quelques centimètres du sien.

« Papa était parfait. »

Tony éclata de rire.

« Parfait pendant les vingt premières années de ma vie, ajouta-t-elle. Puis, un soir où je dînais chez mes parents, il m'a annoncé qu'il avait un cancer du pancréas, au stade quatre. Un mois plus tard, ma mère prononçait son éloge funèbre.

— Merde.

— Tu l'as dit. Et tu sais le pire ? »

Il secoua la tête.

« Il a refusé tout traitement.

— Pourquoi ?

— Tantôt il prétextait ne pas vouloir dépenser tout cet argent... Tantôt il ne voulait pas prendre de médicaments qui le rendraient encore plus malade... Ne me demande pas ce qui était vrai et ce qui était faux, car pour moi, il n'avait aucune raison valable de ne pas essayer de rester avec nous. »

Tony ne savait pas quoi dire.

« Juste pour que ce soit clair. Jamais je n'épouserai un homme qui n'est pas prêt à se battre.

— Comme tu le sais, je suis un peu trop batailleur pour m'autoriser à boire. »

Elle hocha la tête en souriant.

« Je l'avais bien noté. »

Alors qu'il repensait à cet épisode, Tony sentit une résolution gonfler sa poitrine. Julia et lui avaient comparé leurs névroses familiales ce soir-là et les avaient trouvées compatibles. Il l'avait exaspérée plus d'une fois depuis qu'ils étaient ensemble et inversement, mais leur couple fonctionnait à cause de leur histoire. Julia avait toujours voulu un homme combatif.

Et Tony n'était pas du genre à se défiler.

46

John Rice, 2015

Les inspecteurs Rice et O'Malley préparaient leur café matinal dans la salle de pause, lorsque Merlo apparut et annonça à Rice qu'il avait de la visite.

« Une certaine Britny Cressey », précisa-t-il.

Rice grogna.

« Britny qui ? demanda Megan O'Malley.

— Elle m'a appelé il y a deux mois. Une vieille copine de Ray Walker. Ou une ex-petite amie qui n'en était pas une.

— Je la vois d'ici, dit O'Malley, tandis que Rice suivait Merlo. *Ce n'est pas quelqu'un de violent. Je voulais que vous le sachiez, bla, bla, bla.*

— En plein dans le mille. »

Rice avait du travail. Elle allait encore lui faire perdre son temps.

Il posa le café sur son bureau et alla retrouver la femme à la voix de gamine à l'entrée.

« Que me vaut le plaisir ?

— Je ne sais pas par où commencer, dit Britny, qui, *de visu*, faisait son âge – pas loin de quarante ans.

— Dites-le comme ça vient. »

Ses longs cheveux étaient d'un roux artificiel. Elle les ramena sur son épaule.

« Je vous ai expliqué que Ray et moi, on était copains au lycée, et qu'on s'était perdus de vue.

— Oui.

— Je l'ai appelé quand j'ai appris ce qui lui arrivait. Au début, on a un peu bavardé, pas énormément, mais ça nous a rapprochés. Je pense que cette histoire lui a coûté pas mal d'amis, et qu'il se sent seul. »

Elle repoussa ses cheveux en arrière et les lissa.

« D'accord.

— On est allés boire un verre deux ou trois fois et on a beaucoup parlé au téléphone. Au début, j'avais vraiment de la peine pour lui, mais je commence à croire qu'il cache quelque chose.

— Au sujet de l'affaire ? »

Britny hocha la tête et haussa les sourcils. Elle leva ses deux mains et lissa encore ses cheveux, puis les secoua sur ses épaules.

« Oui, genre, je me demande s'il n'a pas fait du mal à ce garçon. »

Rice sentit tout son corps se tendre. Walker lui avait-il fait des aveux ?

« Il vous a dit quelque chose à propos de Nick et de cette fameuse soirée ?

— Non, mais je pense qu'il le fera si je sais m'y prendre. Il a parlé de presque tout le reste. Il est hyperstressé à cause de l'argent et du procès. Ça se passe mal avec son avocate. Elle veut qu'il plaide coupable et qu'il accepte de figurer sur le registre des délinquants sexuels. Il a emprunté un max pour la payer et ils n'arrêtent de se disputer, mais il n'a plus les moyens d'embaucher quelqu'un d'autre. Si j'ai bien compris, il comptait dire à la barre qu'il avait été agressé et que vous aviez refusé de prendre sa plainte ? »

Bien sûr. L'appel au sujet de Tony Hall, quand Walker avait prétendu renoncer aux poursuites.

« Il m'accuse d'avoir refusé de prendre une plainte ? »

Elle hocha la tête avec un petit sourire satisfait.

« Il a reconnu que c'est lui qui vous l'avait demandé, mais ce n'est pas ce qu'il comptait dire au tribunal. Pour prouver que vous étiez tous contre lui. Pour montrer que vous aviez tort pour le viol aussi. Mais son avocate ne veut pas qu'il se parjure. Il est furax. Il y a vraiment de l'eau dans le gaz. Elle a repoussé la date de l'audience à cause de ça.

— Arrêtez, dit Rice en levant la main. Je… je mentirais si je disais que cette histoire ne m'intéresse pas, mais je ne pense pas que vous devriez me révéler ce genre de choses. Je suppose que, dans la mesure où il vous a rapporté cette conversation, la question de la confidentialité de ses échanges avec son avocate ne se pose plus, mais… »

Il s'interrompit, réfléchissant à toute vitesse. Les échanges entre Walker et son avocate étaient censés être protégés par le secret professionnel. Mais si Walker les répétait à Britny, Rice pouvait la laisser parler, non ? À moins que… Pourquoi lui disait-elle tout ça ?

« Ce n'est pas votre ami ?

— Pas si c'est un violeur, répondit-elle, écarquillant ses yeux gris. Et je me pose sérieusement des questions, maintenant.

— D'accord, dans ce cas…

— Je pense pouvoir vous aider.

— Comment ?

— Il me raconte tellement de choses. Il est complètement flippé. Même sa mère le rend dingue. Je suis la seule amie qu'il lui reste. Je devrais pouvoir l'amener à dire tout ce que vous voulez.

— Je ne veux pas que vous lui fassiez dire quoi que ce soit pour moi. »

Elle laissa retomber ses mains.

« Hein ?

— Je vais être clair, madame Cressey : je ne vous ai pas demandé de faire quoi que ce soit pour moi.

— Je le sais. Je...

— Il faut que je vous explique quelque chose. Tout accusé a droit à l'assistance d'un défenseur. Il a pris une avocate. Je ne pourrais ni ne voudrais essayer d'obtenir des aveux en la contournant. Vous comprenez ?

— Oui, dit-elle, la lèvre tremblante.

— Je sais que vous souhaitez vous rendre utile. Mais ne le faites pas pour moi. »

Ce n'était pas tant qu'elle avait envie de les aider. Il connaissait le genre. C'était la lumière des projecteurs qui l'intéressait. Elle était prête à tout pour témoigner. C'était sans doute pour cette raison qu'elle avait appelé Rice la première fois : elle voulait qu'on parle d'elle dans les médias.

« Je pense que vous devriez y aller, maintenant. Je ne veux pas être mêlé à ça. »

L'inspecteur fit volte-face et se dirigea vers l'escalier.

« Vous ne voulez pas d'aveux ? protesta-t-elle d'une voix geignarde.

— Pas comme ça. »

Rice laissa la porte claquer derrière lui sans même regarder si elle partait elle aussi.

Son café l'attendait sur le bureau, encore tiède. *Si vous essayez de fuir, vous arriverez juste en prison fatigué*, lisait-on sur sa tasse. Un cadeau d'un collègue du service administratif qui avait pris sa retraite récemment. Remplir cette tasse, la tenir à la main, boire dedans, ne serait-ce que la voir au poste : ça lui faisait du bien. Il se sentait plus compétent. Megan O'Malley était au téléphone à l'autre bout de la pièce, mais dès qu'elle aurait raccroché, elle l'interrogerait au sujet de la visite de Britny Cressey. Une amie de Walker, ça ? Une vipère, oui. Rice ne voulait pas être accusé d'avoir utilisé qui que ce soit pour soutirer des aveux à Walker. D'autant plus qu'il n'en avait pas besoin.

Mais était-ce vrai ? Il but une gorgée de café, regardant sa coéquipière distraitement. Son bureau était beaucoup plus encombré que celui de Rice, mais elle ne semblait jamais perdre quoi que ce soit dans la montagne de dossiers et de papiers qui le recouvrait. Elle rit, toujours au téléphone, et croisa les jambes. Il ne savait pas quoi penser de Nick Hall. La tentative de suicide. C'était peut-être lié au traumatisme, bien sûr. Ou était-il rongé par autre chose ? Essayait-il seulement de fuir une nuit dont il ne se souvenait pas ? Ou quelque chose qu'il avait fait ?

À ce stade, ce n'était pas son rôle de mettre en doute la parole de Nick Hall. Il avait passé la main à Linda Davis. À présent, c'était à la justice de faire au mieux pour débrouiller cette histoire.

47

John Rice, 2019

« C'est un autre de mes regrets, dit Rice. Je n'ai pas facilité la tâche à Nick. Je ne l'ai pas aidé à me dire la vérité.

— Je ne vois pas en quoi vous seriez responsable, répondit Julia, sincèrement surprise.

— Moi, si. Un meilleur policier aurait procédé différemment. J'aurais dû lui dire dès le départ qu'il n'était jamais trop tard pour me donner de nouvelles informations.

— Quand on fait ce métier, il arrive qu'on commette des erreurs avec les gens. C'est terrible, mais on n'y peut pas grand-chose.

— J'aurais pu mieux faire. J'étais pressé de recueillir son témoignage et je ne voulais surtout pas qu'il en change. »

Elle secoua la tête.

« J'ignore ce qu'il s'est passé exactement entre vous deux, ce que vous lui avez dit ou pas. Mais je sais que vous êtes quelqu'un de bien, et il se rendait compte que vous faisiez votre possible pour l'aider. Obtenir au plus vite un récit complet des faits, c'est votre boulot. Et bien sûr que vous espérez que les déclarations ne vont pas varier, parce qu'elles vont être scrutées à la loupe. La presse adore ça. Notre système judiciaire est ainsi. Il n'est pas adapté aux agressions sexuelles.

— On n'a jamais pu savoir, dans le cas de Nick.

— Comment ça ?

— On n'a jamais pu savoir si le système lui aurait rendu justice. »

Il étudiait son visage. Elle regardait fixement la tasse sur la table entre eux.

« Parce que l'accusé a disparu, ajouta Rice. Bizarre, hein ? »

La bouche de Julia frémit. L'esquisse d'un sourire traversa brièvement son visage.

C'était fou, tous ces gens qui souriaient pendant un interrogatoire. À ses débuts, il supposait que c'était une nonchalance affectée, due à l'idée simpliste qu'un coupable n'aurait pas matière à se réjouir. Puis il s'était demandé si c'était l'étrangeté de la situation, le cerveau qui souriait de se voir questionné comme à la télé. Il découvrit une autre explication possible lors d'un stage sur le langage corporel : le vestige d'un réflexe ancestral, qui nous faisait montrer les dents quand on avait peur.

« Oui, dit Julia en s'éclaircissant la gorge. On a toujours présumé qu'il s'était enfui. »

Il soutint son regard.

« Ah bon ? » fit-il d'une voix douce.

48

Julia Hall, 2015

Julia était dans son bureau. Elle s'efforçait de se concentrer sur son rapport, mais il y avait trop de données pour les combiner en une synthèse cohérente et intelligible. Elle se sentait dépassée par le projet, et d'autres pensées lui parasitaient l'esprit.

Depuis quelque temps, une anxiété sourde et sans lien avec son travail l'oppressait. Tony n'était pas dans son état normal. Ce n'était pas étonnant: l'overdose de Nick l'avait bouleversé. Elle ne lui en voulait pas pour ça, mais il y avait plus inquiétant. En premier lieu, il lui avait menti.

Nick, qui venait de terminer sa première semaine à Goodspring, se sentait un peu seul. Tony était donc allé le voir samedi. C'était du moins ce qu'il avait dit à Julia et elle n'avait aucune raison d'en douter. Mais le dimanche, elle avait appelé Nick pour connaître les heures de visite le jour de Noël, car le 25 approchait à grands pas.

Il avait l'air nerveux à l'idée qu'ils viennent avec les enfants.

« Tu ne veux pas les voir ? »

Il y eut un long silence.

« Je n'en sais trop rien, en fait. Je n'ai pas envie qu'ils pensent que je suis fou.

— Mais tu ne l'es pas. Et il y a un tas de façons de leur présenter la situation. On peut simplement leur dire que tu es là-bas pour reprendre des forces. Ou pour tes études si tu préfères. On fera ce que tu voudras. En tout cas, ne va pas imaginer qu'on veut te cacher, ou je ne sais quoi.

— Merci. Ça me fera plaisir de vous voir tous.

— Moi aussi, ça me fera plaisir. Et les enfants seront aux anges, tu les connais.

— Et pas Tony ?

— Bien sûr que si, répondit-elle en riant, mais il vient de te voir.

— Ah oui, c'est vrai. Cette semaine m'a paru une éternité.

— Est-ce que tu vas tomber à la renverse si je te dis que c'était hier ?

— Quoi hier ?

— Que tu as vu Tony. »

Il y eut un blanc.

« Je ne l'ai pas vu hier. »

Le soir même, elle sonda Tony. Elle attendit qu'il soit en train de se déshabiller et lui demanda d'un ton aussi désinvolte que possible si Nick avait mentionné ce qu'il voulait pour Noël pendant sa visite. Non, répondit Tony, il n'avait rien dit.

« Tu lui as posé la question ? »

Tony resta silencieux.

« Parce qu'il a mentionné aujourd'hui que tu n'étais pas allé le voir hier. »

Tony bégaya, puis se ressaisit et lui dit qu'elle l'avait pris la main dans le sac.

« Je suis allé faire des courses de Noël. »

Un alibi en béton qui résisterait à tout contre-interrogatoire.

Même si elle acceptait de croire qu'il avait consacré son samedi à lui préparer un cadeau surprise, cela n'expliquait pas son attitude depuis la tentative de suicide de Nick. Tous les jours, il partait du cabinet en avance et rentrait tard. À la maison, il semblait distrait et il avait l'air ailleurs quand les enfants lui parlaient. Ça ne lui ressemblait pas.

Il y avait d'autres choses qui la chiffonnaient, même si c'était difficile de mettre le doigt dessus. Cette façon de répondre comme s'il récitait un texte lorsqu'elle l'interrogeait sur sa journée, par exemple. C'était le ton factice qu'il prenait quand il devait porter un toast au mariage d'un ami. Sa voix changeait s'il prononçait un discours préparé.

Incapable de travailler, elle accueillit avec soulagement la vibration de son téléphone sur son bureau. C'était Charlie Lee.

Son enquête sur Walker lui était complètement sortie de la tête.

Elle décrocha aussitôt, espérant de bonnes nouvelles. Il la détrompa dès les premiers mots.

« J'aimerais tellement vous dire que j'ai trouvé quelque chose.

— Ne vous en faites pas, Charlie. Pour être honnête, j'avais oublié que vous étiez toujours sur cette affaire.

— Je voulais terminer ce que j'avais commencé. Attendre d'avoir une réponse de tous les bars que j'avais contactés. Rien de probant. Il était très prudent, avant Nick, je suppose. Prudent et chanceux. Et maintenant, il se tient à carreau. »

Elle envisagea de lui raconter ce qui s'était passé, l'overdose et l'hospitalisation. Mais à quoi bon ? Cela ne réussirait qu'à augmenter sa frustration.

« Merci d'avoir essayé, Charlie.

— Je sais que publiquement, c'est une plaie, avec ses déclarations dans le journal et tout. Mais au moins Walker ne cherche pas la bagarre. Avec votre mari, je veux dire.

— Oui, répondit-elle, se demandant de quoi il parlait.

— Je me trompe ? Il ne serait pas en liberté provisoire s'il l'avait menacé ou pris à partie à la salle de sport.

— Quelle salle de sport ?

— Celle où ils vont tous les deux, votre mari et lui. »

Première nouvelle…

« À Orange ?

— Non, la salle de muscu, à Salisbury.

— Tony n'y est pas inscrit, que je sache. »

Il y eut un silence.

« J'étais dans le coin la semaine dernière. Je l'ai vu sur le parking, en passant devant. »

Julia sentit sa nuque se hérisser.

« Ou alors, c'était son sosie. Je me souviens de la photo dans votre ancien bureau. Il était au volant d'un SUV gris.

— Quel jour ?

— Ça devait être jeudi. »

Son cou était brûlant, à présent.

« Ça devait être quelqu'un qui lui ressemblait. Tony ne fréquente pas de salle de sport. Et Salisbury, ce n'est pas à côté.

— Sans doute. Ce serait plus logique. Je me disais aussi que vous l'auriez mentionné, s'ils se croisaient.

— Merci, Charlie. Vous pouvez laisser tomber, maintenant.

— Je ne suis pas débordé, en ce moment. Je peux fouiner encore un peu…

— Ça ira. S'il vous plaît.

— D'accord.

— Promettez-moi que vous ne ferez plus de recherches sur Walker.

— Très bien. Promis… Il recevra ce qu'il mérite, Julia, ajouta-t-il au bout d'un instant. Je sais que c'est dur d'attendre, mais son heure viendra. »

Tony était rentré tard, jeudi dernier. Une urgence au travail, soi-disant. Quelles étaient les probabilités qu'il ait un sosie conduisant un SUV gris qui fréquentait la même salle de sport que Raymond Walker ?

Elle ne pouvait pas dire à Charlie qu'il se trompait : elle était sûre qu'ils n'auraient pas longtemps à attendre.

En arrivant devant les portes vitrées, elle se sentit soudain gênée. N'allait-on pas trouver étrange qu'elle débarque au cabinet en pleine journée simplement pour dire bonjour à son mari ? Elle se moquait de ce que Tony pensait, mais il y avait les autres. Et notamment Shirley, la réceptionniste.

Cette dernière fit claquer sur le bureau le dossier qu'elle examinait lorsqu'elle la reconnut.

« Julia Hall, quelle surprise ! s'exclama-t-elle d'une voix chantante. Qu'est-ce qui nous vaut le plaisir ? »

Julia se sentit aussitôt importune. Shirley en imposait. Elle esquissa un sourire piteux.

« Je voulais juste dire un mot à Tony.

— Il est là aujourd'hui ? demanda la réceptionniste en fronçant les sourcils.

— Pardon ?

— Il a pris sa journée, si je ne suis pas complètement gaga. »

Elle s'assit et entreprit de tapoter sur le clavier.

« En général, je vérifie l'emploi du temps de tout le monde, en arrivant. Il est en congé aujourd'hui et jusqu'à la fin de la semaine, si je ne m'abuse. À moins qu'il soit passé chercher quelque chose et que je ne l'aie pas vu. Ah, voilà. C'est bien ce que je disais. Il n'est pas là aujourd'hui. »

Julia s'agrippa au rebord du bureau.

« Vous voulez bien vérifier, s'il vous plaît ?

— Bien sûr. »

Shirley tapa un numéro et mit le téléphone en mode haut-parleur. Il sonna plusieurs fois, avant que la messagerie se déclenche.

« J'ai dû mal comprendre, dit doucement Julia.

— Oh zut, fit l'autre femme. J'ai dû gâcher une surprise de Noël, là.

— Peut-être. Désolée, il faut que je file.

— Oh, bien sûr, fit Shirley, l'air déçu. On papotera la prochaine fois ! »

Julia lui adressa un hochement de tête que la réceptionniste ne vit sans doute même pas. Ce n'était pas très poli, mais elle ne pouvait pas faire mieux. Elle se sentait incapable de prononcer un mot.

Elle marcha comme un automate jusqu'à l'ascenseur. Elle sentait l'air autour d'elle la comprimer. Elle appuya sur le bouton. Une bouffée de chaleur monta de son ventre et gagna sa poitrine, son cou, son visage. Elle continua jusqu'à l'escalier, ignorant le tintement de l'ascenseur derrière elle. Elle s'arrêta sur le palier du dessous et s'assit sur une marche. Elle mit la tête entre ses jambes, inspira par le nez. L'odeur chimique de son jean emplit ses narines. Elle souffla par la bouche. Une fois, deux fois. L'air se remit à circuler plus librement et la sensation de chaleur se dissipa.

Elle sortit son téléphone et appela Tony. Il décrocha à la seconde sonnerie.

« Qu'est-ce qu'il y a ? demanda-t-il abruptement, comme si elle l'avait interrompu.

— Tu es où ?

— Au boulot.

— Parfait. Je suis en bas. On se retrouve à l'accueil. »

Elle savoura le silence à l'autre bout du fil.

« Tu es au cabinet ?

— Oui. Je monte.

— Attends. »

S'il mentait encore…

« J'ai une réunion. Je ne peux pas te voir maintenant.

— Tu te moques de moi ? Je suis déjà montée. J'ai parlé à Shirley.

— Qu'est-ce que tu fais là ?

— Excellente question. Je passe au bureau de mon mari alors qu'il m'a embrassée le matin même en me disant qu'il partait au travail et je découvre qu'il n'y est pas. Mais c'est moi qui te dois une explication ? J'en ai une, en plus. Puisque tu n'es pas au cabinet, retrouve-moi à la maison dans une heure et je te raconterai pourquoi je souhaitais te voir. »

Tony resta silencieux quelques instants. Elle était furieuse.

« Tu es sûre que tu veux régler ça à la maison ?

— On n'a plus le temps de le faire ailleurs. Il faut que j'aille chercher Seb à l'arrêt de bus.

— Et Chloe ?

— Ma mère la prend pour passer un moment avec elle. On en a parlé ce…

— Oui, oui, j'avais oublié. Je m'occupe de Seb.

— Je peux m'en charger.

— S'il te plaît. Je récupère Seb et on se retrouve à la maison. »

Elle voulait lui dire non. Pas tant qu'il ne lui aurait pas expliqué où il était et ce qu'il avait fait. Mais cela n'avait rien à voir avec Seb. Il ne fallait pas que les enfants en pâtissent.

« Si tu veux. »

Elle raccrocha avant qu'il ait pu ajouter quoi que ce soit. Elle lui avait donné du temps pour se préparer. Il allait inventer une explication pour justifier son absence. Elle attendrait donc pour lui révéler ce qu'elle savait sur la salle de sport. Quand était-ce arrivé ? Quand avait-il commencé à… à quoi au juste ? À manigancer derrière son dos ? Et où était-il ?

49

Tony Hall, 2015

Julia avait dit qu'il pouvait aller chercher Seb. Il avait besoin de voir son fils. D'ébouriffer ses cheveux, de le serrer dans ses bras. Parce que ce qui se préparait – une dispute, une tempête conjugale force dix – n'allait pas être facile. Julia n'allait pas le ménager.

Tony fit un rapide calcul. Il arriverait avant le bus s'il partait tout de suite. Tant mieux. Il ne se voyait pas devoir appeler sa femme pour lui dire que finalement ce n'était pas possible.

Il jeta un dernier regard à la maison de Walker avant de démarrer.

Tony aperçut Julia par la fenêtre du salon lorsque Seb et lui se garèrent dans l'allée. Il se demanda si elle s'était calmée depuis son coup de fil. Peu probable.

Seb se précipita à l'intérieur sans l'attendre. Il bavardait déjà avec sa mère lorsque Tony entra. Il les entendait dans la cuisine pendant qu'il se déchaussait.

« Papa a dit que je pourrais jouer avec la Wii.

— Allons bon », répondit Julia.

Tony apparut sur le seuil.

« J'ai pensé qu'on pourrait en profiter pour discuter tous les deux. »

Le sourire que Julia avait affiché pour Seb s'effaça.

« Tu peux jouer le temps qu'on emballe quelques cadeaux, dit-elle au petit garçon. Ce qui signifie que tu restes en bas. Compris ? »

Seb acquiesça avec des yeux brillants d'excitation. Les enfants avaient complètement oublié la Wii jusqu'à la semaine précédente, quand ils avaient vu une publicité qui avait réveillé leur obsession pour cette console inepte.

Tony l'installa devant. Il se pencha pour l'embrasser sur la tête, à travers ses boucles soyeuses. Lorsqu'il se redressa, Julia l'observait de l'escalier. Elle lui adressa un signe impatient.

Il savait à quoi s'attendre et elle engagea les hostilités à peine à l'étage.

« Alors, c'est quoi cette histoire de congé ? demanda-t-elle, s'immobilisant sur le palier et plantant les yeux dans les siens.

— On n'a pas le droit à un peu d'intimité au moment de Noël ? » dit-il en souriant.

Une réaction qui aurait pu paraître joviale et naturelle, mais il s'était trop entraîné pour cela. Il passa devant elle et se dirigea vers la chambre.

Julia referma la porte et prit une grande inspiration. Elle avait l'air fatiguée.

« S'il te plaît, ne me mens pas. Manifestement, je ne peux pas compter sur toi pour me dire simplement la vérité, mais épargne-moi ce genre de comédie grossière. Et ne me regarde pas comme ça.

— Comme quoi ?

— Comme si je t'offensais.

— Comment veux-tu que je te regarde quand tu me traites de menteur ?

— Comment veux-tu que je te traite quand tu mets ta cravate en disant que tu vas au travail, alors que tu as pris un jour de congé ? »

Tony sentait remonter tout ce qu'il avait gardé pour lui. Il se tourna vers le placard et sortit les derniers cadeaux à emballer. À gauche, les messages qu'ils avaient échangés tout au long de leur vie commune apparurent à la périphérie de son champ de vision, lui rappelant tout ce qu'ils s'étaient dit.

« Est-ce qu'on ne peut pas s'occuper de ce qu'on a à faire, avant que Seb ne vienne voir ce qu'on mijote ?

— Non, c'est ça qu'on a à faire maintenant, rétorqua-t-elle en les désignant tous les deux. Tu t'es habillé comme si tu partais au travail ce matin. Tu as pris ta mallette. Et tu es allé à sa salle de sport. »

Tony sursauta si violemment qu'il fit tomber par terre une boîte en plastique. Il posa le reste des cadeaux sur leur lit.

« Oui », dit-elle.

Il se tourna vers elle. Elle ne semblait pas en colère. Elle avait juste l'air de le détester. Pendant une fraction de seconde, il crut qu'elle savait tout.

« Tu m'as suivi ?

— Espèce d'imbécile, murmura-t-elle. Comment est-ce que je pouvais deviner que suivre Walker signifiait te suivre, toi ?

— Tu le suis ?

— Non. Charlie voulait faire une dernière tentative. »

Charlie Lee, encore lui.

« Quand est-ce qu'il m'a vu ?

— Donc tu y es allé plus d'une fois », dit-elle d'une voix lasse.

Les yeux de Julia scrutaient son visage. Elle cherchait quelque chose. Oui, il avait fait ça. Et ce n'était rien à côté du reste. Mais cette culpabilité-là, il était le seul à pouvoir la porter. Il garda le silence.

« Tu me fais peur. Il faut que tu me parles. Je ne peux pas… Je vais péter les plombs, dit-elle d'une voix brisée, les larmes aux yeux. Je ne sais plus quoi faire. Tu n'as pas le droit de me faire peur comme ça, pas avec tout le reste. C'est trop. »

Elle baissa la tête, les bras croisés autour de son torse.

Il la torturait. Il l'attira contre lui et lui embrassa le haut du crâne, murmurant des mots consolateurs. Il était tenté de tout lui avouer pour la réconforter. Sauf que la vérité ne la réconforterait pas. Elle ne ferait que la mettre en danger. En cas de problème, il valait mieux qu'elle ne sache rien.

« Je file Walker, moi aussi », dit-il enfin.

Elle releva la tête et le dévisagea.

« Pourquoi ?

— Je… J'espérais le surprendre en train de faire un truc illégal, quelque chose qui le renverrait derrière les barreaux. »

Elle se dégagea de son étreinte.

« Jure-le.

— Quoi ?

— Jure qu'il n'y a rien d'autre.

— Je le jure », dit-il très vite.

Jamais il ne lui avait menti ainsi. Jamais il n'avait sciemment trahi sa parole. En fait, il ne se souvenait pas qu'elle lui ait demandé une seule fois de donner sa parole. Tout cela était nouveau. Et il devait la convaincre, préserver son innocence.

« Je te le jure. Je le surveille, c'est tout.

— Je veux que tu arrêtes. J'ai dit à Charlie de mettre un terme à ses recherches et je veux que tu en fasses autant.

— D'accord.

— Si on apprenait qu'on l'espionne, ça se retournerait contre nous.

— Ça n'arrivera pas. C'est fini. Fini.

— Promets-moi qu'on n'aura plus de secret l'un pour l'autre.

— Je te le promets. »

Ce qu'il promettait, en réalité, c'était de la protéger, mais elle ne pouvait pas le savoir. Et il se fit une promesse à lui-même : après ça, il ne lui cacherait plus jamais rien.

50

John Rice, 2019

Il avait touché un point sensible, c'était évident. Assise dans son fauteuil, Julia avait les mains jointes. Elle réfléchissait sans doute à ce qu'elle allait dire, le cerveau fonctionnant à cent à l'heure.

« Je ne suis pas sûre de bien comprendre où vous voulez en venir. Pourquoi est-ce qu'on n'aurait pas dû penser qu'il s'était enfui ? »

Sa question resta sans réponse.

Rice n'avait pas besoin de parler. Son silence la pousserait à se trahir. Elle révélerait la vérité malgré elle, pour justifier ce qu'elle supposait qu'il savait.

« J'ai l'impression qu'il y a quelque chose qui m'échappe », ajouta-t-elle.

Ça commençait déjà. Il connaissait la suite. Julia était terrifiée et elle irait là où il l'emmènerait. Ce serait terminé dans quelques minutes, s'il le voulait.

Il fredonna doucement avant de prendre la parole.

« Est-ce que ça vous a échappé, à l'époque ?

— De quoi parlez-vous ? » fit-elle d'une voix rauque.

Rice poussa un soupir. *Assez.*

« Je sais ce qui s'est passé. Je me suis toujours demandé si vous en étiez consciente. »

51

Nick Hall, 2015

La salle des visites à Goodspring était spacieuse et lumineuse. Les murs étaient peints en blanc et couverts d'œuvres réalisées par les patients. Elle lui faisait penser à une cafétéria scolaire. Il y avait des groupes de tables et de chaises un peu partout dans la pièce pour que les pensionnaires puissent recevoir leurs proches. C'était Noël. Les fêtes avaient perdu de leur magie au fil du temps, mais cette année, c'était différent. Cette année, Tony et Julia avaient mis les enfants dans la voiture le matin du 25 et avaient fait les deux heures de route pour venir le voir. Cette année, Noël avait retrouvé un peu de sa magie.

« Je vais aux toilettes, dit Tony en se levant de table.

— Si tu choisissais un jeu pour nous ? demanda Julia à Chloe.

— Moi aussi je veux choisir, gémit Seb.

— Pas de ça, s'il te plaît, lui dit Julia en haussant les sourcils. Tu peux en choisir un, mais pas de pleurnicherie. Surtout le jour de Noël ! » ajouta-t-elle, tandis que les enfants couraient à l'autre bout de la salle.

Elle adressa un sourire à Nick et posa son menton sur son poing.

« Alors, comment ça se passe ? »

À la fin du week-end, cela ferait deux semaines qu'il était en cure.

« Ça va. Au début, après avoir parlé à Tony, je me suis senti beaucoup mieux. C'était comme si tout allait s'arranger et que j'allais redevenir moi-même. Et puis l'euphorie est retombée et c'était horrible. Heureusement que j'étais ici. »

Julia le regardait, déroutée.

« Ma psy au centre dit que je commence sans doute juste à assimiler ce qui s'est passé. J'ai avoué à Jeff que j'avais menti, tu sais, au début du mois, mais je ne suis pas entré dans les détails. On comptait le faire progressivement, et puis tout est remonté d'un coup. Tu vois ce que je veux dire ? »

Elle secoua la tête.

« Menti ? »

Tony ne lui avait-il rien dit ?

« J'ai tout raconté à Tony.

— Quand ?

— Quand il m'a amené ici.

— Je n'étais pas au courant. »

Tony apparut dans l'encadrement de la porte à l'autre bout de la salle.

« S'il te plaît, ne lui dis rien, murmura Nick.

— De quoi s'agit-il ?

— S'il te plaît, Julia, pas aujourd'hui. »

Ils se turent lorsque Tony les rejoignit.

« Qu'est-ce qui se passe ? »

Julia se tourna vers Nick, vit ses yeux suppliants.

« Les enfants sont en train de choisir des jeux, dit-elle avec réticence.

— Cool. »

Julia regarda son mari se rasseoir. Pourquoi lui cachait-il des choses ?

Deux boîtes de jeux de société claquèrent sur la table.

« Doucement, fit Tony en fronçant les sourcils.

— Puissance 4, lut Nick, super. »

Le visage de Chloe s'illumina.

« Mille… Vraiment, Seb, c'est ce que tu as choisi ? Un puzzle de mille pièces ? »

L'enfant répondit à son père par un sourire si large que Nick se demanda s'il avait voulu leur faire une blague.

« Il aimait bien la photo sur la boîte », expliqua Chloe en haussant les épaules.

Nick jetait des regards inquiets en direction de Julia, dont les yeux n'avaient pas quitté le visage de Tony.

52

Tony Hall, 2015

« Je n'arrive pas à y croire. »

Julia était couchée, tournée vers Tony.

« Alors, il se souvenait de tout ? »

Il hocha la tête.

« Il a dû se sentir horriblement seul, pendant tout ce temps…

— Je sais. »

La neige tombait de l'autre côté de la fenêtre. Julia était encore sous le choc : elle s'efforçait de digérer ce qu'elle venait d'apprendre au sujet de Nick. Mais Tony attendait la question qu'elle ne tarderait pas à se poser : pourquoi ne lui en avait-il pas parlé avant ?

« Je ne suis pas sûre de bien comprendre pourquoi il n'a pas dit qu'ils s'étaient battus.

— Il ne voulait pas que tout le monde sache qu'il avait été incapable de se défendre.

— Mais est-ce que ce n'était pas… évident ? Même dans sa première version ?

— Oui, mais s'il était dans les vapes, c'était différent. Ce qui s'est passé lui a donné l'impression d'être totalement à la merci de cette ordure. »

Les larmes coulaient sur le visage de Tony.

« Il était conscient du début à la fin. Tu comprends ? »

Julia hocha la tête. Et elle comprenait peut-être réellement – jusqu'à un certain point. Mais Tony ne savait pas comment lui expliquer ce que ça signifiait pour Nick – ce que ça aurait signifié pour lui – d'être dominé par un autre homme, alors qu'il était en pleine possession de ses facultés et en capacité de se défendre. Ce que ça faisait d'avoir entendu toute sa vie qu'on était censé être fort, se battre et gagner. Que sinon, on n'était pas un homme.

« Qu'est-ce que tu comptes faire ? demanda Julia, le regard inquisiteur.

— Rien.

— À d'autres. Tu fais toujours quelque chose. Tu ne peux pas t'en empêcher. Qu'est-ce que tu comptes faire ? »

Tony posa la main sur son épaule.

« Rien. »

53

Julia Hall, 2015

Deux jours après Noël, Julia avait rendez-vous avec Margot. Elles s'étaient connues sur les bancs de la fac et s'étaient rapprochées au fil des ans. Sur le papier, tout les opposait. Margot était fiancée lorsqu'elles avaient commencé leur droit ; Julia était une célibataire endurcie. Margot était directe et sûre d'elle ; il fallait arracher des réponses à Julia en classe. Leurs tables de travail étaient voisines à la bibliothèque, et leur goût commun pour la caféine et les séries télévisées qui les maintenaient éveillées jusqu'à point d'heure avait scellé leur amitié. Plus de dix ans s'étaient écoulés. Margot était divorcée et sans enfant, alors que Julia était mariée et mère de deux enfants, mais le plus important n'avait pas changé. Elles se retrouvaient pour prendre un café ensemble au moins une fois par mois, elles continuaient d'échanger des SMS sur *Esprits criminels* après chaque épisode et elles s'adoraient.

« Au fait, je n'arrête pas d'oublier, dit Margot. Envoie-moi ta recette de riz de chou-fleur.

— Oh là là, ça fait une éternité que je n'en ai pas fait.

— J'ai essayé par moi-même, mais c'était un désastre.

— Tu sais, au bout du compte, ça reste quand même du chou-fleur.

— La fois où tu m'en as fait, j'ai trouvé ça délicieux. Tu pourras m'envoyer ta recette par mail ? »

Julia se rendit dans le bureau et déplaça la souris pour réactiver l'ordinateur.

« Oui, je vais te la retrouver.

— Tu es géniale. »

Elles raccrochèrent et Julia lança son navigateur. Elle tapa « riz de chou-fleur ». Il y avait des dizaines de résultats, mais aucun lien en violet. Elle les fit défiler, incapable de reconnaître la recette qu'elle utilisait au printemps précédent.

Elle ouvrit l'historique et chercha « chou-fleur ». Rien. Bizarre. Elle avait dû aller au moins dix fois sur cette page.

Elle revint sur l'accueil de l'historique. La liste des sites qu'elle avait visités s'arrêtait au 14 décembre. Aucun résultat plus ancien.

Il y avait des recherches et des pages datées du 14, correspondant au travail qu'elle avait fait ce matin-là. Mais rien sur ses activités antérieures. L'historique avait été effacé le 13. Le jour où Nick avait révélé à Tony ce qui s'était réellement passé avec Ray Walker.

Elle retourna sur Google. Tapa « restaurer l'historique ». Une série de liens s'afficha. Elle cliqua sur le premier. Elle pouvait faire une restauration du système, apparemment, qui lui permettrait de récupérer ce qui avait disparu. Par précaution, elle sauvegarda tout son travail récent sur un disque flash, puis suivit les consignes de l'article. Elle sélectionna « 13/12/2015 » comme date de restauration et recula sur son tabouret en attendant.

Elle était folle. Mais pourquoi Tony aurait-il supprimé l'historique ? Il était rentré à la maison après avoir laissé Nick à Goodspring et s'était enfermé dans le bureau pendant un moment – au moins une heure. Il avait dit ce soir-là qu'il travaillait, mais dans ce cas, pourquoi aurait-il effacé ses recherches ? Elle allait sans doute juste découvrir le nom des sites où il avait fait ses achats de Noël. Oh non… ou peut-être du porno. Elle étouffa un rire. Malade d'inquiétude comme elle l'était, elle serait sûrement soulagée d'apprendre qu'il avait regardé un film X ce soir-là, même si elle était en train de lire dans la pièce voisine.

Au bout de quelques minutes, l'ordinateur redémarra. Elle ouvrit le navigateur et retourna sur l'historique. La page la plus récente s'appelait : *Comment effacer votre historique Internet*.

Avant ça, une recherche sur Google : « effacer l'historique ».

Et encore avant, un blog nommé : *Couteaux de glace et fruits à noyau*. Qu'est-ce que ça voulait dire ?

Puis un intitulé qui la pétrifia.

Forum : Comment commettriez-vous le meurtre parfait ?

Et *Forum : Quelles sont les principales raisons qui empêchent d'élucider un meurtre ?*

Un article de presse : *POURQUOI TANT DE MEURTRES NE SONT-ILS JAMAIS ÉLUCIDÉS ?*

Et une recherche Google : « causes des meurtres non élucidés ».

Il avait l'intention de le tuer.

Tony allait tuer Ray Walker.

54

Tony Hall, 2015

Il trouva Julia dans la chambre. Il était un peu plus de 16 heures et elle était au lit.

« Chérie ? »

Elle ne bougea pas. Que se passait-il ? Margot l'avait appelée et elle était montée au premier. Plus d'une heure s'était écoulée avant que Tony remarque qu'elle n'était pas redescendue.

Il y avait un problème.

Il s'assit sur le lit avec précaution.

« Chérie ?

— J'ai vu l'ordinateur, dit-elle sans ouvrir les yeux.

— Hein ?

— Je sais ce que tu fais. »

Il se crispa.

« De quoi tu parles ? »

Elle se redressa, les paupières toujours closes, une main sur le front comme si elle avait des vertiges. Enfin, elle ouvrit les yeux, mais les garda fixés sur le couvre-lit.

« S'il te plaît, dis-moi que je me trompe. »

Non. Non, par pitié, elle ne peut pas savoir.

« À quel sujet ?

— Tu es complètement malade ou quoi ? murmura-t-elle violemment, le repoussant brutalement.

— Hé !

— J'ai vu tes recherches. Un meurtre ? Un meurtre ! »

Elle le poussa encore, frappant sa poitrine du plat de ses deux mains. Il attrapa ses poignets.

Merde. Putain de merde.

« Comment tu as vu ça ?

— C'était facile. Rien ne disparaît jamais totalement d'un ordinateur. »

Elle se dégagea.

« J'en achèterai un autre.

— Flambant neuf ? Quelle bonne idée. Comme ça, quand tu l'auras assassiné et que la police viendra chercher notre ordinateur, elle ne trouvera pas ça suspect du tout.

— Chut. Pas si fort.

— Dis-moi ce que tu fais.

— Je ne peux pas.

— Pourquoi ?

— Personne ne doit rien savoir, ni toi, ni Nick, ni personne.

— Donc tu vas m'acheter un nouvel ordinateur et tout ira bien. »

Elle le regardait en hochant la tête, les yeux immenses, la bouche pincée.

« C'était une erreur. La seule fois.

— Tout est traçable, Tony.

— J'ai été prudent. Je n'ai rien fait de compromettant.

— À part ça, à part te servir de l'ordinateur familial.

— Oui, je te le jure.

— Donc tu vas le faire ? »

Tony détourna les yeux.

« Explique-moi ça. Explique-moi pourquoi tu penses avoir le droit de faire une chose pareille ?

— Le droit ?

— Oui. Nick joue le jeu. Il était allé à la police, il est prêt à témoigner, il veut respecter le processus judiciaire, même si ça doit le foutre en l'air. Qu'est-ce qui te donne l'impression que tu peux faire… ce truc de malade mental ?

— Il ne peut pas continuer comme ça. Tu le vois bien, il a essayé de se suicider.

— Il est en sécurité. Il fait une thérapie. Tu prétends que c'est pour lui, mais tu le fais pour toi.

— Si tu ne comprends pas en quoi ça aiderait Nick, je ne sais pas quoi te dire. Il fait partie de notre famille.

— Tu tiens vraiment à parler de notre famille ? Tu prépares un meurtre alors que notre fils est au rez-de-chaussée. »

Il réalisa soudain ce qui échappait à Julia. Et comment il pouvait la rallier à sa cause.

« Un de nos enfants est en bas, dit-il d'une voix douce. Mais mon premier enfant est dans une maison de repos à Belfast. »

Elle le regardait avec de grands yeux effarés.

« Si c'était Seb ou Chloe, tu comprendrais peut-être. Il est comme mon fils. »

Elle se rallongea et lui tourna le dos.

« Il a toujours été comme un fils pour moi, reprit Tony, faisant le tour du lit pour s'agenouiller devant elle. Tu ne comprends pas ? »

Elle ne bougea pas. Son regard était bizarrement lointain, même si ses yeux fixaient un point à côté du pied de Tony.

« Il a tenté de s'ôter la vie… »

La voix de Tony se brisa et il secoua la tête.

« S'il doit raconter toute l'histoire, s'il faut aller au procès, il va devoir leur dire ce que Walker lui a fait. Et ça va être encore plus dur pour lui. »

Il s'interrompit.

« On a déjà failli le perdre. Tu l'as dit toi-même. Il fait partie de notre famille. »

Elle le regarda enfin.

« Je sais tout ça.

— Alors, laisse-moi le sauver. »

Elle baissa de nouveau les yeux vers le sol. Il se leva. Aucun des deux ne prononça un mot. Il était presque à la porte lorsqu'il entendit sa voix.

« Promets-moi », murmura-t-elle derrière lui.

Il se retourna.

« Promets-moi que tu attendras de voir si Walker accepte de plaider coupable en janvier. »

Il hocha la tête. Pas de problème. Janvier était un bon mois pour ça.

55

John Rice, 2015

C'était malheureux à dire, mais, au poste, la semaine après Noël était toujours une période d'activité intense. La criminalité grimpait pendant les fêtes : problèmes d'argent, alcool, indigestion familiale. Rice s'apprêtait à se rendre sur place, dans une affaire de violences conjugales, lorsque la réceptionniste l'appela sur le fixe de son bureau. Julia Hall était au téléphone.

« Désolée de vous déranger, je suis sûre que vous devez être très occupé.

— Je vous en prie. Tout va bien ?

— Oh, oui. En, fait, je voulais simplement vous poser une question… dont je connais déjà la réponse, dit-elle d'une voix défaitiste.

— Oui ?

— Est-ce qu'il y aurait moyen de révoquer la libération sous caution de Ray Walker à cause de ce qui s'est passé ?

— Vous parlez de ce que Nick a fait ?

— Oui. Et Walker et sa mère qui n'arrêtent pas, dans la presse et les réseaux sociaux, ça affecte clairement l'équilibre mental de Nick. »

Il allait encore les décevoir.

« Non, je ne pense pas que ce soit possible. Il n'a pas enfreint les conditions de sa libération, n'a pas essayé de contacter Nick. Il n'a rien fait qui soit contraire à la loi. Ce que vit votre beau-frère est horrible, mais aucun juge n'accepterait qu'on mette un homme en prison pour ça. J'ai parlé à Linda, et elle pense que ça va être l'escalade, si on fait quoi que ce soit pour museler les Walker et la presse. Ils n'ont rien publié de répréhensible. On ne réussirait qu'à attirer plus d'attention sur l'affaire. »

À l'autre bout du fil, le silence s'éternisait. Le policier commençait à croire qu'ils avaient été coupés.

« Je m'en doutais. Je voulais quand même poser la question, au cas où.

— Ça va, vous ? »

Question idiote. Elle n'aurait certainement pas appelé si tout était rose.

« C'est un peu compliqué, dit-elle d'une voix lasse.

— Je suis vraiment désolé, Julia. J'aimerais pouvoir vous aider, mais à moins qu'il enfreigne la loi, il faut attendre l'accord ou le procès.

— Le bureau du procureur a dit à Nick que ça pourrait prendre un an. Est-ce que c'était pour… vous savez, pour ne pas lui donner de faux espoirs ? En réalité, ça ne sera pas nécessairement aussi long, si ?

— Tout est possible. Mais je me prépare pour un procès le mois prochain, dans une affaire bouclée il y a trois ans. »

Julia resta silencieuse. Pourquoi était-elle surprise ? Elle avait été avocate.

« Vous savez ce que c'est. Le tribunal accumule les retards, le bureau du procureur également, et dans ce genre de dossier, le temps joue en défaveur de la victime, donc Eva fera son maximum pour faire traîner de son côté.

— Et s'il ne peut pas attendre ?

— Il faut qu'il vive sa vie, qu'il essaie d'oublier l'affaire. »

Il y eut encore un long silence.

« Écoutez… », reprit-il.

C'était une professionnelle, d'une certaine manière, même si elle ne travaillait pas sur cette affaire.

« Entre nous, Julia ?

— Oui ?

— Je ne suis pas sûr qu'il y aura un procès.

— Vraiment ?

— J'ai appris par une prétendue amie de Walker qu'il savait qu'il était cuit. Je pense qu'il finira par plaider coupable. Peut-être seulement à la veille du procès, vous connaissez le système, mais il cédera, j'en mettrais ma main au feu. Ses fanfaronnades, c'est pour la galerie. Il fait dans son froc.

— Ah oui ? Et selon vous, ça pourrait être bientôt ?

— Non, malheureusement. C'est le genre de type à ne pas capituler avant la dernière minute. En tout cas, Nick n'aura peut-être pas à témoigner. Ne le lui répétez pas, je ne voudrais pas qu'il soit déçu, mais ne vous faites pas trop de mauvais sang. Il y aura un accord. L'attente, il faut faire avec. Nous n'avons pas le choix.

— D'accord. »

Sa voix était ténue et aiguë, comme si elle se retenait de pleurer.

« Merci, inspecteur.

— Désolé de ne pas pouvoir faire plus, Julia. »

Elle avait déjà raccroché mais il avait besoin de le dire.

56

Julia Hall, 2015

Julia n'avait pas fermé l'œil, ces deux dernières nuits. Il y avait des moments où elle se laissait gagner par un sommeil léger, mais elle rêvait qu'elle était éveillée. Éveillée et obsédée par ce que son mari allait faire.

Elle lui demanda comment il comptait s'y prendre. Il refusa de répondre. Quand et où il le ferait. Pas de réponse. Comment il se débrouillerait pour ne pas être soupçonné. Il avait tout prévu. Il n'arrêtait pas de répéter son mantra : « Tu es plus en sécurité si tu ne sais rien. »

Mais Julia se sentait tout sauf en sécurité. Elle paniquait. Il avait promis d'attendre le résultat de l'audience de janvier. S'il n'y avait pas de procès, alors Nick n'aurait pas à révéler la vérité, et Tony renoncerait peut-être à son projet. Elle avait jusqu'au 12 janvier. Deux semaines. Seulement deux semaines pour trouver une solution.

Elle pourrait parler à Nick, tenter de le persuader d'abandonner les poursuites, mais cela suffirait-il ? Tony risquait d'aller jusqu'au bout quand même, pour que les actes de Walker ne restent pas impunis. Et si quelque chose arrivait à Walker, tous les soupçons se tourneraient vers Tony. On croirait que Nick avait retiré sa plainte uniquement pour laisser son frère faire justice lui-même.

Elle avait appelé l'inspecteur Rice la veille. C'était peine perdue, ainsi qu'elle s'en doutait. Walker n'avait rien fait qui puisse le faire renvoyer en prison, à l'abri de Tony.

Elle avait essayé de raisonner avec son mari : pensait-il aux enfants ? à Nick ? à elle ? Mais il ne l'entendait pas. Il était tellement persuadé de la justesse de ses motifs qu'il était devenu sourd à la raison.

Quant à l'aspect moral, elle était étonnée de voir qu'il entrait si peu en ligne de compte dans son désir d'arrêter Tony.

Être une bonne personne : une grande partie de son identité en tant qu'avocate, mère, épouse, amie et être humain reposait là-dessus. C'était un objectif vague, mais elle ne l'avait jamais remis en question, peut-être parce que ça lui avait toujours semblé naturel. Faire le bien. Traiter correctement les autres. En général, elle savait tout de suite ce qui était juste. La première fois qu'elle avait rencontré Mathis Lariviere et sa mère, elle avait dû les persuader tous les deux – et pas seulement lui – qu'il devrait passer un examen médical pour évaluer son degré de dépendance et entamer une thérapie sans attendre le jugement.

« Plus ses remords seront sincères, plus il aura de chances de s'en sortir.

— Vous voulez dire plus ses remords auront *l'air* sincères, avait répondu froidement Elisa, sa mère.

— Non. Il ne peut pas aller chez le psy pendant un an avec ses écouteurs sur les oreilles. Il doit changer. Le juge ne se laissera pas berner comme ça.

— Je n'en suis pas si sûre. Il y en a à qui on donnerait le bon Dieu sans confession, mais il ne faut pas s'y fier. »

À l'époque, Julia n'avait pas pris la remarque de l'autre femme très au sérieux. Elles n'étaient pas d'accord sur grand-chose, et ce que Mathis lui avait confié sur sa famille lui glaçait le sang. Alors, les insinuations d'Elisa sur sa probité faisaient doucement rigoler Julia.

Mais elle s'interrogeait, à présent. Peut-être était-elle simplement douée pour avoir l'air d'une bonne personne. Pour se comporter comme si elle avait une conscience morale. Car en ce moment, ce qui lui importait, c'étaient surtout les apparences. Ce qui l'empêchait de dormir, qui lui donnait la sueur au front, c'était la peur que Tony soit pris. Pas ce qu'il avait l'intention de faire.

S'il était arrêté, elle le perdrait. Les enfants le perdraient. C'était quelqu'un de bien. C'était paradoxal, étant donné ce qu'il s'apprêtait à faire, pourtant Tony Hall était un homme bon, un père formidable, et leurs enfants devraient peut-être grandir sans lui. Elle le lui avait dit d'entrée de jeu, dès leur première soirée : jamais elle n'épouserait un homme qui n'était pas prêt à s'investir sérieusement. Qui ne se battrait pas pour préserver ce qu'ils avaient bâti ensemble. Elle avait réellement cru qu'il était ce genre de personne. Comment pouvait-il lui faire une chose pareille ?

Elle ne voyait qu'une solution.
Elle envoya un SMS à Charlie Lee.
J'ai besoin d'un dernier service.
La réponse arriva presque aussitôt.
Tout ce que vous voulez.

57

Julia Hall, 2015

Elle se pencha par-dessus la coiffeuse pour mettre du mascara sur les cils de son œil gauche. Son téléphone diffusait en sourdine une chanson de Nina Simone. Elle recula pour examiner son œuvre – il ne manquait plus que le rouge à lèvres. Elle en choisit un couleur brique. Ce n'était pas son préféré, mais Tony l'adorait et il rehausserait sa robe noire toute simple. Elle ouvrit la bouche pour se maquiller et détacha ses cheveux. Les fils gris sur le haut de son crâne brillèrent à la lueur de la petite lampe. Elle était bonne pour aller faire une retouche chez le coiffeur. Elle chiffonna ses racines du bout des doigts et se concentra sur la musique. Nina se moquerait d'avoir des cheveux gris. Elle dirait sûrement « argentés », de toute manière. Julia se balançait doucement sur la trompette de « Feeling Good », se laissant porter par la mélodie. Depuis la naissance de Seb, les préparatifs avant une sortie en tête à tête avec son mari étaient devenus un genre de préliminaires. Et ce soir, elle voulait donner un coup de pouce à la magie.

Ils avaient réservé des mois à l'avance, sinon ils ne seraient sans doute pas sortis. S'ils souhaitaient dîner dehors le jour de leur anniversaire de mariage, ils devaient s'organiser. C'était l'inconvénient quand on se mariait un 31 décembre. Neuf ans déjà. Lorsque Julia avait appelé le restaurant, elle ne pouvait pas deviner que bientôt elle passerait son temps à se demander si son époux était véritablement capable de tuer un homme.

Elle prit la pochette qu'elle avait posée sur le lit. Elle l'ouvrit et l'enveloppe dans laquelle elle avait glissé une petite carte pour lui apparut. Ses mots étaient imparfaits, et pour la plupart empruntés, mais elle estimait avoir saisi l'essence de ce qu'elle ressentait sous le tumulte de ses émotions. Cette carte finirait peut-être sur la porte du placard ou peut-être pas. Souhaiteraient-ils se souvenir de ce moment de leur vie ?

Elle était consciente de l'importance que revêtaient pour lui ces billets doux, mais cette année elle ne savait vraiment pas quoi écrire. Plus tôt dans la soirée, lorsqu'elle était allée prendre sa douche, la carte attendait toujours sur son bureau. Soudain, elle avait songé à la première chanson sur laquelle ils avaient dansé : « You're the First, the Last, My Everything ». Elle s'était enveloppée dans une serviette et avait foncé au bout du couloir pour recopier son passage préféré. Il était le soleil et la lune, écrivit-elle. *Mon premier, mon dernier, mon tout*.

Il y avait neuf ans aujourd'hui, ils avaient dansé sur ce morceau. Tout paraissait si simple, alors. Elle se doutait bien que le temps mettrait leur engagement à l'épreuve, mais certainement pas de cette manière. Elle relut les phrases. Les mots semblaient creux en regard de ce qu'ils traversaient. Mais il fallait bien qu'elle dise quelque chose, et il y avait encore du vrai, dans la chanson. Il était toujours tout pour elle. C'était pour cette raison que ça faisait si mal.

Elle glissa le tube de rouge à lèvres dans son sac, à côté de la carte.

« Waouh ! » fit Tony de la porte.

Elle l'aperçut dans le miroir en se retournant : lignes pures et cheveux bruns.

« Waouh toi-même. J'adore ce blazer.

— Je sais. »

Il pivota lentement sur la musique.

« Tu ne remarques rien de… nouveau ? » demanda-t-il, tendant le bras au moment où retentissait la plainte de la trompette.

Sa manche remonta, révélant sa montre neuve. Julia éclata de rire malgré elle. Elle s'accrochait à un sentiment de tristesse et de colère, c'était palpable. Mais elle lâcherait prise. Au moins pour ce soir, elle lâcherait prise.

Elle se pencha pour enfiler ses escarpins. Le temps qu'elle se redresse, il l'avait rejointe. Ils étaient presque à la même hauteur maintenant, avec les talons. Il l'enlaça et l'embrassa tendrement. Elle se laissa aller contre lui avec un soupir. Lorsqu'il recula, il avait les lèvres barbouillées de rouge. Elle rit et les essuya du pouce, les doigts sous son menton rasé de près.

« Peut-être qu'on devrait attendre que ma mère arrive pour venir chercher les enfants et faire l'impasse sur le resto, murmura-t-il, la serrant contre sa taille.

— Elle les garde à la maison. Ils dormiront à notre retour. »

Elle déposa un baiser léger sur sa joue et fit un pas en arrière.

« Un instant, dit-il avec un sourire carnassier, l'attirant vers lui.

— Non », répondit-elle sèchement, se dégageant.

Il avait l'air surpris, dérouté. Elle l'était autant que lui. Quelque chose dans sa manière de lui parler, la fermeté avec laquelle il avait voulu la retenir, l'avait mise en colère pendant un quart de seconde. Elle traversa la chambre et s'immobilisa dans l'encadrement de la porte. Elle était froide avec lui en ce moment, parfois par choix, parfois sans le faire exprès.

« Mamie est ici ! » cria Chloe au rez-de-chaussée.

Julia le planta là pour se diriger vers l'escalier.

Une vague de chaleur accueillit Julia à l'entrée de Buona Cucina, alors qu'elle essuyait ses pieds sur le paillasson pour se débarrasser de la neige et du sel.

« Bonne année, leur lança l'hôtesse en prenant deux menus. Le portemanteau est derrière vous. »

Buona Cucina était un petit italien du centre-ville, assez coûteux, où ils avaient déjà célébré quelques anniversaires. Les briques apparentes, le parquet et la décoration en général rappelaient à Julia plusieurs établissements de Portland, dont le Ruby, le bar où elle travaillait pendant ses études. Si elle appréciait le Buona Cucina pour leurs soirées romantiques, c'était en partie parce que le restaurant ressemblait aux endroits où ils se donnaient rendez-vous au début de leur relation.

Ils franchirent le seuil de la plus petite des deux salles. Julia serra la main de Tony : des excuses silencieuses pour l'avoir repoussé un peu plus tôt. Il pressa ses doigts en retour.

Ils commandèrent une bouteille d'eau gazeuse et un verre de pinot noir pour Julia.

« Est-ce que tu vas au moins me dire comment tu comptes t'y prendre ?

— De quoi tu parles ? demanda-t-il, surpris.

— Tu sais quoi », répondit-elle, baissant la voix.

Il soupira.

« Pourquoi est-ce que tu veux parler de ça le soir de notre anniversaire de mariage ?

— Ça m'obsède, parce que tu refuses de me dire quoi que ce soit. Dis-moi juste comment.

— Je ne veux pas te faire courir de risque. J'ai besoin que tu sois... Les enfants... Quoi qu'il en soit, je pense que c'est mieux que tu ne saches rien.

— Mais tu ne peux pas organiser quelque chose comme ça tout seul. Tu prétends que tu es prudent, mais comment est-ce que je peux en être sûre si je ne peux pas te poser de questions, mettre ton plan à l'épreuve ?

— Ça passera pour un accident.

— Ah... De mon point de vue, ça ressemble à un vœu pieux.

— Ça ne l'est pas, répondit-il, alignant sa fourchette le long de son assiette.

— Tu vas vraiment le faire ?

— Je croyais que tu étais d'accord ? fit-il, étonné.

— Quand est-ce que j'ai dit ça ? »

Il fronça les sourcils.

« J'ai besoin que ce soit OK pour toi.

— Sinon quoi ?

— Sinon, rien, je suppose, déclara-t-il en redressant le dos. Je t'ai dit ce que j'allais faire.

— Et moi, c'est quoi ma place dans l'histoire ?

— Tu peux me soutenir.

— Je me sens prise au piège. Tu m'as prise au piège.

— Je ne sais pas comment te faire comprendre.

— Je comprends ce que tu dis à propos de Nick et de votre relation. Je n'ai pas eu à m'occuper de quelqu'un quand j'étais plus jeune. Mais je t'ai, toi, et nous avons les enfants. Et nous, on est où, dans tout ça ? »

Son visage s'adoucit à la lueur de la bougie.

« Je te promets que ça ira. Je le sais. Comme j'ai su qu'on était faits l'un pour l'autre. »

Il posa sa main sur la sienne.

« J'ai su que je t'épouserais le jour où on est allés pêcher dans la glace avec Margot et son ex, tu te rappelles ? Tu as fait tomber la flasque dans le trou, puis tu l'as rattrapée et tu as bu une gorgée. »

Il rit doucement.

« À cet instant, j'ai compris avec une certitude paisible, presque surnaturelle, qu'on se marierait et qu'on serait heureux ensemble. J'ai la même certitude aujourd'hui. Je serai prudent et tout ira bien. »

Julia voulait dégager sa main, mais elle la laissa.

Ils aperçurent le serveur du coin de l'œil. Il s'approchait de la table d'un pas hésitant, conscient de les interrompre. Il prit leur commande et disparut. Ils restèrent un moment silencieux, mal à l'aise. Enfin, il reposa sa serviette sur son assiette.

« Je vais aux toilettes. »

Julia se retrouva seule. Elle regarda les flammes vaciller dans les verres à bougie dépolis au centre de la table. Entre les deux, il y avait une fleur dans un fin soliflore. Elle était orange, avec de minces pétales autour du cœur.

Elle avait perdu. Elle devait se rendre à l'évidence. Elle n'était pas quelqu'un d'aussi droit qu'elle le pensait. Tony avait beau dire qu'il voulait la laisser en dehors de tout ça, la vérité, c'était que, quand ce serait fini, elle serait complice de la mort de Ray Walker.

Tony avait parlé du moment où il avait su qu'il l'épouserait. De son côté à elle, il n'y avait pas eu d'instant précis, mais plutôt une journée : une journée où ils étaient allés pique-niquer avec Nick. Elle le connaissait déjà, mais Tony et elle sortaient ensemble depuis assez longtemps pour avoir cessé d'essayer de s'impressionner mutuellement. Ils passaient simplement un après-midi tous les trois. Elle avait vu comment il parlait à son frère. Elle avait écouté sa voix forte et affectueuse. Elle l'avait vu prendre Nick par l'épaule et le serrer contre lui. Alors elle avait pensé : c'est l'homme avec qui je veux faire des enfants. Mes enfants auront cet homme pour père. Elle n'avait pas compris que, d'une certaine façon, il était déjà père.

Et Tony avait beau la mettre hors d'elle avec sa manie de toujours vouloir l'aider, elle aimait ça chez lui, ce besoin de réparer, de se battre. Si leur mariage s'embourbait, il ne resterait pas passif. Il ferait n'importe quoi pour eux et, s'il tombait gravement malade un jour, il lutterait de toutes ses forces pour ne pas les abandonner. En dépit de l'affection qu'elle éprouvait pour Nick, une tendresse réelle et profonde, elle n'avait pas mesuré à quel point il faisait partie de leur cellule familiale.

Tony était tout pour elle, mais elle n'en aimait pas moins les enfants. En fait, elle les aimait peut-être plus que lui. L'âme avait assez de place pour plusieurs amours. Elle en avait trois. Lui quatre.

Elle jeta un coup d'œil vers la fenêtre à côté de leur table. Elle distinguait la neige sur le sol, et plus loin rien que les ténèbres. S'ils tenaient jusqu'à la fin de l'hiver, tout semblerait peut-être différent. Le soleil et les crocus illumineraient le cœur de Tony. Il verrait que le monde n'était pas devenu entièrement noir. Hélas, le printemps était encore à plusieurs mois de là. Avant, Nick devrait raconter son histoire à l'assistante du procureur et celle-ci serait forcée de la répéter à Walker. Les médias s'en mêleraient, les gens parleraient, donneraient leur avis sur des faits dont ils ignoraient tout. C'était l'échéance que Tony tâchait de battre à la course. Ce serait fini bien avant le printemps. Mais, au retour de la lumière, seraient-ils capables de supporter ce qu'ils avaient fait dans le noir ?

Julia effleura du bout des doigts le grand soleil de la fleur orange. Puis elle la plongea dans la flamme et regarda les pétales roussir.

58

Tony Hall, 2016

Julia le harcelait depuis qu'elle avait découvert ses recherches idiotes sur l'ordinateur. Dès que les enfants avaient le dos tourné, elle le bombardait de questions et de reproches. Il sentait ses yeux sur lui chaque fois qu'il consultait son téléphone, chaque fois qu'il faisait un pas dans la maison, à vrai dire. Il préférait qu'elle ne sache rien sur Walker. C'était pour son bien. En cas de pépin, elle ne pourrait pas être accusée de complicité. Il était resté intraitable malgré son insistance et, heureusement, passé leur anniversaire de mariage, elle semblait avoir renoncé à l'interroger.

Il y avait des moments où il se demandait si elle était de son côté, mais l'orage semblait être passé. La veille, le téléphone de Julia avait sonné et le nom de Charlie Lee s'était affiché sur l'écran. Elle avait mis le haut-parleur, plantant ses yeux dans les siens. Quoi de neuf ? avait-elle dit, et le détective avait répondu qu'il avait trouvé les adresses dont elle avait besoin pour son rapport. Tony avait levé les mains en signe de capitulation.

Elle avait posé sur lui un regard glacial, puis elle était montée dans son bureau. C'était donc vrai : Charlie Lee n'enquêtait plus sur Raymond Walker. Malgré tout, il se rendait compte que tout n'était pas réglé. Il avait pris quelques jours de congé début janvier. Les enfants étaient encore en vacances et il pensait qu'ils passeraient du temps tous les quatre. Mais elle était accaparée par son travail. Peut-être pour le punir d'avoir menti et prétendu qu'il allait au bureau.

Pour l'instant, en tout cas, ils étaient tous les quatre dans le salon. Tony et Seb étaient vautrés dans le fauteuil relax, le corps fluet du petit garçon blotti contre lui. Julia était allongée sur le canapé, Chloe assise derrière elle sur l'accoudoir, l'encadrant de ses jambes. Tony lisait *Hirondelles et amazones* à voix haute. C'était un cadeau de la mère de Julia. *Papa te racontait ces histoires*, disait la dédicace. *C et S l'adoreront aussi*. Dans ces moments-là, Tony regrettait de ne pas avoir connu son beau-père. Julia affirmait qu'il était un père formidable, même si elle lui en voulait pour les choix qu'il avait faits à la fin de sa vie.

Chloe tressait les cheveux de sa mère et Tony levait de temps en temps les yeux pour voir où elle en était. D'abord, elle avait fait deux tresses, la gauche épaisse et raide, la droite fine et tordue. Puis elles s'étaient dénouées et Chloe avait décidé d'en faire une seule, dans le dos. À un moment donné, il surprit Julia en train de s'essuyer les yeux. Elle soutint son regard, puis soupira et secoua la tête.

« Il faut que je passe un appel », décréta-t-elle soudain.

Tony s'interrompit.

« Maintenant ?
— Maman, ta tresse ! protesta Chloe.
— Désolée, mon cœur. Je n'en ai pas pour longtemps, ajouta-t-elle en se tournant vers Tony. Je redescends avec un élastique à cheveux, d'accord ? »
La fillette hocha la tête, satisfaite, et prit la place de sa mère sur le canapé. Julia ramassa son téléphone sur la table basse et se dirigea vers l'escalier.

Tony était en train de faire des sandwichs lorsque Julia réapparut.
« Bacon-laitue-tomate », dit-il d'une voix théâtrale, agitant la main au-dessus de son œuvre, comme si c'était un tour de magie. Il avait déjà mis des feuilles de salade et d'épaisses rondelles de tomates mûres sur le pain. Et à côté, il y avait un Tupperware avec des restes de bacon du petit déjeuner.
« Ça sent bon ! Il y en a un pour moi ?
— Bien sûr, princesse », murmura-t-il, brandissant une tranche de bacon sous son nez.
Elle eut un sourire absent.
« Tu veux du thé ? demanda-t-elle.
— Non merci. »
Il sentait l'irritation le gagner. Elle lui en voulait encore, ignorait ses taquineries. Mais il se rendait compte qu'il était injuste. Elle avait besoin de temps pour se faire à l'idée.
« Tu appelais qui ? »
Il entendit un déclic derrière lui et le brûleur qui s'enflammait.
« C'est pour mon rapport.
— Aujourd'hui ?

— J'ai laissé des messages. »

Elle réapparut dans son champ de vision et se pencha sur le plan de travail à côté de lui.

Il lui offrit une assiette avec un sandwich.

« Tu manges avec nous ?

— Oui. »

Elle consulta son téléphone puis le glissa dans la poche de son survêtement. Il sonna presque aussitôt et elle le ressortit.

« Il faut que je réponde. Je redescends boire mon thé, dit-elle, déjà dans le couloir. Arrête l'eau quand ça bout, j'en ai pour une minute ! »

Elle baissa le ton.

« Bonjour, Elisa. »

Tony entendit la porte du bureau se refermer, étouffant la voix de Julia. Le prénom réveillait un vague souvenir dans sa mémoire, mais il n'arrivait pas à le remettre.

59

Nick Hall, 2016

« Ça vaut combien, déjà ? »

Nick baissa la main pour révéler quatre piques à l'homme en face de lui.

« Quatre points », répondit David.

Nick posa ses cartes.

« Eh merde », murmura-t-il.

Il avait cru que son jeu valait plus que ça. Il n'arriverait pas à quinze. Il avança de quatre trous sur la planche de crib.

« Je crois que tu vas encore me ratiboiser.

— Cent vingt et un, lança David, déplaçant sa fiche de douze. Tu as moins de quatre-vingt-dix points, donc je remporte deux parties. » Il rajusta ses lunettes sur son nez aux pores dilatés et sourit. « Il y a des chances, en tout cas. »

Cela faisait seulement une semaine et demie que David était à Goodspring. Encore un jour, et Nick serait là depuis un mois. Sa thérapeute référente, Anne Marie, avait rédigé un courrier pour qu'il bénéficie d'une prolongation de séjour et la compagnie d'assurances ou Dieu sait qui avait accepté qu'il reste au moins jusqu'à la prochaine audience, qui devait se tenir aujourd'hui.

Nick était content que David soit là. La quarantaine, pince-sans-rire, il adorait autant que lui les jeux de société. Avant son arrivée, Nick ne s'était lié avec personne, hormis les employés. Il y avait bien Kedar, un patient plutôt mignon, si ce n'est qu'il avait besoin d'une bonne coupe de cheveux. Mais il avait la tête de quelqu'un qui n'avait pas dormi depuis un an. De toute façon, les mecs mignons, il en avait soupé. D'une certaine manière, c'était ce qui l'avait amené ici. Ses psys lui disaient qu'il fallait qu'il arrête de se faire des reproches, et il savait qu'ils avaient raison. Il n'empêche, il avait suivi un inconnu. Et ce n'était pas la première fois. Il clamait qu'il voulait une relation stable, puis il se jetait sur le premier venu. En ce moment, il avait beau ne pas se sentir prêt, si Kedar se mettait en tête de le draguer, il n'était pas sûr qu'il serait capable de résister. Il gardait donc ses distances.

La plupart des patients n'avaient pas envie d'être là. Soit ils le disaient à haute voix, soit leurs actes parlaient pour eux. Certains pensaient ne pas en avoir besoin; d'autres détestaient les lits trop mous, les lumières trop vives, les légumes trop présents dans les menus, les portes des chambres en partie vitrées pour que les infirmiers puissent s'assurer que tout allait bien la nuit. Mais Nick se plaisait à Goodspring. C'était tellement étrange, tellement différent de tout ce qu'il avait connu jusque-là qu'il en oubliait la vie au-dehors. Pas de bureau du procureur, ici. Pas d'affaire criminelle. Il était dans une bulle.

Du moins, c'était le cas d'habitude. Aujourd'hui, il sentait l'extérieur presser contre les parois de sa bulle. Ailleurs, la vie continuait. Tony s'inquiétait pour lui. Ses parents devaient se disputer. Le second semestre avait débuté. L'assistante du procureur négociait avec Walker et son avocate. La vraie vie lui retomberait dessus dès qu'il quitterait Goodspring. Il en serait au même point qu'avant l'hospitalisation : dans le pétrin qu'il avait créé. Ses avant-bras le démangeaient sous ses manches.

« Nick ? »

Il leva les yeux. Anne Marie se tenait sur le seuil de la salle commune.

« On vous demande au téléphone. »

C'était Sherie.

« Ça n'a pas abouti, désolée. »

Il s'y attendait, mais il se sentait malgré tout déprimé.

« Vous avez le droit de me dire ce qui s'est passé ?

— Bien sûr. Le fossé entre les deux parties était trop grand pour arriver à un compromis. Je vous avais dit ce que Linda allait proposer ?

— Oui. Quatre ans de prison, c'est ça ?

— Et dix en cas de récidive. Linda était aussi disposée à modifier le chef d'accusation, viol simple au lieu de viol avec circonstances aggravantes. »

C'étaient des termes qu'il avait déjà entendus, mais il avait toujours l'impression de courir derrière Sherie.

« La défense n'était pas d'accord. L'avocate de Walker proposait que le viol soit requalifié en agression sexuelle et qu'il fasse seulement six mois. Elle avait même l'air de dire que six mois, c'était déjà beaucoup trop pour lui, mais ça c'est le jeu des négociations. Quoi qu'il en soit, Linda et elle n'ont pas réussi à trouver un point d'entente, donc pas d'accord. Pas aujourd'hui, en tout cas. »

Agression sexuelle et six mois de prison. Il se demanda si c'était ce qu'ils finiraient par obtenir, quand il leur avouerait qu'il avait menti. Que les faits étaient encore pires que ce qu'il avait raconté, mais qu'il avait menti. Il fallait qu'il parle à Anne Marie, qu'ils établissent un plan pour qu'il parvienne à dire la vérité.

« Et maintenant ?

— Normalement, l'étape suivante, c'est la sélection du jury.

— Déjà ? »

C'était beaucoup plus rapide que prévu.

« La sélection devrait avoir lieu en mars. Mais la défense va certainement déposer une motion pour qu'elle soit repoussée. Le prochain rendez-vous au tribunal concernera simplement le calendrier. Le juge décidera des dossiers à traiter le mois prochain… Tout est possible, reprit-elle après un silence. Mais préparez-vous quand même à ce que ça traîne. D'accord ?

— D'accord. »

Ils raccrochèrent. Nick réfléchit. Anne Marie lui avait laissé son bureau pour qu'il puisse parler tranquillement. Il aurait voulu s'épargner la suite : prévenir sa famille que les négociations avaient échoué. Il avait envie d'aller se coucher. Mais tout le monde attendait de ses nouvelles. Et se réfugier dans le sommeil ne ferait pas disparaître le procès.

Nick passa la tête par la porte. Anne Marie discutait avec Kedar un peu plus loin.

« Oui ? fit-elle lorsqu'elle le vit.

— Est-ce que vous pourriez me trouver le numéro de ma belle-sœur ? »

Il n'avait pas le droit d'avoir son téléphone sur lui pendant la majeure partie de la journée, et il ne connaissait pas le numéro de portable de Julia par cœur. C'est elle qu'il appellerait. Il lui demanderait d'annoncer la nouvelle à Tony et à ses parents. C'était plus facile de passer par elle.

60

Julia Hall, 2016

Assis par terre, Julia et les enfants faisaient un puzzle de la Pat'Patrouille sur la table basse quand son téléphone vibra. C'était Nick. Elle se leva en grognant.

« Salut. Un instant. »

Elle sortit de la pièce et monta rapidement l'escalier.

« Il n'y a pas d'accord.

— Merde. Ça craint, laissa-t-elle échapper – et elle le pensait plus que Nick ne pouvait l'imaginer.

— Tu l'as dit. »

Elle ferma la porte de son bureau, consulta ses notes.

« Comment ça va ?

— Ça va, même si je suis déçu, évidemment. Ça t'embêterait de l'annoncer à Tony ?

— Bien sûr que non. »

S'il n'y avait pas d'accord, Tony allait mettre son plan à exécution.

« Au fait, pendant que j'y pense. Il va venir te voir.

— Ah bon. Quand ?

— Vendredi. Il a prévu de te rendre visite vendredi.
— D'accord. Tu sais pourquoi ? »
Elle soupira, s'adossa à la porte.
« Je pense que tu lui manques. »

61

Tony Hall, 2016

Tony trouva une épaisse enveloppe dans la boîte aux lettres lorsqu'il arriva à la maison. Elle était au nom de Julia Clark, avec une adresse de retour dans le Michigan. De la publicité, aurait-il supposé, si elle n'avait pas été écrite à la main.

Il entendit Julia descendre l'escalier alors que les enfants se jetaient sur lui dans la cuisine.

« Quelqu'un qui ignore que tu es mariée », déclara-t-il en lui tendant le paquet.

Julia regarda l'enveloppe et sourit.

« Elle le sait très bien. Mais elle ne respecte pas le fait que j'aie changé de nom.

— Sérieusement ?

— Oui, répondit-elle en levant les yeux au ciel.

— C'est qui ?

— Une femme qui m'aide avec mon rapport. »

Elle repartit en direction de l'escalier, puis s'arrêta.

« Avant que j'oublie : Nick veut te voir vendredi. »

Tony fronça les sourcils.

« Ce vendredi ?

— Oui. L'audience a encore été repoussée d'une semaine. Il aimerait te parler avant. »

Tony la rattrapa et ils commencèrent à monter les marches ensemble.

« Ça avait l'air important ?

— Important pour lui, oui.

— Merde », dit Tony doucement.

En haut de l'escalier, Julia leva un doigt et se hâta jusqu'à son bureau pour y poser l'enveloppe. Puis elle le rejoignit dans la chambre.

« Il y a un problème ?

— Non. C'est juste que j'espérais pouvoir lui annoncer une bonne nouvelle lorsque je le verrais.

— La mort de Walker ?

— Chut.

— Arrête. Personne ne m'entend. Tu pensais que tu aurais… réglé la question lorsque tu verrais Nick ?

— Oui.

— Eh bien, Nick veut que tu viennes, et l'audience est la semaine prochaine. Tu dois y aller.

— J'ai compris. »

Julia croisa les bras.

« Si les négociations n'aboutissent pas, tu comptes le faire quand ?

— Tu veux bien arrêter ?

— Oui, si tu me donnes un minimum d'info. N'importe quoi. Dis-moi quand. Je ne te demande pas une date précise. Simplement l'heure… »

62

Raymond Walker, 2016

Le 15 janvier 2016, à 18 heures, Raymond Walker descendit au rez-de-chaussée enveloppé dans un peignoir. Il frotta son menton mal rasé et se demanda machinalement pourquoi le salon était éteint. Il actionna l'interrupteur à droite en bas des marches. Une lampe s'éclaira dans la pièce. Il crut voir la silhouette d'un homme dans la pénombre de la cuisine, exactement comme on apercevrait du coin de l'œil la forme floue d'une araignée sur le mur, inopportune et menaçante.

63

John Rice, 2016

Le 16 janvier 2016, Rice tapait un rapport sur son ordinateur, lorsque la réceptionniste l'appela.

« Inspecteur, j'ai une certaine Darlene Walker au téléphone. C'est au sujet de son fils, Ray Walker. Je me suis dit que Megan ou vous souhaiteriez lui parler ?

— Oui, passez-la-moi. »

Elle le mit en relation avec la femme.

« Allô ? Inspecteur John Rice à l'appareil.

— Oui, bonjour, monsieur Rice, inspecteur, c'est Darlene Walker. J'appelle au sujet de mon fils, Raymond, dit-elle, fébrile.

— Je vous écoute.

— Quelque chose lui est arrivé. Il faut envoyer quelqu'un chez lui sur-le-champ. »

Rice se redressa sur son siège.

« Que lui est-il arrivé ?

— Je n'en sais rien, mais je ne le trouve nulle part ! Je suis chez lui, j'ai la clé et je suis entrée car il ne répondait pas. Il était censé passer me prendre.

On devait déjeuner ensemble. Mais il n'est pas venu, n'a pas téléphoné et n'a pas décroché quand j'ai appelé.

— Madame, est-ce que vous pourriez répéter plus lentement ? Vous…

— Non, c'est à vous d'accélérer. Vous n'avez pas le droit de le traiter différemment sous prétexte que vous avez décidé qu'il était coupable. De toute façon, la vérité éclatera au tribunal, je n'ai aucune inquiétude. J'ai alerté la police de mon domicile, mais on m'a dit que je devais appeler le commissariat de la ville de Raymond, même s'il y a clairement un conflit d'intérêts.

— D'accord, madame. Madame… »

Rice attendit qu'elle reprenne son souffle.

« J'arrive. »

L'inspecteur se gara devant la petite maison grise située au 47. C'était donc ici que vivait Raymond Walker. La police n'avait pas demandé de perquisition. Seulement un prélèvement d'ADN qui bien sûr correspondait à celui recueilli sur la victime. On avait aussi fouillé son véhicule, qui avait été remorqué du poste après son arrestation. Mais on n'avait rien trouvé de probant.

Rice vit une lumière à l'intérieur alors qu'il se dirigeait vers le côté de la maison : le perron à l'avant n'avait pas été déblayé et l'allée avait totalement disparu sous la neige. La voiture de Walker se trouvait devant le garage.

Il n'avait pas atteint la porte qu'elle s'ouvrit sur une femme ridée d'un âge incertain. Elle frissonnait déjà dans le froid.

« C'est vous, l'inspecteur à qui j'ai parlé ?

— Oui, dit-il en lui tendant une main gantée. Je peux entrer ?

— Je ne consens pas à une perquisition. »

Elle pinça les lèvres et lui lança un regard auquel il était habitué : encore une qui se prenait pour une prof de droit.

« C'est compris. Mais on gèle dehors », dit-il en souriant.

Darlene Walker rentra et il la suivit.

La pièce qui servait de vestiaire était petite, mais bien organisée. De hautes étagères avec des chaussures et une boîte d'écharpes, une série de patères où étaient accrochés de gros manteaux. Les bottillons de Rice couinèrent sur le sol alors qu'ils se dirigeaient vers la cuisine.

« Madame Walker, vous m'avez dit au téléphone que vous n'aviez pas pu joindre votre fils et que vous étiez censée le voir aujourd'hui.

— Oui, je devais…

— Pardon de vous interrompre, mais je dois vous poser quelques questions. Quand avez-vous parlé à Ray pour la dernière fois ?

— Vendredi matin au téléphone.

— Vendredi hier, ou vendredi la semaine dernière ?

— Hier. »

Il nota *vendredi 15 janvier* sur son calepin.

« On a décidé *hier* de déjeuner ensemble *aujourd'hui*. Il devait passer me chercher.

— Et il n'est pas venu ?

— Non.

— Est-ce que vous avez votre téléphone sur vous ? »

Elle plissa les yeux, soupçonneuse, comme si elle craignait qu'il le lui arrache.

« Pourquoi ?
— J'aurais besoin d'heures précises, si possible. L'heure à laquelle vous lui avez parlé hier, et l'heure de votre appel aujourd'hui. »

Elle sortit son portable de son sac qui était posé sur le plan de travail.

« Il était 10 h 16 quand on s'est parlé hier.
— Le matin ? fit Rice en écrivant.
— Oui », répondit-elle, comme s'il était idiot.

Ça semblait peut-être évident, mais les gens n'arrêtaient pas de passer du coq à l'âne, dans ce genre de circonstances. Mieux valait s'assurer qu'il n'y avait pas de malentendu et tout noter, pour ne pas regretter plus tard d'avoir manqué de rigueur.

« Et aucunes nouvelles depuis ?
— Non. J'ai appelé, mais il n'a pas répondu.
— Quand avez-vous essayé ?
— Hier soir, je lui ai envoyé un SMS à propos d'autre chose, et ce matin je lui ai écrit au sujet du déjeuner.
— À quelle heure ? »

Elle soupira.

« Hier soir, il était 20 h 27. Ce matin, à 11 h 15, je lui ai demandé à quelle heure il serait chez moi. Pas de nouvelles. Alors, j'ai essayé de téléphoner.
— Bien. Est-ce qu'il vous répond immédiatement, d'habitude ? Ma fille n'est pas toujours très réactive quand je lui envoie un message.
— Lui non plus.
— Il était censé vous prendre à quelle heure, aujourd'hui ?
— Vers midi.
— Vous l'avez appelé combien de fois, ce matin ? »

Là, c'était surtout par curiosité.

Elle jeta un coup d'œil à son téléphone.

« Treize. »

Il n'était pas très étonné.

« Et il était quelle heure quand vous êtes arrivée chez lui ?

— Je ne peux pas conduire en ce moment, donc j'ai appelé un taxi à midi et demi. J'étais ici avant 13 heures, dit-elle, consultant toujours son téléphone.

— Pourquoi est-ce que vous ne conduisez pas ?

— C'est personnel, répondit-elle laconiquement, relevant la tête.

— OK, dit Rice avec un sourire en coin. Maintenant, voulez-vous faire le tour de la maison avec moi ? »

Son visage se fit de nouveau soupçonneux.

« J'ai dit que je ne consentais pas à une perquisition. Il ne manque rien chez lui, tout est à sa place.

— Je n'ai pas besoin d'ouvrir les tiroirs ni de toucher à son ordinateur. »

Chaque chose en son temps, pensa-t-il avec une satisfaction dont il n'était pas très fier.

« C'est mon travail, reprit-il. Je verrai peut-être quelque chose qui vous a échappé. Si vous croyez réellement qu'il lui est arrivé quelque chose. »

Elle le dévisagea. Elle avait l'air au bord des larmes et, pendant un instant, il eut pitié d'elle. Elle ne savait pas quoi faire, ignorait si elle pouvait lui faire confiance. Elle avait peut-être sa part de responsabilité dans ce qu'était devenu Ray, mais il n'en demeurait pas moins son fils et Rice ne pouvait pas s'empêcher de la plaindre.

Il fit appel à cet élan de compassion réel pour adoucir son expression.

« Je vous donne ma parole, dit-il. Je n'essaie pas de vous manipuler. »

Darlene lui fit visiter la maison. Le rez-de-chaussée était un vaste espace sans cloison, tout en longueur. La cuisine s'ouvrait sur le salon, et le coin salle à manger était prolongé par une véranda qui avait été isolée. Il y avait aussi une salle de bains, une chambre d'ami et deux grands placards. Tout était propre et rangé. Aucune trace de bagarre ni de départ précipité.

Ensuite, ils montèrent au premier où se trouvaient la chambre principale et une salle de bains. C'était plus petit qu'au rez-de-chaussée, mais la pièce était spacieuse. Elle occupait tout l'étage. Il ne remarqua rien d'anormal non plus.

À la demande de Rice, Darlene ouvrit le placard pour lui montrer la valise de son fils. Le policier remarqua un sac de sport dans un coin, à côté du panier à linge.

« Est-ce qu'il a d'autres sacs ?

— Non. Je lui ai offert la valise il y a deux ans pour son anniversaire. Il voulait se débarrasser de l'ancienne – elle avait une roulette cassée ou elle grinçait, je ne sais plus. Je crois qu'elle ne roulait plus. En tout cas, c'est la seule. Celle que je lui ai achetée. »

Elle avait répondu un peu à côté, en donnant plus de détails que nécessaire, mais était-ce suspect pour autant ? À bien l'écouter, c'était sa manière de parler en général.

Darlene Walker se tenait devant le lit de son fils, les bras croisés, se balançant d'avant en arrière.

« Alors, vous me croyez, maintenant ? »

Elle affichait une étrange jubilation. Mais était-ce parce qu'elle pensait l'avoir dupé ou parce qu'elle était de ceux qui se réjouissaient quand les événements leur donnaient raison, même s'il s'agissait de la disparition de son propre fils ?

Rice pénétra dans la salle de bains. Il y avait une brosse à dents sur le lavabo. Darlene attendait sur le seuil, les sourcils haussés, comme pour dire : « Eh bien ? »

« Est-ce qu'il a mentionné un éventuel déplacement ?

— Il obéissait à toutes vos petites règles.

— Est-ce que quelqu'un d'autre pourrait savoir où il se trouve ? Son avocate ? »

Elle laissa échapper un rire bref qui ressemblait à une toux.

« C'est la dernière personne à qui il se serait confié.

— Pourquoi ?

— Elle fait partie de cette mascarade. Comme vous. Mais vous, au moins, vous ne prétendez pas être du côté de Ray. »

Il songea à l'appel de Britny Cressey. Walker se disputait avec son avocate et se plaignait de sa défense. Peut-être s'était-il enfui. Dans ce cas, il n'y avait pas un instant à perdre. Il devait mettre des scellés sur la maison et appeler une équipe scientifique. Et Darlene devait quitter les lieux.

« Descendons. Il faut que je passe un coup de téléphone. »

Il fit signe à Darlene de le précéder.

« Qu'est-ce que vous allez faire ?

— Essayer de retrouver votre fils. »

Il lui indiqua encore l'escalier.

« Et vous allez interroger tous ceux qui l'ont menacé en ligne, dans les journaux, à la radio, tous les vrais délinquants sexuels qui habitent dans le coin, et ce garçon qui a menti sur le viol ?

— Nous ne négligerons aucune piste. Maintenant, vous devez partir.

— Je vais attendre, au cas où il rentrerait. »

Rice fit un pas vers elle, la dominant de toute sa hauteur. Elle sentait le tabac froid.

« Non, madame Walker. Vous ne pouvez pas rester ici.

— Inspecteur, vous pouvez aller vous faire cuire un œuf. »

Darlene, qui n'était pas à une absurdité près, dessina des guillemets avec ses doigts en prononçant le mot « inspecteur ». Elle se dirigea vers le lit de son fils, le corps agité d'étranges soubresauts, et elle se laissa tomber dessus.

« Tout ça, c'est un prétexte pour fouiller sa maison. C'est illégal et je vais appeler votre supérieur.

— Ne vous gênez pas, surtout, mais vous allez quand même vous lever de ce lit et quitter les lieux immédiatement, ou je vais devoir vous arrêter pour entrave à la justice. »

Il n'avait pas le temps de prendre de gants. Si Raymond Walker s'était enfui, chaque minute comptait. Et sinon…

Les yeux de Darlene étaient brûlants de haine.

« Vous voulez attendre Ray, très bien. Ce sera chez vous ou en cellule. »

Elle se leva d'un bond et, la voix rauque de larmes, le menaça pêle-mêle de prendre un avocat, de poursuivre en justice la police locale et de lui faire retirer sa plaque, avant de sortir de la chambre avec perte et fracas.

Rice arriva en bas au moment où elle partait. Elle tenait son manteau dans une main et son sac dans l'autre. Elle l'agita en direction de Rice.

« Vous traitez mon fils comme un criminel ! » vociféra-t-elle, avant de claquer la porte derrière elle.

L'inspecteur ferma à clé. De la fenêtre de la cuisine, il la vit fouiller dans son sac. Au bout de l'allée, elle se retourna, une cigarette entre les lèvres. Elle fronça les sourcils, le visage amer, dit quelque chose, puis s'éloigna en pianotant sur son téléphone. Il avait oublié qu'elle n'avait pas de voiture. Ma foi, il y avait une station-service et un café sur la route principale, elle pourrait attendre son taxi là-bas. Il avait mal au cœur. Était-ce à cause de Darlene ? Non, c'était cette maison. Il s'était passé quelque chose. Ray avait peut-être pris la fuite, mais il paraissait trop arrogant pour faire une chose pareille. D'autant plus qu'il semblait n'avoir rien emporté.

Et bien sûr il y avait le problème de la menace. Quelqu'un qui avait toutes les raisons de haïr Walker était venu ici et l'avait menacé de mort. Ça n'avait pas l'air d'être le genre de Tony Hall, mais, quand on y réfléchissait, ce n'était jamais vraiment le genre de personne.

64

Julia Hall, 2016

Le dimanche, l'inspecteur Rice débarqua sans prévenir. Cela n'avait sans doute rien d'exceptionnel. Mais là, Julia avait l'impression que c'était différent. La police avait dû découvrir la disparition de Walker. Il ne voulait pas leur laisser le temps de se concerter.

Ils venaient de terminer leur petit déjeuner. Julia et Tony n'avaient pas dormi de la nuit de vendredi à samedi, et le lendemain elle avait passé la journée à guetter son téléphone, sursautant chaque fois qu'il vibrait. Tony la suppliait d'essayer de se détendre, en vain. Enfin, le dimanche, l'inspecteur se présenta à leur porte.

Il refusa le café que lui proposait Julia tandis qu'il retirait ses lourds godillots d'hiver. Tony prit son manteau et demanda aux enfants de monter lire dans leur chambre. Ils s'assirent tous les trois dans le salon : les Hall sur le canapé, Rice sur un fauteuil à côté d'eux.

Il paraissait réfléchir. Puis il sortit un petit magnétophone argenté de la poche de son pantalon.

« Ray Walker a disparu. »

La brusquerie de l'annonce surprit Julia et elle espérait que son étonnement était visible. Elle échangea un regard avec Tony.

« Quoi ? » s'écria-t-elle en même temps qu'il demandait : « Disparu ? Comment ça ?

— Disparu tout court, répondit Rice, les observant sans chercher à le cacher. Je dois vous poser quelques questions et j'aimerais vous enregistrer.

— Très bien », dit Tony.

Le policier mit l'appareil en marche et le laissa sur la table basse.

« Comme je vous le disais, Ray Walker a disparu. Je voudrais savoir où vous étiez et ce que vous avez fait vendredi et samedi. Cette semaine, hier et avant-hier. »

Julia regarda son mari. Ils étaient tous les trois conscients que le « vous » de l'inspecteur s'adressait en réalité à Tony.

« Hum, fit celui-ci en secouant la tête. Vendredi, je suis parti du cabinet un peu plus tôt pour aller voir Nick à Goodspring, et hier, nous avons passé la journée en famille, à la maison. On a juste fait un saut à la bibliothèque dans l'après-midi.

— À quelle heure étiez-vous au travail, vendredi ?

— De 8 à 14 heures environ », dit-il, regardant Julia, qui acquiesça du menton.

Elle eut une décharge d'adrénaline – l'avait-il vue hocher la tête ? Avaient-ils l'air d'avoir répété ?

« Et à Goodspring ? »

Elle sentit un bourdonnement dans ses veines.

« De 16 à 20 heures passées, 20 h 10, peut-être.

— Et ensuite ?

— Je suis rentré à la maison. Il était un peu plus de 22 heures, c'est ça ? » demanda-t-il, se tournant vers sa femme.

Elle s'éclaircit la gorge. Son visage était comme engourdi.

« Oui, un peu après 22 heures. »

L'inspecteur se tourna vers elle, et par miracle elle parvint à soutenir son regard. Il hocha la tête et prit quelques notes.

« En ce qui concerne samedi…

— Vous vous êtes arrêté quelque part sur le trajet de retour ? l'interrompit Rice.

— Non. Non, je suis parti vers 20 heures et je suis rentré directement. Il y a environ deux heures de route.

— Goodspring tient un registre des entrées et sorties des visiteurs ? »

Tony hésita.

« Oui.

— Même chose au travail ? »

Tony ne répondit pas. Il regardait fixement la table. Julia posa une main sur sa cuisse.

« Chéri ?

— Pardon. Vous disiez ?

— Est-ce que vous pouvez prouver que vous étiez au travail ?

— Je ne pointe pas ni rien, mais je suis sûr que la réceptionniste pourrait confirmer que j'étais au bureau jusqu'à 14 heures. Elle tient nos emplois du temps à jour.

— Et hier, c'était seulement vous deux et les enfants toute la journée ? »

Le policier avait levé le regard vers le plafond et Julia se demanda un instant s'il allait exiger de les interroger.

« Ils ont dormi chez ma mère le vendredi, dit-elle. Elle les a ramenés samedi matin, je ne sais plus à quelle heure.

— Vers 9 ou 10 heures », intervint Tony.

Ils savaient tous les deux qu'il était 9 h 17 – ils avaient les yeux rivés sur la pendule, mais trop de précision paraîtrait louche.

« Il ne faut pas que ce soit parfait », avait murmuré Julia, pendant les heures brumeuses entre le vendredi et le samedi. Ils étaient couchés, son tee-shirt trempé des larmes de Tony, qui avait la tête sur sa poitrine. La voix de Julia était très calme. « Ils vont nous interroger parce qu'ils savent que tu l'as menacé. Mais tu as Goodspring. »

Il avait opiné.

« Ils vérifieront que tu étais bien avec Nick, mais avant ils vont nous interroger. Il ne faut pas qu'on ait l'air trop préparés. Il faut qu'on hésite, mais seulement sur les détails. »

L'inspecteur Rice entourait quelque chose sur son calepin. Peut-être appellerait-il Cynthia pour s'assurer que Tony était bien à la maison quand elle avait ramené les enfants le samedi matin. La police ne savait pas encore que Walker avait disparu bien avant. Julia redressa le dos pour dissimuler le frisson qui remontait le long de sa colonne vertébrale.

Tout irait bien. Le registre des visiteurs à Goodspring confirmerait que Tony était là-bas de 14 heures à 20 heures. Il y avait les deux heures de trajet entre la clinique et Orange. Pour l'instant, Julia était la seule à pouvoir témoigner que Tony se trouvait avec elle le vendredi soir et le samedi matin. C'était loin d'être idéal : on la soupçonnerait de mentir pour le protéger. Mais la police finirait par établir qu'il avait un alibi au moment crucial.

« Julia, dit l'inspecteur, se tournant vers elle. Vous étiez à la maison quand Tony est rentré, vendredi soir ?

— Oui. »

Et c'était la vérité. Elle était assise dans la salle à manger, la télévision braillant à côté. Elle l'attendait. Elle sentit son cœur se soulever rien qu'en songeant à l'envie de vomir qui l'avait prise alors.

« Est-ce que vous vous souvenez de l'heure qu'il était ?

— Il était à peine plus de 22 heures. »

Les yeux du policier étaient fixés sur elle. Devait-elle développer ?

« Je m'en souviens, parce que je regardais le câble. Et une série venait de commencer, donc il devait être 22 h 03, quelque chose comme ça. Je l'attendais. Je voulais savoir comment ça s'était passé avec Nick. »

Tony prit sa main et la serra. Elle parlait trop.

« Et entre ce moment et le retour des enfants le lendemain, est-ce que l'un de vous est sorti ?

— Non, répondit-elle. On a parlé de Nick et on est allés se coucher. »

Rice récupéra l'enregistreur sur la table et l'arrêta. Il le fit disparaître dans sa poche avec son calepin et son stylo.

Elle le raccompagna à la porte, où il remit ses gros souliers et son manteau. Alors qu'elle le regardait s'éloigner, elle se fit la réflexion qu'il ne les avait pas séparés. Il les avait interrogés tous les deux, la laissant entendre les réponses de Tony et lui demandant simplement de les confirmer. Et il n'avait posé aucune question sur elle.

Il les pensait innocents. Ou alors il avait envie qu'ils le soient.

65

Tony Hall, 2016

Julia raccompagna le policier. Du canapé, Tony le regarda se rechausser.

Pars, pars, pars, pars, PARS – le mot remplissait sa bouche, poussait contre ses dents tellement il avait envie de hurler.

La porte se referma.

« Merde, merde, merde.

— Chut, siffla Julia de l'entrée. Plus bas.

— Quelle différence ça fait ? Plus rien n'a d'importance. »

Elle apparut sur le seuil du salon.

« Qu'est-ce que tu racontes ? »

Tony bredouillait, le souffle brûlant.

« J'ai tout foiré.

— Tu n'as rien foiré du tout. Tu as été parfait. Ressaisis-toi. Respire.

— Non, j'ai tout foiré vendredi.

— Comment ça ? »

Il traversa la salle à manger, se cogna contre une chaise.

« S'ils le croient mort, c'est fichu. Ils vont m'arrêter. »

Julia le suivit dans la cuisine.

« Calme-toi. Je ne comprends rien à ce que tu dis. »

Il grogna, passa les doigts dans ses cheveux.

« À quoi bon avoir un alibi s'il n'y a pas l'horaire qui va avec ? »

Il y eut une cavalcade dans l'escalier. Les enfants se disputaient au sujet du film qu'ils voulaient regarder.

La voix de Julia était basse, mais aussi précise qu'un laser.

« Comment ça ?

— À Goodspring, murmura Tony, alors que les enfants se précipitaient dans le couloir. J'ai oublié de signer en partant. »

66

John Rice, 2016

En sortant de chez les Hall, Rice appela Tanya Smith, la technicienne en chef de la police scientifique, pour savoir ce qu'avait donné la perquisition au domicile de Raymond Walker.

Elle fumait un paquet de Marlboro light par jour rien qu'au travail, et ça s'entendait à sa voix.

« On a un portable. O'Malley va demander une commission rogatoire, mais ça ne nous avancera pas à grand-chose. C'est un iPhone. Il doit y avoir un mot de passe. À moins que ce soit la date de naissance de sa mère, je doute qu'on parvienne à le craquer. »

Rice grogna. Avec les smartphones était apparu un monde de nouvelles preuves. Mais encore fallait-il pouvoir y accéder. Apple refusait catégoriquement d'aider les autorités à contourner le code de verrouillage de ses appareils, ordre de la justice ou non. Le téléphone pouvait servir à filmer de la pornographie enfantine, rien n'y faisait. C'était une impasse.

« Pour l'instant, on n'a fait que le rez-de-chaussée. Williams a recueilli des empreintes. Côté fluides corporels, on sèche. »

Elle gloussa de sa propre blague que Rice avait déjà entendue au moins deux fois.

Il coupa court. Il voulait appeler Goodspring.

« Merci, Tanya. »

Il y eut le grattement d'un briquet à l'autre bout du fil. La femme reprit la parole, cigarette à la bouche.

« Est-ce que j'ai dit que j'avais terminé ? »

Elle laissa échapper un ricanement de sorcière. Telle qu'il la connaissait, elle devait se trouver dans la rue, assez loin de la maison.

« C'est peut-être une fausse piste, mais Basak a interrogé les voisins. La femme d'à côté affirme avoir vu deux hommes marcher dans la rue, vendredi soir.

— Ah ? fit Rice, soudain intéressé.

— Oui. Ils sont passés devant chez elle aux alentours de 19 h 30. Ils s'éloignaient de chez Walker.

— Elle peut les décrire ?

— Taille et carrure moyennes. L'un un peu plus costaud que l'autre. Mais elle n'a pu distinguer ni la couleur de peau, ni les cheveux, ni rien. Il faisait nuit et elle n'y a pas spécialement prêté attention.

— Et elle pense qu'il était 19 h 30 ?

— C'est ce qu'elle a dit. »

Le temps de raccrocher, Rice était garé devant un Dunkin' Donuts. Il appela Megan O'Malley et tomba sur sa messagerie. Une minute plus tard, il recevait un SMS.

Je te rappelle.

Il s'engagea dans le drive-in et commanda un petit café avec deux doses de lait et deux sucres.

La veille, Megan O'Malley avait envoyé la description et la photo de Ray Walker à toutes les sociétés de taxis de Nouvelle-Angleterre, aux gares routières et ferroviaires, ainsi qu'aux aéroports. À présent, elle appelait tout le monde. C'était l'hypothèse la plus simple : Walker avait paniqué et il avait pris la poudre d'escampette. Jusque-là, pourtant, il n'avait pas l'air de mesurer la gravité de la situation. Il exhibait son assurance partout où on lui offrait une tribune : dans les journaux, à la radio, sur les réseaux sociaux. Dans le dernier article que Rice avait lu sur l'affaire, il y avait une semaine ou deux, son avocate semblait d'humeur combative. Mais à en croire Britny Cressey, ce n'était qu'une confiance de façade. Pour faire ce que Walker avait fait à Nick Hall, il fallait être bon comédien, après tout. Ses constantes protestations d'innocence n'étaient peut-être qu'un écran de fumée. Si sa fuite était prévue depuis longtemps, Rice comprenait mieux pourquoi il avait signalé les menaces de Tony Hall mais refusé de porter plainte. Une manière de brouiller les pistes.

Un garçon dégingandé tendit à Rice son café par la fenêtre. Il fit le tour du bâtiment pour se garer sur le parking.

Deux hommes, l'un des deux un peu plus costaud que l'autre. Ça pourrait être deux frères.

Mais les hommes avaient été vus à 19 h 30. Tony Hall ne pouvait pas être à Salisbury, s'il était réellement à Goodspring de 16 à 20 heures. Même si la voisine ne se souvenait pas de l'heure exacte, il y avait deux heures de route entre la maison de repos et Salisbury. Rice trouva le numéro de la clinique en ligne, et il appela avec un pincement au cœur.

L'homme qui décrocha n'était pas de garde vendredi, mais il pouvait consulter le registre des visiteurs.

« J'ai un Tony Hall le 15 janvier, arrivée à 16 heures tapantes.

— Et l'heure de départ ?

— Je ne l'ai pas.

— Il n'a pas signé ?

— Non.

— Donc vous n'avez aucun moyen de savoir à quelle heure il est parti ? »

Un joli petit alibi qui partait en fumée.

« Il faudrait demander à la personne qui se trouvait à l'accueil. Je crois que c'était Ida, je vais vérifier. Vous pouvez aussi interroger le patient qu'il est venu voir. Si vous savez qui c'est, car je ne peux pas vous communiquer…

— C'est normal que l'heure de départ n'ait pas été remplie ?

— Oui. En tout cas, ce n'est pas anormal. Je demande aux visiteurs de signer en partant. À la fin de la journée, je pointe la liste pour m'assurer qu'il n'y a plus personne. Mais les gens oublient souvent. Je le leur rappelle si je les vois passer. C'est seulement pour les archives et la sécurité, histoire de savoir qui est dans l'établissement.

— Est-ce qu'un visiteur pourrait filer en douce ?

— Tout est possible, mais je ne bouge pas de l'accueil, sauf pour aller aux toilettes. Et s'il est venu en voiture, il a besoin de ses clés.

— Vous gardez les clés ?

— Oui. »

Rice demanda à l'homme de vérifier qui travaillait vendredi. Est-ce que la personne pourrait le rappeler sur son portable ? Puis il s'enquit de la caméra de sécurité à l'entrée, mais on lui dit qu'il devrait réessayer dans la semaine pour parler au responsable.

Rice raccrocha et prit une gorgée de café. Dans un premier temps, l'alibi de Tony lui avait paru un peu trop commode pour être honnête, mais il s'avérait qu'il était loin d'être parfait. S'ils découvraient que Walker s'était simplement enfui, peu importait que Tony ait signé ou non. En revanche, si on retrouvait le cadavre de Walker dans la forêt, il ferait un suspect idéal. Il posa le gobelet. Ce café lui donnait des crampes d'estomac. Il n'avait pas à se préoccuper des conséquences pour les Hall, Julia, les enfants, Nick. C'était le boulot de la justice : décider du sort d'un père de famille qui avait pété les plombs et commis un acte monstrueux, mais dans une certaine mesure compréhensible. Ça ne regardait pas Rice. C'était le problème du juge et, au bout du compte, de Dieu. Son travail à lui était plus simple. On ne lui demandait pas de peser le bien et le mal. On lui demandait de découvrir la vérité, point.

67

Julia Hall, 2016

Julia bondit sur ses pieds, avant de reconnaître la sonnerie de son téléphone. Elle sentit une remontée de bile dans sa gorge au même moment. Sa main s'abattit sur le portable devant elle. *S'il vous plaît. N'importe qui mais pas…*

C'était Nick.

« Tony est là ?

— Non. »

Elle passa dans la cuisine. Tony était en haut. Il prenait une douche froide, s'efforçant de se calmer après la visite de l'inspecteur. Elle ne voulait pas qu'il l'entende au téléphone en sortant de la salle de bains. Cela ne parviendrait qu'à aggraver son stress.

« Tout va bien ? »

Non, pensa-t-elle, entrant dans le petit vestiaire attenant.

« Pourquoi ? Quelqu'un t'a appelé ?

— J'ai essayé Tony, mais il ne répondait pas. Il est où ?

— Nick. Dis-moi pourquoi tu poses la question.

— Le type de l'accueil prétend qu'un policier a téléphoné au sujet de Tony. »

Julia donna un coup de pied dans les chaussures des enfants au milieu du passage, alors qu'elle faisait les cent pas.

« Tu lui as parlé ?

— Au policier ?

— Oui.

— Non. Pourquoi ? Il va m'appeler ? Qu'est-ce qui se passe ? »

Elle n'avait aucune raison de lui cacher la nouvelle. Ça semblerait bizarre si l'inspecteur interrogeait Nick et apprenait que le jeune homme avait eu Julia au téléphone et que celle-ci n'avait rien dit.

« Est-ce que ça a un rapport avec *lui* ? Il a fait quelque chose ? »

C'était un « lui » réservé à Raymond Walker.

« Peut-être, dit-elle, poussant une autre chaussure contre le mur avec son pied droit. Il a disparu.

— Disparu ? répéta Nick d'une voix blanche.

— Oui. L'inspecteur Rice est passé à la maison. On ignore où il se trouve. »

Il ne répondit pas tout de suite.

« Tony t'a dit de quoi on a discuté ? »

Oui. Il lui avait tout raconté. Mais trop tard pour qu'elle puisse faire quoi que ce soit.

« Je ne sais pas si on devrait en parler maintenant. »

Il était peu probable que la clinique enregistre les conversations de ses patients, mais autant ne pas prendre de risque inutile. Malgré tout, il y avait quand même une chose qu'elle devait lui dire. Elle se rendait compte que ce n'était pas juste d'attendre quoi que ce soit de lui. Pas après tout ce qu'il avait vécu. Mais elle voulait être sûre qu'il donnerait la bonne réponse si on l'interrogeait.

« La police va peut-être te contacter. Pour te demander à quelle heure Tony est parti de Goodspring, vendredi. Ils vérifient son emploi du temps, manifestement, parce que, tu sais… Mais comme il l'a déjà expliqué à l'inspecteur, il était avec toi jusqu'à 20 heures passées. »

Il y eut un blanc.

« Oui, oui.

— Apparemment, il n'a pas signé le registre des visiteurs en partant. On risque de t'interroger.

— D'accord, je le leur dirai. »

Julia s'adossa au mur mitoyen de la cuisine. Il était frais. Elle aurait donné n'importe quoi pour pouvoir raccrocher maintenant. Pour pouvoir aller courir dans le champ derrière la maison et hurler à pleins poumons. Pour se laisser tomber par terre au milieu des chaussures. Pour pleurer. Pourquoi ne pouvait-elle pas pleurer ? Son ventre était rempli d'eau salée – de toutes les larmes qu'elle avait ravalées ce week-end. Tony et elle avaient toujours su trouver un équilibre. Quand l'un des deux était abattu, l'autre était gonflé à bloc. Tony était en train de sombrer, alors, c'était à elle d'être forte. Elle ne se forçait même pas. Ça se faisait tout seul. Elle n'en avait pas envie, pourtant. Elle voulait hurler, pleurer et partir en courant. Elle voulait expulser tout ce qu'elle avait à l'intérieur.

« Quel bordel, dit-elle.

— Qu'est-ce que je dois faire ? »

Bonne question. Qu'était-il censé faire ? De quel droit pouvaient-ils lui imposer ce nouveau fardeau ? Il était en convalescence ! Il avait tenté de se suicider avec des antidépresseurs. Il se mutilait. Garder un secret avait manqué de le tuer. Et ça, maintenant ?

Puis elle pensa à ce que Tony lui avait rapporté de sa conversation avec Nick. Les derniers mots qu'ils avaient échangés avant qu'il ne prenne le volant. Nick en avait assez d'être couvé. Il en avait assez de voir tout le monde le ménager et le traiter comme si le viol prouvait qu'il était faible. Tout compte fait, elle savait peut-être comment il pourrait supporter un secret supplémentaire.

« C'est à ton tour de protéger Tony. »

68

John Rice, 2016

Rice se gara devant chez Walker le lundi en fin de matinée. On avait condamné l'allée du garage pour préserver les empreintes. On risquait toujours de contaminer une scène de crime potentielle, quelles que soient les précautions prises. C'est pourquoi les techniciens utilisaient exclusivement le passage menant à l'entrée principale, qui était dépourvu d'empreintes le samedi où Rice avait répondu à l'appel de Darlene Walker.

En début de matinée, Rice et O'Malley s'étaient donné rendez-vous au poste pour établir le programme de la journée. Rice irait retrouver l'équipe qui terminait de passer la maison au peigne fin. O'Malley continuerait d'appeler les gares et les aéroports, insistant pour qu'ils vérifient les caméras de surveillance et les listes de passagers.

Il s'apprêtait à téléphoner à Tanya Smith, lorsqu'elle lui envoya un SMS lui demandant de la rejoindre sur place : il fallait qu'elle lui montre quelque chose. Elle avait un certain goût pour la mise en scène, cependant, elle lui aurait dit de quoi il s'agissait s'il l'avait appelée. Rice avait préféré se rendre directement chez Walker : il n'était pas pressé de savoir ce qu'ils avaient découvert. Et il ne voulait pas admettre qu'il avait passé une nuit blanche à se torturer au sujet de Tony Hall.

Lorsqu'il descendit de voiture, Mike Basak l'attendait sur le seuil. C'était l'agent à qui une voisine avait confié avoir vu deux hommes dans la rue le vendredi. Basak lui adressa un signe.

« J'ai relevé des empreintes de pas dans l'allée du garage et devant la porte de service. Il faudra que je prenne les vôtres, vu que vous êtes venu ici samedi. Walker a pas mal de pompes, à l'intérieur. Il y a des chances que les empreintes soient les siennes, mais on ne sait jamais. »

Il tendit à l'inspecteur une paire de surchaussures pour pénétrer dans la maison.

« Il se pourrait qu'on ait une scène de crime, tout compte fait. Smith vous attend au premier. »

Du haut de l'escalier qui débouchait dans la chambre, il vit Tanya Smith dans la salle de bains. Elle avait masqué la fenêtre au-dessus de la baignoire, plongeant la pièce dans la pénombre.

« Tu voulais me voir ? »

Tanya se redressa et disparut de son champ de vision pour attraper quelque chose.

« Tu devines où je veux en venir », dit-elle, sa voix résonnant sous le haut plafond.

Le cœur de Rice se serra tandis qu'il imaginait une baignoire presque entièrement teintée de bleu par le luminol. Il fit un effort pour parler d'un ton léger.

« Le ménage a été mal fait ?

— Oui », répondit-elle en sortant de la pièce.

Elle tenait un appareil photo dans sa main droite, laissant la lanière pendre. Elle le rejoignit au milieu de la chambre. Ses cheveux dégageaient des relents de tabac froid. Elle toucha l'écran LCD pour lui montrer une vidéo. On voyait la salle de bains dans l'obscurité, avec des traces de luminol qui luisaient sur le rebord de la baignoire, et une tache plus large sur le sol à côté.

« Il y en a assez pour qu'on cherche un cadavre ?

— Non. »

La vidéo montrait à présent les parois de la baignoire. Aucun résidu bleu.

« On a trouvé une serviette souillée de sang dans la poubelle, alors j'ai pulvérisé dans la salle de bains, mais c'est tout ce qui est apparu. Vu la taille de la tache, ce n'est pas une blessure mortelle. C'est surtout l'endroit où elle se trouve : pas vraiment le genre de bobo qu'on se fait en se rasant.

— En effet. »

Rice s'approcha du seuil. La luminescence avait disparu depuis un moment, mais il voulait examiner les lieux. Il y avait une baignoire à pattes de lion à l'ancienne, seule au milieu de la pièce, et une cabine de douche dans le coin à droite. Le lavabo à gauche. Les traces de sang se trouvaient sur le rebord de la baignoire et par terre. Si on se blessait dans la salle de bains, en général, c'était en se rasant, ainsi que l'avait souligné Tanya. On pouvait aussi glisser dans la baignoire et se cogner la tête, mais pas *à côté* de celle-ci.

« Il y a un sous-sol avec un grand évier et un lave-linge-séchoir. J'ai pensé que tu voudrais être là quand j'examinerai les lieux. »

Le téléphone de Rice vibra dans sa poche.

« Bien sûr », lui répondit-il distraitement en le sortant.

Le code régional de Belfast. Il agita l'écran en direction de sa collègue et dit simplement : « Goodspring. »

Il redescendit dans la cuisine pour prendre l'appel.

« C'est Ida, de l'accueil à Goodspring, fit une voix amicale et un peu inquiète. On m'a dit de vous appeler. »

Rice se présenta.

« Vous travailliez vendredi dernier ?

— Oui.

— Un certain Tony Hall est-il venu rendre visite à son frère ?

— Je ne suis pas censée révéler le nom des patients…

— Je voulais juste savoir…

— Mais oui. Tony Hall était là, vendredi.

— D'accord. Il vous a montré une pièce d'identité ?

— Pas la peine. Je l'avais déjà vu. Ce n'est pas le genre de visage qu'on oublie. »

La femme rit nerveusement.

« Il n'est pas désagréable à regarder, admit Rice.

— En effet. Qu'est-ce qui se passe ? Il a des problèmes ?

— Vous rappelez-vous de l'heure à laquelle il a quitté Goodspring, vendredi ?

— Si j'ai bien compris, vous vouliez savoir s'il avait signé en partant. En fait, il est resté si tard que j'avais déjà rangé mes affaires et que j'étais prête à fermer l'accueil. Je pense que c'est pour ça que j'ai oublié de réclamer une signature.

— Il était quelle heure ?

— Les visites se terminent à 20 heures. Ça devait être un peu après.

— Un peu après, c'est-à-dire ?

— Peut-être 20 h 10. »

Donc Tony Hall était bien à Goodspring jusqu'à 20 heures passées. À deux heures de Salisbury. Il avait pu gagner quinze minutes s'il avait roulé pied au plancher, mais guère plus.

« Lui et son... la personne à qui il rendait visite, ils avaient une conversation sérieuse. Je ne voulais pas les brusquer. Mais à la fin, j'ai dû les interrompre.

— De quoi parlaient-ils ?

— Je n'en sais rien. Il se passe quelque chose ?

— Qu'est-ce qui vous fait dire que c'était une conversation sérieuse ? »

Elle réfléchit.

« À cause de leur expression, je suppose. Je pouvais les apercevoir de l'accueil. À un moment, j'ai eu l'impression qu'ils se disputaient.

— Est-ce que vous avez pris les clés de sa voiture, quand il est arrivé ?

— Oui. C'est obligatoire.

— Et vous avez pu le voir pendant toute la durée de sa visite ?

— Les visites ne sont pas... supervisées. Donc je ne les surveillais pas particulièrement.

— Mais les visites ont lieu près de l'accueil ?

— Elles se tiennent généralement dans une salle prévue pour ça. J'en vois une partie de mon bureau. Mais Tony Hall a parlé à un membre de l'équipe soignante, d'abord. »

Rice la remercia et l'invita à le rappeler si elle se souvenait d'un autre détail. On la contacterait peut-être pour lui demander une déposition écrite. Elle semblait déçue de devoir raccrocher si vite. Il avait peut-être mal analysé le ton de sa voix au début. C'était plus de l'excitation que de l'inquiétude. Elle voulait avoir quelque chose d'important à dire. Elle voulait qu'il « se passe quelque chose », pour reprendre ses mots. En tout cas, si Tony Hall se trouvait encore à Goodspring à 20 heures, il ne pouvait pas être l'un des deux hommes dans la rue de Raymond Walker à 19 h 30. Ils n'avaient peut-être aucun lien avec l'affaire, mais c'était une piste. Et le sang dans la salle de bains, que venait-il faire dans tout ça ?

« Smith ! appela-t-il en direction du premier étage. Je suis prêt pour le sous-sol quand tu... »

Son téléphone vibra de nouveau. Il rit tout haut. Décidément.

Le nom de Megan O'Malley était apparu sur l'écran.

« Une minute ! » cria-t-il à Tanya.

Rice se tourna vers le plan de travail de la cuisine.

« On a du sang dans la salle de bains de Walker, et une multitude de questions, dit-il avec gravité.

— Qui devront attendre, répliqua l'inspectrice. Parce que moi, j'ai Walker. »

69

Julia Hall, 2016

Sur le siège arrière, la voix de Seb était étouffée par l'écharpe en coton qu'il mâchonnait.

« On pourra jouer à chat quand on sera à la maison ? »

Julia lui jeta un regard dans le rétroviseur central. Il y avait une tache humide sur le tissu, à l'endroit de sa bouche.

« Il y a trop de neige, dit Chloe, baissant l'écharpe.

— Et alors ?

— Je veux construire une cabane.

— Tu nous aideras, maman ? » fit Seb avec un couinement enthousiaste.

Julia grimaça dans le rétroviseur.

« Je me sens un peu patraque, mon biquet. Je pense qu'il vaut mieux que je reste à l'intérieur.

— Qu'est-ce que tu as ? demanda Chloe.

— J'ai mal à la tête. Je vais ranger les courses et m'allonger un instant. Mais vous pouvez jouer dehors si vous le voulez. »

Elle voulait préserver un semblant de normalité pour les enfants, mais elle se sentait incapable de folâtrer dans la neige aujourd'hui. Elle avait déjà dû se faire violence pour troquer son pyjama contre un pantalon et passer au supermarché avant de les récupérer à l'arrêt de bus.

Julia se gara dans l'allée. Les enfants défirent leur ceinture de sécurité, tandis qu'elle prenait les deux sacs de courses dans le coffre.

Seb fila comme une flèche, mais Chloe s'immobilisa devant le portail.

« Tu veux bien nous regarder ?

— Pas longtemps, alors. »

Chloe sourit et rattrapa son frère. Julia s'arrêta à la barrière et posa les courses dans la neige. La fillette galopait vers la limite du jardin, là où les crocus réapparaissaient chaque printemps. Pour l'instant, ils dormaient, enfouis sous la terre. Julia se rendit compte que, pendant un bref moment, elle avait perdu de vue le printemps. Elle avait oublié que tout, dans une certaine mesure, avait une fin. Même l'hiver impitoyable qui, quelques jours plus tôt, semblait ne jamais devoir s'achever.

Seb essayait de rattraper sa sœur en poussant des glapissements. Leurs empreintes sillonnaient le jardin. Derrière eux, les champs vallonnés d'Orange s'étendaient jusqu'à la ligne des arbres enneigés.

Au printemps, la terre bâillerait et s'étirerait. Alors, tout changerait de nouveau. Presque tout : ce qui était fait ne pouvait être défait.

Complice. Un mot insistant. Le soleil s'était levé ce matin, jaune-blanc et froid. Ils avaient survécu au week-end, et, désormais, elle serait complice jusqu'à la fin de ses jours. Plus jamais elle ne serait une *bonne personne*. Les enfants se laissèrent tomber à genoux et plongèrent les mains dans la neige.

Une pensée la traversa comme une lame tranchant à travers son cerveau. *Complice* était un mensonge. *Complice* était trop passif, trop gentil. Ses oreilles se mirent à siffler, un bourdonnement électronique de plus en plus fort. Le jardin s'obscurcit. Elle s'accrocha au poteau. Le serra de toutes ses forces. Elle ne sentait plus que le bois contre sa paume. Ses genoux fléchirent, mais elle demeura sur ses pieds. Puis le monde retrouva peu à peu sa normalité, redevint lent et chaud autour d'elle. Lorsque sa tête cessa de tourner, elle se redressa et regarda les enfants. Ils n'avaient rien remarqué. Ils amassaient un gros tas de neige.

Son cœur battait à tout rompre, mais elle n'avait plus la nausée et sa vue était nette. Elle lâcha la barrière. Ses enfants ne risquaient rien. Tony ne risquait rien. Ils ne risquaient rien. Ils étaient ensemble. C'était tout ce qui importait. Le reste s'émousserait. Bientôt ce serait le printemps et elle oublierait qui elle avait été pendant l'hiver.

Julia se pencha vers ses sacs de courses. L'un des deux s'était renversé. Elle s'accroupit pour ramasser les oranges et le pain. Au moment où elle se relevait, une voiture de couleur foncée passa devant la maison. Elle rentra sans y prêter attention.

70

John Rice, 2019

« Je sais ce qui s'est passé », avait-il dit. Il avait l'impression que plusieurs minutes s'étaient écoulées, mais c'était sans doute à peine quelques secondes. « Je me suis toujours demandé si vous en étiez consciente. » Plus maintenant, songea-t-il. Le choc sur le visage de Julia était révélateur: elle n'en avait aucune idée. Elle ignorait qu'elle avait fait de lui son complice. Elle était responsable du plus grave péché qu'il avait jamais commis au cours de sa vie, et elle ne le savait même pas. Jusqu'à ce jour.

Sa bouche s'était entrouverte sur une rangée de dents tremblantes.

Que ressentait-elle ? Une petite part de lui voulait la punir, qu'elle se recroqueville sous le poids de ses mots. Par comparaison avec les quatre années qu'il avait passées, quatre années à demander pardon pour un péché mortel, quelques instants de souffrance, ce n'était pas cher payé.

« Assez. »

Sa voix claqua, la faisant sursauter.

« Je veux l'entendre de votre bouche.

— Quoi ? murmura-t-elle.

— Je veux vous l'entendre dire. Dites-moi ce que je sais déjà. Dites-moi ce qui s'est passé le jour de sa disparition. »

QUATRIÈME PARTIE

LA CHANCE

N'essayez pas de faire de la vie un problème mathématique dont vous seriez le centre et dont tous les résultats seraient justes. Même si vous vous comportez bien, des ennuis peuvent toujours vous arriver. Et si vous faites le mal, la chance peut être de votre côté.

Barbara KINGSOLVER, *Les Yeux dans les arbres*
(traduction Guillemette Belleteste, Rivages, 1999)

71

Tony Hall, 2016

Le jour de la disparition de Raymond Walker, Tony Hall arriva à Goodspring à 16 heures. La jolie femme à l'accueil lui sourit lorsqu'il franchit la porte. Elle avait la quarantaine, et des cheveux blonds toujours attachés. Elle avait une drôle de façon de le regarder, comme si elle avait des informations sur Nick et qu'elle voulait qu'il le sache.

« Monsieur Hall, c'est ça ?

— Oui, répondit Tony, tapant des pieds sur le paillasson.

— La thérapeute référente de votre frère m'a prévenue de votre visite. Elle sera présente aujourd'hui.

— Ce n'est pas le cas d'habitude ?

— Oh si, bien sûr. Je voulais dire qu'elle assisterait à votre rendez-vous avec Nick. »

La femme souhaitait clairement qu'il lui demande pourquoi. Mais il se contenta de répondre : « Ah ? Très bien », et posa ses clés de voiture devant elle.

Elle les prit et poussa vers lui le registre des visiteurs. Travailler ici et goûter aux drames des autres lui procurait peut-être un sentiment d'importance.

« Je préviens Anne Marie de votre arrivée. »

Un couple était entré derrière lui et il s'écarta du comptoir. Il attendit, les yeux rivés sur la double porte que la réceptionniste avait indiquée deux fois pendant qu'ils parlaient.

Quelques instants plus tard, une femme apparut. Elle devait avoir l'âge de Nick, beaucoup trop jeune pour être sa psy ou quoi qu'elle soit.

« Monsieur Hall ? »

Il avança aussitôt.

« Anne Marie. »

Ils se serrèrent la main et la femme l'invita à la suivre.

« C'est moi qui m'occupe de Nick, ici. Il se réjouit de votre visite.

— Il y a un problème ? »

Tony ignorait toujours pourquoi son frère voulait le voir.

« Puisque vous veniez, Nick a demandé à faire une petite séance de groupe. Il souhaiterait vous parler de quelque chose. »

Elle indiqua une porte devant eux.

« J'aurai surtout un rôle de soutien. Ce ne sera pas très long. Après, vous pourrez aller discuter dans la salle des visites. »

Elle ouvrit sans faire de pause. Nick était assis sur une chaise à l'autre bout de la pièce. Le soleil déjà bas sur l'horizon cuivrait ses boucles.

Il se leva pour saluer Tony. Celui-ci avait fini par s'habituer à la raideur de leurs nouvelles étreintes. Il l'enlaça brièvement puis laissa retomber ses bras. Mais Nick ne le lâchait pas. Tony tourna un peu la tête, ferma les yeux et le serra fort pour la première fois depuis longtemps. Il était ému.

Lorsqu'ils s'écartèrent, Anne Marie était assise derrière un petit bureau près de la porte. Elle indiqua à Tony de s'installer à côté de Nick.

« Alors, que se passe-t-il ? »

Le jeune homme regarda Anne Marie.

« Nick ? dit-elle.

— Voilà, je voudrais te parler de quelque chose.

— À propos de Walker ?

— Non. À propos de nous.

— Ah, dit-il, se détendant aussitôt. On fait une séance de thérapie familiale ? »

Anne Marie rit et Nick sourit nerveusement.

« C'est OK ?

— Oui, bien sûr.

— J'ai quelque chose à te dire, mais chaque fois que j'essaie, j'ai l'impression que tout s'embrouille dans ma tête. Quand je suis avec Anne Marie ou avec Jeff, c'est plus facile d'en parler.

— Il n'y a pas de problème. De quoi tu veux me causer ?

— J'ai peur que tu croies que je te fais des reproches. »

Tony se crispa de nouveau.

« À cause de quoi ?

— S'il te plaît, essaie d'écouter, essaie de m'entendre, car je ne te reproche rien du tout. Tu en as fait plus pour moi que papa ou ma propre mère. Plus qu'ils ne le pourraient, parce que je ne pense pas qu'ils soient capables d'aimer normalement. Mais il ne s'agit pas d'eux et de ce qui ne va pas chez eux. J'ai de la chance de t'avoir, je ne sais pas où je serais sans toi.

— OK... »

Nick regarda Anne Marie. Elle hocha la tête.

« Mais parfois, j'ai l'impression que tu m'infantilises. »

Ah. Ce n'était pas nouveau. Tony se hérissa.

« Je me rends compte que tu étais très jeune quand tu as commencé à t'occuper de moi. Plus jeune que moi aujourd'hui. Et j'étais un petit enfant. Un bébé sans défense. Et un bébé n'a pas le choix, il doit s'en remettre aux gens qui l'entourent. Mais je ne suis plus un bébé.

— Je le sais.

— Tony, intervint Anne Marie. Nick n'a pas fini. Laissez-le terminer, s'il vous plaît.

— Excuse-moi.

— Ce n'est rien, dit Nick, au bord des larmes. S'il te plaît, ne t'excuse pas d'avoir été là pour moi. Mais c'est important pour moi que tu comprennes que j'ai besoin de me prouver que je suis capable de me débrouiller seul, à présent. Quand Ray m'a violé, je me suis senti totalement démuni et sans défense. C'était comme s'il confirmait toutes mes peurs. J'étais faible. Je n'étais pas un homme. Si quelqu'un décidait de me faire du mal, j'étais incapable de l'en empêcher : il pouvait m'utiliser comme bon lui semblait. Il pouvait même me tuer, s'il en avait envie. Et cette nuit-là, j'ai vraiment cru que c'était ce que Ray voulait. Tu te souviens de ce que papa a dit, quand il a su que j'étais gay ? J'ai eu l'impression que Ray faisait de moi tout ce qu'il m'avait accusé d'être. Je n'irai jamais mieux si je n'arrive pas à croire ce que Jeff,

Anne Marie et vous tous n'arrêtez pas de me répéter. Que ce n'est pas ma faute. Que ça n'a rien à voir avec la personne que je suis. Et plus tu me dis que tu regrettes de ne pas avoir été là, que tu m'aurais protégé, que tu vas t'occuper de moi, plus j'ai l'impression d'être encore et toujours une victime. D'être incapable de me sauver.

— Nick… »

Celui-ci hocha la tête : Tony pouvait parler à présent.

« Je suis désolé, dit-il avec douceur. Je m'excuse de t'avoir traité ainsi. Je sais que ça ne changera rien à ce qui est fait, mais je te jure que ça ne correspond pas à la vision que j'ai de toi. »

Pendant que Nick parlait, Anne Marie s'était levée pour donner un mouchoir en papier à Tony. Il était trempé, à présent, mais il continuait malgré tout de s'essuyer le nez avec.

« Tu es l'homme le plus exceptionnel que je connaisse. Je t'admire. Je suis vraiment le dernier des imbéciles, ajouta Tony en baissant les yeux.

— Non », intervint Anne Marie.

Il la regarda, interloqué. Elle aurait dû le détester après ce qu'elle venait d'entendre.

« Nick et moi avons passé pas mal de temps ensemble. Vous voulez savoir ce que je pense ? »

Tony consulta son frère, qui hocha la tête.

« Je pense que, jusqu'à la séparation de vos parents, vous avez grandi dans un foyer où vous ne vous sentiez jamais en sécurité, auprès d'un père distant et cruel, d'une violence imprévisible. Puis, à l'adolescence, à la période où on se cherche, vous avez constaté que cet homme qui vous avait maltraité avait un autre enfant, et que cet enfant n'avait pas la chance d'avoir une mère comme la vôtre. Alors vous avez décidé d'être son héros. »

Nick toussota.

« Jeff m'a parlé de ça, un jour. Je lui avais demandé ce que j'allais devenir, selon lui. Genre, est-ce que j'allais me transformer en brute à cause de ce que Ray m'avait fait. Et Jeff m'a dit que les personnes qui avaient été victimes de violences ont parfois tendance à se sentir constamment blessées. Certaines d'entre elles ne peuvent pas s'empêcher de faire le mal autour d'elles. Et puis il y a celles pour qui aider les autres devient une obsession. Il parlait de lui et moi, mais je pense que ça te concerne aussi.

— Je croyais sincèrement bien faire. Tout ce que je voulais, c'était te protéger.

— Et je t'aime pour ça. Mais tu ne peux pas me protéger de tout. »

C'était évident. Il n'y avait qu'à voir ce qui s'était passé.

« Je veux qu'on trouve un moyen de s'aimer sans que je me sente… fragile chaque fois que je te parle. »

Tony se moucha bruyamment.

« OK. »

Nick prit sa main et la serra trois fois.

Tony pressa la sienne quatre fois en réponse.

72

Nick Hall, 2016

À 17 h 30, le jour de la disparition de Raymond Walker, Tony et Nick pénétrèrent dans la salle des visites ensemble. Ils se dirigèrent vers le placard du fond pour choisir des jeux. Ils s'assirent à une table et enchaînèrent les parties de dames, de crib, de bataille, de Puissance 4, et encore de dames. C'était ce qui leur permettait d'oublier la réalité, autrefois, quand Ron et Jeannie étaient ivres, se disputaient, ou lorsque c'était trop dur à l'école ou au lycée. Depuis ce funeste soir d'octobre, c'était absolument tout qui semblait trop dur, trop lourd, trop pénible. Nick espérait que ça allait s'arranger.

« J'ai décidé d'aller jusqu'au bout, déclara-t-il soudain, sautant par-dessus le pion de Tony et le retirant du plateau. Pour l'instant, en tout cas.

— Le procès ? »

Il hocha la tête.

« Tu es sûr que c'est ce que tu veux ? »

Nick lui décocha un regard. Tony leva les mains.

« Pardon, pardon. C'est ton choix et je te fais confiance.

— Si ça devient trop difficile, j'aurai toujours la possibilité d'arrêter.

— Mais tout le monde saura. »

Il avait raison. Malgré son absence, à l'université, probablement personne n'avait oublié que l'affaire le concernait. En cas de procès, la nouvelle histoire – la véritable histoire – ferait de nouveau la une. On parlerait de lui et il devrait s'en accommoder.

« Je sais. Mais c'est ma bataille, si je veux la mener. Et je le veux. »

Tony frotta un pion du bout du doigt pendant un moment, songeur.

« Vraiment ? Une année entière ? En plus du procès ?

— Oui. »

Tony avança un pion.

« Si ça ne tenait qu'à moi, ce n'est pas ce que j'aurais choisi pour toi. »

Nick éclata de rire.

« Quel papa poule tu fais ! »

Son frère le regarda, interloqué, puis son visage s'éclaira et il rit aussi.

« Il y aura peut-être un accord.

— Cette fois ça n'a pas marché, mais qui sait ? Walker finira peut-être par s'y résoudre.

— Je croyais que l'audience avait été reportée à la semaine prochaine ?

— Mais non, c'était il y a quelques jours. Julia ne t'a rien dit ? »

Tony ouvrit de grands yeux.

« Hé ben, tu devais vraiment être insupportable. »

— Tu n'imagines pas à quel point. »

Il n'avait pas l'air fâché, alors Nick sourit.

« Je pensais sincèrement qu'elle te le dirait. »

Il l'avait appelé le même jour que… Le jour où elle lui avait dit que Tony souhaitait le voir.

« Pourquoi tu voulais me voir, aujourd'hui, au fait ?

— Hein ? C'est toi qui as demandé à me voir. »

Nick éclata de rire.

« Ta femme est un vrai renard. Je n'ai rien demandé. Lorsque je lui ai annoncé qu'il n'y avait pas d'accord, elle m'a dit que tu voulais me voir.

— Ah bon ?

— Je suppose qu'elle pensait que ce serait mieux pour moi, si je m'en chargeais moi-même. Ou bien elle n'avait pas envie de le faire. »

Tony croisa les bras, regardant le damier entre eux.

« Je ne peux pas vous en vouloir. Je n'ai pas été très… raisonnable. Elle a dit quelque chose à mon sujet, ou à propos de ce dont on a parlé aujourd'hui ?

— Non. C'est vraiment moi qui avais envie d'avoir cette discussion. Ça me semblait important pour nous. »

Tony soutint le regard de Nick quelques instants, puis déplaça un pion.

« Donc, il n'y a pas d'accord et tu veux aller au tribunal.

— Oui. Tu m'accompagneras à la prochaine audience ?

— Bien sûr. Tout ce que tu veux.

— Tu es sûr que ça ira ? Tu ne vas pas perdre ton sang-froid ?

— Promis. Tu m'as remis la tête sur les épaules.

— Tant mieux, dit Nick, lui prenant un autre pion. Je commençais à avoir peur que tu fasses une bêtise. »

73

Julia Hall, 2016

À 18 heures, le jour de la disparition de Raymond Walker, Julia Hall se trouvait dans la cuisine d'un homme qu'elle ne connaissait pas. Sa main moite agrippa le plan de travail lorsqu'elle l'entendit descendre l'escalier.

Il atteignit le rez-de-chaussée, puis une lampe s'alluma dans un coin du salon.

Il s'écoula peut-être une seconde avant qu'il ne la remarque, mais cette seconde dura une éternité. C'était donc lui : Raymond Walker. Comme sur la photo de la police, mais en chair et en os. Vêtu d'un peignoir pas si différent de celui de Tony. Déjà elle regrettait. Si elle avait pu cligner des yeux et se volatiliser, elle l'aurait fait. L'homme sursauta en la voyant puis recula. Ses talons heurtèrent la première marche de l'escalier. Il vacilla et se laissa choir lourdement.

« Qui êtes-vous ? » demanda-t-il, sidéré.

Elle n'avait pas disparu. Il la voyait et elle devait parler. Elle allait y arriver.

« Je ne vous veux pas de mal », dit-elle, levant ses mains vides.

Elle avait envisagé de se munir d'un pistolet pour l'obliger à l'écouter, mais elle y avait renoncé, craignant que le coup parte avant qu'ils n'aient prononcé un mot. Et à présent elle ne pouvait que s'en féliciter. Vu comme elle tremblait, heureusement qu'il n'y avait pas de détente sous son doigt.

« Mais qui êtes-vous, merde… Est-ce que vous… »

Il s'efforçait de distinguer son visage. Avec sa tenue, il avait dû d'abord la prendre pour un homme. Ses cheveux étaient tirés en arrière et cachés sous un bonnet, et elle portait une parka masculine trop grande pour elle.

« Je ne vais pas vous faire de mal, répéta-t-elle. Je m'appelle Julia, ajouta-t-elle en avançant d'un pas. Julia Hall. »

Il secoua la tête.

« La sœur de Nick Hall ?

— Sa belle-sœur.

— Hé merde. »

Avant qu'elle ait pu faire un geste, il s'était relevé et s'élançait dans l'escalier.

« Attendez, attendez ! »

Julia se lança à sa poursuite, gravissant les marches quatre à quatre. Son pantalon baggy l'aurait fait trébucher, si elle n'avait pas pensé à mettre une ceinture. Elle imagina qu'il l'attendait en haut de l'escalier pour la pousser en arrière, mais lorsqu'elle tourna, il avait disparu.

Elle escalada les dernières marches et vit Walker à l'autre bout de la pièce, à côté du lit, de dos.

Elle bondit. Il voulut courir à la salle de bains, mais le téléphone qu'il tenait était branché près de la tête du lit. Elle le projeta contre le cadre de la porte en grognant. Le chargeur s'arracha de la prise et le portable tomba sur le carrelage.

Walker se baissa pour le ramasser ; elle tenta de bloquer ses bras ; il se dégagea. Alors, elle s'agrippa à son dos, un cri étrange s'échappant de sa gorge.

« Lâchez-moi ! » brailla-t-il, paniqué, faisant un bond vers la droite.

Elle s'arrima à lui, bras et jambes autour de son corps.

« Je veux juste vous parler ! »

Il tentait de se rapprocher du téléphone. Elle desserra une de ses jambes pour la tendre vers l'appareil, le sentit au bout de ses orteils, et, d'une détente miraculeuse, l'envoya sous la baignoire à pieds.

Walker se cabra et elle tomba par terre.

« Arrêtez », grogna-t-elle.

Lorsque ses côtes touchèrent le sol, la liasse de papiers dans la poche de la parka amortit le choc.

Lorsqu'elle se releva, elle le vit à quatre pattes qui cherchait à attraper son téléphone.

Elle fonça sur lui. Ses mains s'abattirent sur ses épaules et le poussèrent brutalement contre la baignoire. Le front de l'homme heurta le rebord avec un tintement métallique et sa tête partit en arrière. Il s'affaissa.

Julia Hall se tenait dans la salle de bains de Raymond Walker, chancelante, le cœur battant à tout rompre dans ses oreilles.

Il ne bougeait plus.

74

Tony Hall, 2016

À 20 h 10, le jour de la disparition de Raymond Walker, Tony appela Julia du parking de Goodspring. Elle avait insisté pour qu'il la prévienne avant de partir. Bizarrement, elle semblait attacher beaucoup d'importance à cette visite. Elle ne décrocha pas. Dommage : elle aurait été heureuse d'apprendre ce qui s'était passé.

Nick, et sa thérapeute dans une certaine mesure, avaient convaincu Tony. Avoir un père comme Ron n'était pas une sinécure, mais il avait surmonté ce handicap en devenant un héros. Pour Nick, d'abord, puis pour tous ceux qui voudraient bien de lui. C'était très bien quand la personne en question avait besoin d'être sauvée, mais Nick n'en éprouvait ni le besoin ni l'envie. Et Tony l'étouffait depuis trop longtemps. Il y avait apparemment une frontière ténue entre aider quelqu'un qu'on aimait et lui faire du mal. Une frontière dont il ne s'était jamais soucié jusque-là.

Il s'installa au volant et tapa rapidement un message.

Je rentre, appelle-moi.

Julia ne répondit pas de tout le trajet. Les kilomètres défilèrent sur la 95, puis la 295 Sud, sans qu'il les vît passer. Il faisait le deuil de ses projets de vengeance.

75

Julia Hall, 2016

À 18 h 15, le jour de la disparition de Raymond Walker, Julia Hall chercha l'interrupteur avec des doigts tremblants. Il était là, juste à droite, en bas des marches. Elle appuya dessus avec un soupir et le salon se retrouva plongé dans l'obscurité.

« Suivez-moi », dit-elle.

Elle regarda derrière elle puis se dirigea vers la cuisine. Elle entendait ses pas hésitants dans l'escalier.

Elle se retourna. Il n'y avait personne.

« Allez », dit-elle fermement.

La voix de Raymond Walker résonna dans les ténèbres au-dessus d'elle.

« Vous n'allez pas me poignarder avec un couteau à découper ? »

Elle rit doucement.

« Je suis à au moins cinq mètres de vous, vous m'entendez, non ? »

Walker émergea de l'obscurité, s'immobilisa, puis pénétra dans le salon et la rejoignit. Il tenait toujours le gant contre la blessure qui entaillait son front.

Dans la salle de bains, elle avait utilisé une vieille technique d'avocate. Quand elle voulait quelque chose d'un client – gagner sa confiance par exemple –, elle plaisantait avec lui. Ainsi elle donnait l'impression d'être à l'aise, même si elle était morte de trouille, comme en ce moment. Dans la cuisine, elle ouvrit le congélateur et prit un sac de légumes surgelés, les yeux braqués sur lui.

« Détendez-vous », dit-elle en refermant la porte.

Il était de l'autre côté de l'îlot central, hors de sa portée.

« Si j'avais voulu vous tuer, je vous aurais noyé dans la baignoire, là-haut. »

Il la dévisageait avec incrédulité. Elle fit un pas pour lui tendre le paquet. Il s'en empara et recula.

« Mais vous sortez d'où ?

— Je vous l'ai dit, je suis la femme de Tony…

— Non, ça, j'ai pigé. Ça doit être de famille, ajouta-t-il en agitant le sac dans sa direction. Vous venez pour discuter, et ça se termine en pugilat.

— Je suis vraiment là pour discuter, c'est seulement que vous ne…

— … dit-elle, en nettoyant mon sang par terre. »

Elle se rendit compte qu'il plaisantait. Employait-il la même technique qu'elle, ou était-ce la preuve que sa vieille ruse d'avocate fonctionnait ?

« Je suis sincèrement désolée pour votre tête.

— Je serais plus en confiance si vous me rendiez mon téléphone. »

Pas question. Elle sentait l'appareil humide dans sa main moite. L'adrénaline bouillonnait dans ses veines. Elle aurait aimé enlever sa parka, mais elle ne voulait pas courir le risque d'être vue. Dans la salle de bains, Walker avait avoué qu'il l'avait d'abord prise pour un homme. Même si son déguisement était efficace, il allait littéralement la faire crever de chaud.

« Remontons, je vais tout vous expliquer.

— Non, on reste ici. »

Elle tapota sa poche.

« On va avoir besoin de lumière pour regarder ce que je vous ai apporté.

— Je vais allumer, dit-il en se dirigeant vers le mur au bout du plan de travail.

— Non ! s'écria-t-elle, lui attrapant le poignet pardessus l'îlot. Quelqu'un pourrait nous voir.

— Hein ? fit-il en se dégageant. Et voir quoi ? »

Elle prit une grande inspiration, expira.

« Je suis venue pour vous aider à vous enfuir. »

76

John Rice, 2019

La brave petite Julia. Que Dieu lui pardonne, mais Rice l'avait jugée à l'instant où il avait franchi le seuil de sa maison. Elle était en train de faire la vaisselle, un œil sur ses enfants, le visage rond : un archétype de la féminité. Il avait décidé qu'elle était quelqu'un de bien uniquement parce qu'elle correspondait à une certaine idée de la femme.

Assise dans le fauteuil à côté de lui, elle était la même que le jour où il était venu interroger les Hall après la disparition de Walker : de grands yeux, le corps tendu, les doigts tremblants. La première fois, il avait cru qu'elle avait peur pour Tony, peur de ce qu'il avait pu commettre. Elle l'avait bien eu. Il avait honte. Megan O'Malley se serait-elle laissé duper ? Sans doute pas. Elle aurait su. On était tous imprégnés des mêmes clichés sur les hommes et les femmes. Sur ce qu'ils étaient censés être et ne pas être. Mais O'Malley appartenait à une autre génération. Une génération qui portait un regard différent sur le monde.

Ils avaient remué ciel et terre pour retrouver Walker. O'Malley se chargeait d'appeler les gares et les aéroports, alors Rice était allé seul chez les Hall. Si elle l'avait accompagné, ce qu'il refusait de voir lui aurait sauté aux yeux. Julia n'avait pas peur de ce que son mari avait pu faire. C'était de la culpabilité, dans son regard. Et un farouche instinct de conservation.

Rice se pencha vers elle.

« C'est votre invocation ? »

Elle ne répondit pas.

« Et qu'est-ce que vous invoquez ? Dieu, ou votre droit de garder le silence ? »

Elle lui lança un bref regard. Gratta sa manche. Le vent soufflait contre la vitre dans son dos. Et elle se taisait.

77

Julia Hall, 2016

À 19 heures, le jour de la disparition de Raymond Walker, Julia s'assit à côté de lui sur le sol du salon, le canapé formant un écran entre eux et la fenêtre. Il avait pris la petite lampe à abat-jour et l'avait posée par terre. Sa lueur orangée éclairait les papiers que Julia avait apportés.

Ils les avaient déjà passés en revue ensemble, tandis qu'elle lui expliquait les différentes étapes du voyage. Ils iraient à pied jusqu'à sa voiture qu'elle avait garée à quelques rues de chez lui. Elle garderait sa capuche et baisserait la tête. Avec un peu de chance, on la prendrait pour un homme. Elle le déposerait à la gare routière de Portland, où il grimperait dans le car de Boston, avec un billet au nom de Steven Sanford. Là, il irait à la gare ferroviaire – elle lui donnerait de l'argent pour le taxi –, où il emprunterait le train de Chicago, toujours sous le nom de Steven Sanford. Il avait haussé les sourcils, impressionné, lorsqu'elle lui avait expliqué qu'il descendrait avant le terminus, à Toledo, dans l'Ohio, et utiliserait un troisième billet, acheté sous une autre identité, pour continuer jusqu'à Columbus par la route.

« Et votre amie viendra me chercher à la descente du car ? demanda-t-il.

— Oui. »

Elle jeta un coup d'œil à son téléphone. Pas de nouvelles de Tony. Il devait être avec Nick, mais d'ici une heure il serait en route.

« Elle s'appelle comment déjà ? »

Julia leva les yeux.

« Je ne vous avais pas encore donné son nom. Elisa.

— Elisa quoi ? »

Elle secoua la tête.

« Je ne peux pas vous le dire. Et je ne peux pas vous rendre votre téléphone. »

Ray regardait de nouveau le relevé de compte. Il ne l'avait pas lâché, même quand il consultait les autres papiers.

« Vous avez peur que je change d'avis avant d'arriver à Toledo ?

— Alors, vous êtes d'accord ? »

Il plissa les yeux.

« Vous ferez quoi, si je dis non ? »

L'estomac de Julia se noua, mais elle se força à sourire.

« Rien.

— Et si j'appelle la police ?

— Personne ne croira que la famille de la victime voulait vous aider à vous enfuir.

— Vous pensez vraiment que je suis coupable.

— Je le sais.

— Personne ne peut le savoir, à part Nick et moi. En fait, même Nick l'ignore, vu qu'il était sans connaissance. C'est bien commode. »

Julia n'allait pas s'abaisser à lui répondre.

« Je suis curieux. Si vous pensez que je suis coupable, quel effet ça vous fait ? De m'aider à échapper à la justice ? »

Il remuait le couteau dans la plaie – grattait la croûte qui s'était formée sur les questions qu'elle ne cessait de se poser. Si tout se passait comme prévu, si Walker partait, si elle ne se faisait jamais prendre, si Tony et les enfants étaient en sécurité, que signifierait son acte ? Quelles seraient les conséquences pour Nick ? Est-ce qu'elle lui ferait plus de mal que Walker ? Que les médias, l'opinion d'inconnus sur Internet, les ragots des autres étudiants, le système judiciaire ?

« J'aime mieux agir que rester sans rien faire. Pas vous ? »

C'était au tour de Walker de se taire.

« Est-ce que vous voulez vraiment attendre de voir si les jurés vont vous croire ? Parce que si vous n'arrivez pas à les convaincre, votre vie est finie. Je sais que vous en êtes conscient, parce que vous n'arrêtez pas d'en parler. Et même si vous êtes acquitté, avez-vous songé à ce qui se passera ? Cela ne prouvera pas que vous êtes innocent. En fait, personne n'y croira. On pensera que vous avez eu de la chance. Et Nick pourra toujours engager des poursuites en son nom propre, vous le saviez ? Vous pourriez perdre votre travail. Chaque fois que vous taperez votre nom sur Google, jusqu'à la fin de vos jours, le mot “viol” apparaîtra à côté. »

Il regardait le papier qu'il tenait à la main.

« Vous ne pouvez pas me duper. Vous vous sentez aussi piégé que moi. »

Il chercha dans la liasse de feuilles entre eux la photocopie du passeport. Elisa l'avait envoyée à Julia par e-mail. C'était elle qui avait l'original. Il appartenait à un dénommé Avery King.

« Donc, votre amie Elisa me donnera ce passeport à mon arrivée à Columbus ? »

Il parlait comme s'il était décidé à le faire. Comme s'il pensait qu'elle avait raison. Il ne voulait pas le dire, voilà tout. Julia n'allait pas le brusquer.

« Oui. »

Il étudia encore la photo.

« C'est vrai qu'il me ressemble. Comment elle se l'est procuré ?

— Je ne lui ai pas posé la question et je ne tiens pas à le savoir. »

C'était l'attitude qu'elle avait toujours eue vis-à-vis d'Elisa, même quand elle représentait son fils. Avec cette famille, elle avait parfois l'impression de ne voir que la partie émergée de l'iceberg et elle était terrifiée à l'idée de mettre la tête dans l'eau et de découvrir ce qu'il y avait en dessous.

« Elle a l'air carrément louche, votre copine. Vous la connaissez d'où ? »

Julia décroisa puis recroisa les jambes.

« J'ai aidé son fils, il y a longtemps.

— Avery King. Je pourrais m'habituer à ce nom. »

Elle sourit.

« C'est un excellent nom.

— Meilleur que Steve Sanford », dit-il avec une grimace.

Il prit le faux permis de conduire. La photo était celle de son arrestation. Si on ne le savait pas, on ne pouvait pas le deviner. Il paraissait calme, et même légèrement amusé. Julia avait reconnu la photo, parce qu'elle l'avait vue dans les journaux, quand elle avait reçu le paquet de Chicago.

« Vous deviendrez Avery dès que vous aurez rejoint Elisa. Steve, c'est juste en attendant.

— Oui, mais quand même. »

Son sourire était chaleureux, taquin, sincère. Il commençait à l'apprécier, pensa-t-elle avec un pincement au cœur. Elle prit la parole aussitôt, pour ne pas s'appesantir là-dessus.

« Alors, vous êtes partant ? »

Il regarda de nouveau les papiers dans sa main. La nouvelle vie qu'elle lui offrait.

Il soupira.

« Carrément, oui. »

Elle éprouva un soulagement indescriptible.

« Bien. Une dernière chose.

— Oui ?

— Attendez avant d'appeler votre mère. »

Son sourire s'effaça. Il y avait pensé, bien sûr. Il pouvait facilement emprunter un téléphone à un inconnu.

« Mieux vaut pour tout le monde qu'elle n'ait aucune idée de ce qui s'est passé. Lorsqu'on découvrira que vous avez disparu, la police l'interrogera. Ne comptez pas sur ses talents de comédienne. Personne ne doit apprendre que vous avez filé avant que vous ayez rejoint Elisa. »

Il réfléchit.

« Ce n'est pas idiot.

— À votre place, je n'aimerais pas laisser ma mère imaginer le pire, je comprends. Mais je ne voudrais pas non plus lui causer de problèmes. Et ça vous donnera un peu de temps pour récupérer votre argent et aller où vous le souhaitez. Vous pourrez la rassurer une fois là-bas. »

Il hocha la tête songeusement, mais ne dit rien. Puis il regarda la pièce autour de lui.

« Est-ce qu'on ne devrait pas renverser quelques meubles ? Comme s'il y avait eu une bagarre ? Pour les entraîner sur une fausse piste ?

— Non, répondit aussitôt Julia. Si on s'y prend mal, et je suppose que ce sera le cas, ils se douteront encore plus vite que vous vous êtes enfui. »

Il hocha la tête lentement.

« Vous planifiez ça depuis combien de temps ? »

En réalité, elle n'en était pas sûre. Ça avait commencé subtilement, comme quelque chose qu'on aperçoit du coin de l'œil, et qu'on ne veut pas regarder en face. L'organisation en soi avait été rapide, mais la maturation… C'était difficile à dire.

« Je n'en sais rien. Un petit moment.

— Vous êtes douée. »

Elle grimaça.

« Vraiment ?

— C'est un compliment.

— J'ai l'impression d'être monstrueuse.

— Conduisez-moi à la gare routière et vous n'aurez plus jamais à y penser. En ce qui me concerne, ajouta-t-il,

portant une main à sa poitrine, je me souviendrai toujours de vous avec tendresse. »

Elle sourit et indiqua le relevé bancaire qu'il n'avait pas lâché.

« Je n'en doute pas ! »

Monstrueuse ou non, Ray avait raison. Elle était douée.

78

Tony Hall, 2016

À 22 heures, le jour de la disparition de Raymond Walker, Tony se gara dans l'allée derrière la voiture de Julia. De dehors, il voyait que le salon baignait dans une lueur bleutée vacillante. Elle avait dû s'endormir devant la télé.

Il laissa ses souliers devant la porte, puis traversa la cuisine et la salle à manger pour la rejoindre. Il sursauta lorsqu'il la découvrit assise à la table, face à lui.

« Hé, tu m'as fichu une de ces trouilles ! »

Il connaissait ce regard, mais ne savait pas ce qu'il signifiait. Son visage était blême. Elle frissonna, croisa les bras sur sa poitrine. Elle paraissait frigorifiée.

« Tu étais dehors ? »

Elle secoua la tête.

« Ça va ? »

Elle ne disait rien, les yeux fixés sur la table devant elle.

« Chérie, dit-il, la rejoignant. Tu m'inquiètes. »

Elle frissonna encore et il s'agenouilla à côté d'elle. Il posa une main sur sa cuisse et frotta sa jambe.

Il y avait une électricité palpable entre eux. Il savait qu'elle parlerait s'il attendait un peu.

« Avant que je te dise ce que j'ai fait, promets-moi que tu me pardonneras. »

79

John Rice, 2019

Julia se murait toujours dans le silence. Il aurait donné n'importe quoi pour lire dans son esprit. Était-elle en train de récapituler ce qu'elle savait – ce qu'elle pensait pouvoir se permettre de révéler ? Réfléchissait-elle à un mensonge ? Peut-être. Ce serait douloureux de l'entendre essayer de le tromper une nouvelle fois, même s'il comprenait ses raisons. Elle lui devait la vérité. C'était la moindre des choses.

La dernière fois qu'il avait vu Julia Hall, elle se trouvait devant chez elle, emmitouflée dans des vêtements d'hiver. Elle regardait ses enfants jouer dans le jardin.

Rice se souvenait du 18 janvier 2016 plus nettement que son dîner de la veille, semblait-il.

C'était l'après-midi et il faisait un froid polaire. Les couleurs du ciel étaient saturées : jaune vif sur bleu éclatant. Il avait roulé jusqu'aux terres cultivées à la sortie d'Orange. Il n'y avait personne chez les Hall, alors, il avait continué et garé sa voiture banalisée un peu plus loin. La maison était toute petite dans le rétroviseur.

Il aurait pu l'attraper dans le miroir et l'écraser entre ses doigts. Enfin, un point grossit à l'horizon : le Subaru Baja rouge de Julia – d'une laideur inoubliable. Elle se gara dans l'allée.

Son cœur s'était serré quand il avait vu la voiture. Il l'avait tout de suite reconnue sur les images floues de la caméra de sécurité, à la gare routière de Portland. Deux jours après la disparition de Raymond Walker, l'inspectrice O'Malley avait appelé Rice pour lui dire qu'elle avait trouvé une vidéo le montrant à la gare routière le vendredi soir à 20 h 11, la veille du jour où sa mère avait alerté la police. La définition était mauvaise, mais il était passé tout près du bâtiment et son visage était parfaitement identifiable. Il était monté dans le car de 20 h 15 pour Boston.

Obéissant à Megan O'Malley, l'employé de la sécurité leur avait sorti les images du parking. Et Rice avait secoué la tête quand elle lui avait demandé si la voiture qui avait déposé Ray à la limite de l'écran lui disait quelque chose. C'était son premier péché. On ne voyait pas la voiture en entier, et l'arrière aurait pu être celui d'un petit pick-up rouge, un véhicule très répandu dans le Maine. Mais Rice l'avait reconnu. Ce n'était pas un pick-up : c'était un Subaru Baja.

Il y avait toujours des gens pour essayer de le convaincre que, si on avait relevé leur ADN sur une scène de crime, si des biens volés avaient atterri dans leur garage, ou si un véhicule ayant servi à une évasion se trouvait être de la même marque et du même modèle que le leur, c'était le fruit d'une étrange coïncidence. Mais il n'y avait pas de coïncidence : un membre de la famille Hall avait conduit Walker à la gare routière de

Portland le soir de sa disparition. Et, à 20 heures, Tony Hall était encore à Belfast.

Ce jour-là, devant chez Julia, Rice avait scruté la voiture. Il était sûr qu'elle l'avait fait pour empêcher son mari de tuer Walker. Parce que l'inévitable arrestation du coupable risquait de détruire sa petite vie parfaite. Le cœur battant, il se dévissait le cou pour voir son visage. Le visage qu'il avait toujours comparé à celui d'Irene. Elle lui paraîtrait très différente, à présent : égoïste et vaine, à des années-lumière de sa femme. À des années-lumière de la personne idéale qu'il avait créée.

Au bout d'un instant, il y avait eu du mouvement, et la petite Chloe était sortie par la portière côté passager. Puis Julia était apparue devant la voiture, se dirigeant vers la maison chargée de deux gros sacs, escortée du garçonnet. Rice était trop loin pour en être sûr, mais ils avaient l'air de parler. Son fils s'était soudain élancé et avait détalé en direction du jardin à l'arrière de la maison, avec un sourire si large qu'on le voyait du chemin. Julia l'avait suivi et avait disparu de son champ de vision. Lentement, Rice avait reculé pour s'arrêter en face de chez eux. Elle se tenait à côté de la barrière en cèdre, de dos. Ses enfants couraient dans la neige et elle les regardait. Elle avait posé ses courses et l'un des sacs s'était renversé. Elle s'en moquait. Elle voulait voir ses enfants.

À cet instant, il avait eu une illumination, une vague de chaleur qui s'était progressivement répandue en lui, comme quand on s'immerge dans un bain. Il savait ce qu'elle avait fait, mais il s'était trompé de mobile.

Elle avait empêché ses enfants de perdre leur père. Elle avait empêché son mari de devenir un meurtrier.

Et elle avait sauvé la vie de Ray Walker. Elle ne se souciait sans doute pas tant du sort de celui-ci, mais Rice était suffoqué par la pureté de son geste. Elle avait sauvé la vie de Walker. Ce n'était peut-être pas un homme bien, mais c'était un homme malgré tout. Julia se tenait à la barrière et baissait la tête, maintenant. Rice imagina à quoi elle ressemblerait s'il la voyait du jardin. Une mèche de cheveux s'échappait de son bonnet. Les larmes aux yeux, un sourire tremblant sur les lèvres. Terrassée par la joie de savoir que ses enfants pourraient grandir en sécurité, auprès de leurs deux parents. Consciente qu'elle avait commis un péché pour en prévenir un beaucoup plus grave.

Il était resté là quelques instants avant de repartir. Il avait suivi la petite route de campagne jusqu'à un croisement qui l'avait ramené vers le centre-ville, avait pris la voie rapide, et rejoint le poste de police. Il était entré et il s'était assis à son bureau sans souffler mot de ce qu'il savait.

O'Malley et lui avaient épluché la liste des passagers du car de 20h15, s'efforçant de reconstituer le voyage de Walker. La plaque d'immatriculation du « pick-up » n'était qu'en partie visible, et totalement illisible. Suivre la piste de Walker était la seule solution. La vidéo révélait qu'il avait montré des papiers d'identité pour grimper à bord du véhicule, mais son vrai nom ne figurait pas sur la liste. Ils avaient donc effectué des recherches méticuleuses sur tous les passagers qui avaient réservé leur billet. Ils avaient fouillé dans les fichiers judiciaires et routiers, écumé les réseaux sociaux, comparé les photos des passagers masculins avec les images de surveillance. C'était une tâche fastidieuse, et ils avaient trop de travail en parallèle pour aller plus vite, mais Megan O'Malley était tenace. Elle était hors d'elle à l'idée que Walker avait fui la justice et qu'il ferait de nouvelles victimes. Rice l'épaulait, estimant que les remords qui le rongeaient étaient sa pénitence. Il pensait malgré tout avoir choisi le moindre de deux maux, comme Julia.

Ils avaient fait appel au FBI local, mais c'était Megan O'Malley qui avait découvert que Raymond Walker avait réservé sa place sous le nom de Steven Sanford et que ce même Steven Sanford avait également pris un train de Boston à Chicago. Les billets avaient été achetés avec un numéro de carte de crédit piraté sur le Dark Web, leur avait dit l'agent fédéral censé les aider. C'était toute l'étendue de sa participation.

A priori, Walker n'était jamais arrivé à Chicago. Ils ne savaient toujours pas où il était descendu.

Lorsque la nouvelle de la fuite de Walker avait éclaté, Britny Cressey avait enfin pu connaître son quart d'heure de célébrité. Elle avait donné des interviews aux chaînes et aux journaux locaux. Elle s'était répandue en détails sur ce que Walker lui avait confié avant de disparaître. Elle avait rapidement précisé qu'elle ignorait tout de la fuite elle-même et de la manière dont il l'avait préparée. Il ne lui en avait jamais parlé. En revanche, il s'était longuement étendu sur le processus judiciaire, ses dettes, son sentiment que le jeu était truqué.

Pour finir, on se lassa de l'histoire de l'homme qui avait échappé à la justice. Les médias passèrent à autre chose. La vie continuait sans Raymond Walker.

Puis, en février, Rice avait reçu un coup de téléphone de Linda Davis. Nick Hall l'avait appelée pour lui demander d'abandonner les poursuites.

« Il veut tourner la page. Il n'est pas entré dans les détails. Mais il tenait à ce qu'on sache qu'il était conscient au moment du viol. »

Rice était resté sans voix.

« Ça m'a surprise, moi aussi, avait dit Linda. Mais je crois qu'il veut réellement passer à autre chose. Et ce n'est pas moi qui vais le lui reprocher. »

Nick n'avait pas perdu connaissance. Rice avait repensé aux recherches sur les violeurs en série effectuées par Megan O'Malley au début de l'enquête. Il y avait un type de sadiques qu'ils avaient éliminé rapidement : ceux qui ne faisaient pas mal à leur victime pour le plaisir, mais qui fantasmaient sur l'idée de la violence. C'était peut-être le cas de Walker. Peut-être n'avait-il jamais eu affaire à quelqu'un qui s'était débattu avec autant d'énergie, et que ça avait réveillé en lui une sauvagerie insoupçonnée. C'était peut-être pour cette raison qu'aucune autre victime ne s'était signalée. Nick n'était pas le premier. Mais il était le premier que Walker avait laissé tellement amoché qu'il n'était pas envisageable de cacher les sévices subis.

Le silence avait assez duré.

« Julia. Dites quelque chose. »

80

Julia Hall, 2019

Il savait tout. Et il se demandait si Julia en était consciente. Il pensait qu'elle s'en doutait, manifestement. Mais non, bien sûr que non. Elle serait devenue folle. Il savait ce qu'elle avait fait. Il savait ? Comment ? Il avait toujours su ? Dans ce cas, pourquoi avoir attendu tout ce temps ? Pourquoi ne pas l'avoir arrêtée ? Comment avait-elle pu imaginer s'en tirer ? Elle irait en prison, maintenant. Les enfants. Oh non, les enfants ! Que voulait-il ? Que pouvait-elle faire ? Son cerveau était bombardé de pensées, et elle n'avait pas réussi à formuler une phrase cohérente lorsque le policier reprit la parole.

« Julia. Dites quelque chose. »

Il paraissait épuisé, et s'adressait à elle comme à une fillette qui n'arrêtait pas de se réveiller en pleine nuit.

Au cours de sa carrière d'avocate, elle n'avait jamais rencontré un seul coupable désireux de parler à la police, ne serait-ce que pour nier ou offrir une explication. Mais un avocat refuserait d'assister une personne qui trompait sciemment les autorités, n'est-ce pas ? Et son silence la condamnait. Sa voix s'éleva enfin, ténue.

« Je ne sais pas de quoi vous parlez. »

Elle aurait mieux fait de se taire.

L'inspecteur Rice se laissa aller contre son dossier. Le fauteuil grinça sous lui. Il était plus calme qu'elle ne l'aurait imaginé, si c'était un prélude à son arrestation. S'il s'agissait d'un interrogatoire, et non d'une conversation. Mais que savait-elle de lui ? Il avait peut-être simplement beaucoup de sang-froid.

« Vous savez qu'en 2016, il y avait déjà des caméras de sécurité sur le parking de la gare routière. »

Les yeux de Julia s'arrondirent. *Merde, merde et merde*. Elle y avait pensé juste après. Et un million de fois depuis, mais personne n'était venu l'interroger. Elle aurait dû appeler un taxi, ou le déposer plus loin, mais elle voulait être sûre qu'il monterait bien dans le car.

« Je sais que c'est vous qui avez conduit Walker à Portland. Ces affreux Subaru Baja n'étaient pas si courants. »

Son rire se transforma en quinte de toux. Il prit son masque à côté de lui.

Julia en profita pour réfléchir à toute vitesse. Où voulait-il en venir ? Ce devait être un piège. Sans bouger la tête, elle examina la pièce : pas de lumière clignotante, pas d'enregistreur apparent. Le magnétophone dont il se servait autrefois était minuscule, cela dit. Il pouvait l'avoir caché sous son fauteuil. Était-ce lui qui l'avait invitée à s'asseoir précisément sur ce fauteuil ? C'est ça : il lui en avait indiqué un et elle avait choisi l'autre.

Elle prit une inspiration tremblante et expira discrètement. Si elle ne se calmait pas, elle allait faire une crise de panique. Elle inspira encore. *Calme-toi*. Elle expira. *Calme-toi*. Rice replaça son masque sur la bouteille d'oxygène. Il savait depuis quatre ans. Peut-être n'essayait-il pas de la coincer. Sinon, pourquoi attendre tout ce temps ? Il y avait peut-être eu de nouveaux développements ?

Avaient-ils retrouvé Walker ?

À cette idée, elle sentit les murs se resserrer autour d'elle ; un bourdonnement électronique tintait dans ses oreilles. La pièce s'assombrit. Elle se pencha en avant. La voix du policier lui semblait venir de très loin.

Elle se souleva de son fauteuil, pliée en deux. À chaque respiration, le vrombissement s'apaisait. Lorsqu'elle rouvrit les yeux, la lumière était revenue dans la pièce.

« Julia. »

Une main chaude se posa sur son épaule.

« Julia. »

Elle se tourna vers lui puis regarda de nouveau devant elle.

« Excusez-moi.

— Ça va ? »

Elle hocha la tête.

« C'était une crise de panique ? »

Elle acquiesça encore. Elle devait dire quelque chose. Son corps l'avait trahie.

« Julia, je ne… Je ne vous ai pas invitée ici pour vous arrêter ou vous interroger. Je m'y suis pris comme un manche, ajouta-t-il, plus pour lui-même. S'il vous plaît, rasseyez-vous, que je puisse vous voir. »

Avec des jambes de plomb, elle se laissa choir dans le fauteuil.

« Je n'essayais pas de vous faire peur, Julia. Enfin… Un peu, quand même. »

Elle lui lança un regard de biais, puis se tourna complètement vers lui. Il avait l'air désolé, et peut-être autre chose.

« Personne d'autre n'est au courant.

— Vous avez dit que ma voiture avait été filmée.

— En partie, seulement. On pouvait la confondre avec un pick-up. Elle n'a pas été identifiée, pas officiellement… Mais je l'ai reconnue. »

Constatant qu'elle se taisait, il continua.

« J'entre en soins palliatifs la semaine prochaine et je ne voulais pas faire ça là-bas. Et je ne voulais pas non plus mourir sans avoir cette conversation.

— Je vois, murmura-t-elle.

— Je pense avoir compris pourquoi vous l'avez aidé à s'enfuir. Ce n'était pas le cas au début, et j'avais l'intention de dire la vérité, de dévoiler ce que vous aviez fait. Mais je tenais à vous parler d'abord. Je suis allé chez vous. Vous étiez en train de jouer dehors avec les enfants, et soudain tout s'est éclairé.

— Pardon ?

— Vous l'avez fait pour eux. Pour vos enfants, et pour lui, pour Tony. Vous pensiez qu'il allait le tuer. »

Elle faillit hocher la tête.

« Alors vous avez décidé de sauver Walker. »

Les yeux de Julia s'embuèrent et une grosse larme roula sur sa joue.

« Vous êtes quelqu'un de bon, dit-il doucement. C'est évident. C'est pour ça que j'étais en colère quand j'ai reconnu votre voiture sur cette vidéo. J'avais l'impression que vous m'aviez trahi. C'est étrange, non ? Je voulais vous disputer, comprendre pourquoi vous n'étiez pas celle que je croyais. Vous m'avez vu devant chez vous ? »

Elle secoua la tête. Elle ne savait même pas quel jour c'était.

« J'étais prêt à montrer les dents, dit-il en riant. Un animal enragé, aurait dit ma mère. Et puis je vous ai vue dans le jardin avec vos enfants. Et j'ai réalisé que je faisais fausse route. Je ne m'étais pas trompé sur vous. Vous *étiez* quelqu'un de bon. Vous seriez incapable d'être autrement. »

Le policier la regardait avec une telle tendresse qu'elle ne pouvait pas être feinte.

« Vous l'avez aidé à disparaître. »

Les larmes coulaient librement sur les joues de Julia, à présent. Elle était encore bouleversée, quand elle songeait à ce qu'elle avait fait et à la terreur qu'elle avait éprouvée ensuite.

Et il était au courant depuis le début. Elle s'était rendue malade en pensant aux conséquences, s'il découvrait la vérité, alors qu'il savait déjà.

« Est-ce que Tony s'est fâché ? »

Elle se sentait lasse, tellement lasse.

Elle dit un seul mot. Pas un aveu.

« Non. »

81

Tony Hall, 2016

Il était un peu plus de 22 heures, le jour de la disparition de Raymond Walker. Immobile à côté de Julia, une main sur sa cuisse, Tony l'écoutait raconter ce qu'elle avait fait.

À la fin, il posa la tête sur ses genoux. La seule solution était de lui dire la vérité.

« Julia.

— Tu me détestes ?

— Julia, j'ai changé d'avis.

— Quoi ? »

Il lui rapporta sa conversation avec Nick : il voulait vraiment ce procès, et il avait besoin que Tony arrête de s'occuper de tout. Sa visite à Goodspring lui avait ouvert les yeux et il avait renoncé à son projet.

« OK, OK, OK, répétait-elle, comme un disque rayé.

— On va trouver une solution. »

Laquelle, il n'en avait aucune idée. Il s'efforçait seulement de la réconforter.

« OK, dit-elle encore. Je vais appeler Elisa. Lui dire de le renvoyer ici.

— Il ne reviendra pas.

— C'est elle qui a tout : l'argent, le passeport. Si elle ne les lui donne pas, il n'aura pas le choix.

— Il te dénoncera. »

Qu'avait-il fait ? C'était sa faute. Quel con !

« C'était le risque. Je le savais. On se débrouillera.

— Comment ?

— Je nierai tout. Ça va être compliqué, mais ça l'est déjà. Il faut qu'il revienne. »

Tony se leva.

« Et ce que tu voulais épargner aux enfants arrivera. Tu pourrais être arrêtée. Aller en prison, murmura-t-il d'une voix étranglée. Va savoir le genre de peine dont on peut écoper pour ça. »

Julia le rejoignit et lui prit les mains.

« Respire. On va s'en sortir.

— Et si la police relie les billets à cette femme, Elisa ?

— Aucune chance. Et même, elle ne dirait rien.

— Pourquoi ne pas laisser les choses suivre leur cours ? demanda lentement Tony.

— J'ai pris à Nick tout ce qu'il lui restait.

— Ce n'est pas toi. C'est à cause de moi.

— Et s'il ne te pardonne pas ? Après votre conversation ? »

Elle n'avait pas tort. Nick aurait de bonnes raisons de lui en vouloir. C'était sa faute. Mais il devrait vivre avec.

« La police découvrira que Walker est monté dans cet autocar, dit Julia. Ça prendra peut-être un peu de temps, mais elle finira par l'apprendre.

— Je suppose, oui.

— Donc Nick pensera lui aussi qu'il s'est enfui.

— Oui. Tu as raison.

— Mais Nick fera quoi, s'il est privé de procès ?

— Je n'en sais rien. Mais ce n'est pas à nous de décider à sa place. »

Il passa derrière Julia et tira une chaise. Elle se rassit à côté de lui.

Il s'accouda sur la table et posa son menton dans ses mains.

« Je m'en veux de m'être autant éloigné de toi. »

Elle rapprocha sa chaise de la sienne.

« Ce n'était pas que toi. Je ne voyais pas que je faisais exactement pareil. Si je t'en avais parlé… on aurait dû agir ensemble. »

Ils analysèrent la situation. Il n'y avait plus moyen d'arrêter la machine qu'elle avait mise en branle. Le mal était fait. Alors, ensemble, ils décidèrent de laisser Walker disparaître.

82

Nick Hall, 2016

« Comment ça va ? »

Aujourd'hui, le pull de Jeff était bleu foncé, un tricot de style marin. Il ouvrait toujours la séance ainsi.

Nick était assis au bord du canapé, face à son psychologue.

« C'était la question que je voulais vous poser.

— Je vais bien. »

Nick éclata de rire.

« Non, je voulais dire : comment je m'en sors, d'après vous ?

— Hum, je n'aime pas ce jeu.

— Je sais comment je me sens. Je sais que je ne vais pas simplement aller mieux ou être réparé. Mais quel est le pronostic ? »

Jeff haussa ses sourcils poivre et sel.

« Le pronostic ?

— Vous devez l'avoir écrit quelque part. Ou vous devez avoir une idée sur la question. »

Jeff tripota le bracelet de sa montre en argent.

« Quand est-ce que je retrouverai un sommeil normal ? Est-ce qu'un jour, j'oserai ramener un mec à la maison ? »

Jeff sourit.

« Le pronostic est bon, Nick. »

Le jeune homme se laissa aller contre le dossier du canapé, soulagé. Jeff voulait peut-être simplement lui faire plaisir, mais tant pis.

« Quand on examine les données, il y a plusieurs facteurs encourageants. Mais vous savez que ce n'est pas qu'une question de chiffres. Le plus important, c'est le travail que nous accomplissons ici. Et c'est le seul aspect sur lequel vous pouvez agir. Poursuivez dans cette voie, et le pronostic n'en sera que meilleur. »

Une tension se dénoua dans le ventre de Nick et une sensation de bien-être l'envahit, tandis qu'il écoutait la voix de Jeff.

« Nous pouvons continuer à analyser ce qui s'est passé avec Ray, les histoires que vous vous racontez sur la signification de l'agression. Ce que ça dit de vous. Et vous finirez par aller mieux. Mais il n'y aura pas un jour où les symptômes disparaîtront une bonne fois pour toutes. Je fais encore des cauchemars sur les violences que j'ai subies, et pourtant je suis un vieux schnock. Mais vous irez mieux, cela ne fait aucun doute. Quand je vois le regard que vous portez sur vous-même, sur les autres, sur les relations amoureuses, je suis optimiste.

— Cool. »

Parfois il n'avait pas les mots pour dire tout le bien que lui faisait Jeff.

« Du nouveau, en ce qui concerne le procès ?

— En fait, oui. Je renonce aux poursuites.

— Ah bon ? Pourquoi ? »

Il avait pris sa décision la semaine précédente. D'abord, quand Ray avait disparu, Nick n'avait pas pu s'empêcher de penser que Tony avait fait une bêtise. Plus qu'une bêtise. Il savait par Julia que la police l'avait interrogé et elle semblait inquiète. Puis l'assistante du procureur en personne avait appelé Nick : Ray était monté dans un car pour Boston. Le lâche s'était enfui. L'audience suivante était prévue en mars. Linda n'était pas sûre que le juge accepterait de poursuivre la procédure si Ray n'avait pas été retrouvé d'ici là, mais elle voulait essayer. Nick avait décidé de ne pas lui dire tout de suite la vérité au sujet de son témoignage. Il avait encore un peu de temps pour réfléchir, manifestement.

Et puis, il avait reçu la visite de Julia.

Il tombait des flocons légers, et le chasse-neige n'était pas passé sur Spring Street, mais ils étaient quand même sortis marcher dans la rue.

Ray ne s'était pas enfui seul, lui avait-elle confié. Et c'était elle qui avait aidé son violeur à disparaître.

Nick était abasourdi. Ça ressemblait à une blague sans chute.

« Il faut quand même que tu le saches. Tu l'as fait changer d'avis, mais il était trop tard.

— Ray ? »

Elle secoua la tête.

« Tony. »

Il comprit avant même qu'elle termine sa phrase.

« Je croyais qu'il allait le tuer. »

Tony l'avait dit, en fait, lorsque Nick lui avait avoué qu'il était resté conscient pendant tout le temps de l'agression. Il n'arrêtait pas de répéter qu'il allait tuer Ray.

« Je te le jure, Nick, tu l'as fait changer d'avis. Il est venu te voir à Goodspring et il m'a dit qu'il avait renoncé à le faire. Mais il était trop tard, ajouta-t-elle sans cacher son désarroi. J'ai aidé Walker à partir pendant que Tony était avec toi. »

Un autre élément s'éclaircit.

« Je croyais que tu l'avais envoyé à Goodspring parce que tu ne voulais pas être celle qui lui annoncerait que les négociations avaient échoué. Mais non. J'étais son alibi.

— Seulement au cas où. »

Ils s'étaient arrêtés au bout de la rue. Ils restèrent quelques instants immobiles sous la neige.

« Pourquoi tu me le dis maintenant ? »

Elle s'essuya le nez avec le revers de sa moufle.

« Parce que j'ai un service à te demander. »

Si le juge autorisait un procès par contumace, ce serait un véritable cirque médiatique. La presse allait s'en donner à cœur joie : un violeur en fuite poursuivi en justice par l'homme qu'il avait agressé ? Qui sait, l'affaire ferait peut-être les informations nationales. Et le cas échéant, quelqu'un risquait d'appeler d'un autre État pour dénoncer un individu répondant au signalement du fugitif. Si tout le pays s'intéressait au procès, on démasquerait peut-être Ray. Et donc Julia.

Elle avait les traits tirés, et la neige s'était accumulée sur sa casquette.

« Je n'ai pas le droit de te demander quoi que ce soit.

— C'est faux.

— Non, pas après t'avoir privé de justice. Mais je le fais quand même.

— Ah. »

Elle voulait qu'il laisse tomber le procès. Bien sûr qu'il le ferait pour elle. Mais le problème, c'était… Ray… S'il s'en prenait à quelqu'un d'autre ?

« Nick ? »

La voix de Jeff le tira de sa rêverie.

« Pardon ?

— Pourquoi avoir renoncé aux poursuites ? »

Nick prit une grande inspiration.

« Est-ce que je peux être honnête ?

— Bien sûr. »

Plus de mensonges, ni de demi-vérités.

« Sincèrement, je ne souhaite pas en parler. »

Jeff lui sourit.

« Pas de problème, c'est votre séance. »

Oui. Sa séance, son choix. Un jour peut-être, Nick dirait à Jeff pourquoi il avait décidé de laisser tomber, il lui rapporterait les mots de Julia. Ou pas. C'était à lui de voir.

83

Julia Hall, 2019

Elle se sentait vidée. Elle essayait de suivre Rice, mais son cerveau tournait au ralenti. L'inspecteur paraissait sincère, tout semblait vrai. En plus, il savait déjà que c'était elle. S'il voulait la dénoncer, quelle différence cela ferait-il ? Elle pouvait aussi bien lui raconter.

« Quand je lui ai annoncé que Walker était parti, Tony était effondré. Pas parce qu'il voulait le tuer. Parce qu'il avait changé d'avis. »

Le policier secoua la tête.

« Non.

— Si. Nick tenait à ce procès. Et Tony ne voulait pas l'en priver.

— Dans ce cas, pourquoi est-ce qu'il a demandé à Linda de laisser tomber ? On aurait pu tenter le coup avec ou sans Walker. Ça arrive. Dans la mesure où le procès n'avait pas débuté, le juge aurait pu refuser, bien sûr. Mais Nick n'a même pas essayé. Je ne comprends pas. Je sais que ça aurait encore attiré l'attention des médias, mais il aurait pu remporter une victoire symbolique.

— Oui, dit Julia lentement. Il aurait pu. Mais d'une certaine manière, les positions se sont inversées.

— Comment ça ?

— Il a renoncé pour m'épargner », répondit-elle avec un sourire.

Un mois après la disparition de Walker, elle avait tout avoué à Nick. Toute la vérité.

« S'il avait été maintenu, le procès se serait sûrement transformé en spectacle national : un homme victime de viol, un jugement par contumace, un accusé en fuite. Et ce genre de battage médiatique…

— … aurait fait encore plus de mal à Nick.

— Non. Enfin, si, bien sûr. Mais dans ce cas, c'était par pur égoïsme. Je voulais que Nick abandonne les poursuites pour moi. Je craignais d'être incriminée si quelqu'un voyait les informations et comprenait ce qui s'était passé.

— Ah.

— Ou si Walker décidait de réapparaître.

— Nick l'a donc fait pour vous.

— Et pour Tony. Je m'en voulais horriblement, mais finalement, je crois que c'était ce dont il avait besoin. Ça a rétabli la balance entre eux, en quelque sorte. L'affaire a été classée, les médias ont oublié et j'étais sauvée. »

Rice resta silencieux.

« Vous disiez qu'il y avait autre chose ?

— Je n'ai jamais été un chrétien exemplaire, dit-il lentement. J'ai souvent péché et je me suis toujours confessé. Mais là, il m'a fallu du temps pour m'y résoudre. J'avais aidé un prévenu à échapper à la justice en dissimulant l'unique piste qui aurait pu permettre de le retrouver : la complicité de la belle-sœur de la victime.

J'ai failli aller me confesser à Boston, ajouta-t-il en secouant la tête. Dans une église où personne ne me connaissait. J'avais honte d'en parler à mon prêtre. Je savais qu'il perdrait tout respect pour moi. Il refuserait de l'admettre, évidemment, mais comment pourrait-il en être autrement ?

« Finalement, je me suis dit : tant pis pour ma fierté. Je n'avais aucune raison d'être fier, de toute façon. Je suis allé me confesser dans mon église. Après, je me suis senti mieux. Mais ça n'a pas duré. C'était comme un picotement dans le ventre, quelque chose qui devait sortir. Alors j'y suis retourné. Ça s'est calmé et c'est revenu.

« Puis le cancer est arrivé. Et maintenant, je suis en train de mourir. Ce printemps, je verrai Pâques pour la dernière fois, si j'en crois les médecins. Et je suis toujours tenaillé par le besoin de me confesser. J'ai fini par comprendre ce qui n'allait pas. C'est parce que le péché continue. Mon péché, c'est mon silence. Je suis un catholique, mais je suis aussi un policier. J'ai prêté un serment et je l'ai trahi. Je le trahis chaque jour où je me tais. »

Julia était estomaquée.

« Vous ne pensez quand même pas que Dieu vous punit pour ça ?

— Je n'en sais rien. Une version de moi plus jeune et plus romantique serait peut-être d'accord avec vous. Mais c'est différent une fois que vous avez vu les radios, ces taches invraisemblables dans le corps. C'est différent quand vous devez appeler la personne qui a rédigé votre testament il y a vingt ans. » Il secoua la tête. « J'espère et je veux croire qu'il me pardonnera. Dieu est juste et miséricordieux. Lui peut choisir. Moi, je devais simplement être juste. C'était mon travail : faire respecter la loi. La miséricorde, c'est l'affaire de Dieu. Il m'est arrivé de faire preuve d'indulgence, mais rien de comparable. En cas de véritables délits, j'ai toujours appliqué la loi. C'est la seule fois où j'ai choisi la miséricorde. »

C'était donc pour cette raison qu'il l'avait convoquée.

« Vous allez me livrer à la justice. »

Il la regarda, surpris.

« Je ne peux pas.

— Ah ? Et pourquoi ?

— Ça détruirait tout le travail de ma vie. Ce serait comme ces scandales autour des recherches génétiques. Quelque chose d'aussi énorme, dissimuler qu'un membre de la famille de la victime a aidé un accusé à s'enfuir… Toutes mes affaires précédentes seraient passées au crible. Si j'ai permis à d'autres victimes d'obtenir au moins une justice imparfaite, elle se verrait tout à coup remise en question. Tous ceux qui ont retrouvé un semblant de paix la perdraient.

— Je ne sais pas quoi dire. Je n'avais pas idée. Je suis vraiment désolée.

— Ne le soyez pas. Dites-moi seulement que ça en valait la peine.

— Comment ça ?

— Parlez-moi du bien que mon silence a fait. Si je dois aller en enfer, au moins j'aurai une raison de sourire. »

Elle laissa échapper un gloussement, un petit jet d'air et de morve, et s'essuya le nez avec sa manche.

Les bras croisés sur le ventre, les épaules voûtées, le policier ne lui avait jamais paru aussi rabougri, malade et triste. Pourtant, il était également plein d'espoir: ses yeux brillaient d'une attente immense. Il espérait qu'elle pourrait lui donner ce dont il avait besoin. Une consolation. Aussi sûrement que Tony l'avait acculée, Julia avait involontairement pris Rice au piège. Mais l'un comme l'autre, ils avaient fait leur choix. Pendant toutes ces années, l'inspecteur avait été son complice silencieux.

Alors, elle lui dit. Elle lui parla de Chloe qui, à dix ans, était incroyablement précoce. Au cours des derniers mois, elle s'était mise au karaté avec enthousiasme, et elle comptait obtenir sa ceinture jaune au printemps. Seb, à présent âgé de huit ans, avait récemment découvert sur YouTube que des gens se filmaient en train de fabriquer et de manipuler toutes sortes de substances gluantes. Depuis il regardait ces vidéos religieusement. Tony avait tenté de canaliser cette obsession en l'orientant vers la science, mais il avait dû se rendre à l'évidence: Seb s'intéressait uniquement et exclusivement aux matières gluantes. (L'inspecteur riait tant qu'il dut reprendre de l'oxygène.) À propos de Tony, Julia ajouta qu'ils avaient fêté leur douzième anniversaire de mariage le 31 décembre dernier. Ce qu'elle avait fait les avait rapprochés, et leur lien semblait plus fort que lorsqu'ils étaient jeunes et bêtement amoureux. Enfin, elle lui parla de Nick. Il avait vingt-trois ans et avait retrouvé tout son humour. Il s'était installé à Boston après son diplôme et travaillait dans la publicité. À Noël dernier, il leur avait présenté son copain, qui avait conquis toute la famille.

« Donc vous pensez que nous avons bien fait ? »

Elle se tortilla sur son siège.

« J'ignore si nous le saurons un jour. Enfin, vous le saurez peut-être avant moi », dit-elle en pointant le doigt vers le sol.

Il éclata de rire. Soudain, l'idée qu'ils puissent se retrouver ensemble en enfer leur paraissait hilarante.

« J'aurais agi différemment, si j'avais su ce qui se passerait ce jour-là. Mais je ne pouvais pas le deviner. »

Il resta silencieux. Il attendait qu'elle poursuive. Il n'en avait jamais parlé qu'à son confesseur, manifestement. Elle était fatiguée, mais elle pouvait continuer un peu.

« Pendant longtemps, je me suis sentie… terrassée… mais ce n'est pas le mot, c'était pire que ça. Au début, j'ai tenu bon parce que Tony était prostré, et puis, quand il a commencé à remonter la pente, c'est moi qui me suis effondrée. J'étais perdue, à la dérive. J'avais l'impression d'être une personne horrible. D'abord, j'ai pensé que ce que j'avais fait m'avait changée, et puis, je me suis dit qu'en fait je ne savais pas qui j'étais vraiment, avant. Et surtout, je me sentais idiote. Une fois le stress de la situation disparu, je me suis rendu compte qu'il y aurait eu d'autres solutions auxquelles je n'avais même pas songé. J'aurais pu faire hospitaliser Tony. Ce n'est pas un délit d'avoir envie de tuer quelqu'un. Si j'avais réagi assez vite… je n'en sais rien. J'aurais pu le droguer et l'attacher, comme dans *Misery*. »

Rice rit encore, s'étouffant à moitié.

« Le retenir prisonnier à la maison, ajouta-t-elle avec un sourire. J'aurais pu vous le dire aussi, poursuivit-elle, retrouvant son sérieux. C'était une décision lourde à prendre, mais j'aurais pu vous avertir. Ça, j'y ai pensé. Je me suis posé la question, avant de… d'aider Walker à disparaître. Mais j'ignorais ce que vous feriez. Et si vous arrêtiez Tony ? Nous l'aurions tous perdu. Moi, les enfants, Nick. Alors je me suis résolue à aider Walker. À la fin, j'ai obtenu le résultat souhaité : Tony ne pouvait plus rien lui faire, il ne pouvait plus gâcher sa vie, mais je m'en voulais terriblement. J'étais anéantie. Heureusement, Tony a pris soin de moi, et je crois que les enfants n'en ont pas vraiment souffert. Ou alors je me raconte des histoires. Quoi qu'il en soit, j'ai fini par ranger ça dans un coin de ma tête. »

Elle avait parlé en le regardant dans les yeux. C'était très intime, presque gênant, mais ça donnait un accent de sincérité à ses paroles. Elle lui devait bien ça, à défaut de pouvoir lui offrir toute la vérité.

« Je pense que je ne saurai jamais si j'ai eu raison. Je suis consciente d'avoir commis une mauvaise action. Mais est-ce que les choses ne sont pas un peu plus compliquées que ça ? Je le crois, en tout cas. Et j'ai appris à l'accepter. Quand… ce que j'ai fait revient en catimini, ou, plus fréquemment, que ça explose dans ma tête, si je me sens horrible, ou malade d'angoisse à l'idée d'être arrêtée et emprisonnée, de mettre ma famille exactement dans la situation que je voulais éviter… »

Elle posa la main sur son bras osseux sous la manche du pull et le serra doucement.

« Alors, dans ce cas, je prends une grande inspiration, je regarde les enfants, je regarde Tony, je regarde Nick. Ils sont la meilleure réponse que j'obtiendrai jamais à cette question : est-ce que j'ai fait ce qu'il fallait ? »

Les yeux de l'inspecteur étaient baignés de larmes. De soulagement, ou de déception ?

« C'était plus ou moins ce que je pensais. Et… est-ce que vous avez eu des nouvelles de…

— Non. Jamais.

— Je me demande s'il a quitté le pays. »

Julia sentit qu'elle haussait les sourcils, et elle accentua le mouvement pour accompagner sa voix émue.

« Peut-être.

— Il n'avait pas l'air du genre à se ranger. Sans parler de son désir de se faire remarquer. C'est bizarre qu'on n'ait jamais entendu parler de lui ou qu'on n'ait pas retrouvé son ADN dans le cadre d'une autre affaire. Il a sûrement quitté le pays. »

Julia ne répondit pas tout de suite. Pouvait-elle lui offrir cette consolation ? La lui devait-elle ? Elle songea au jour où Rice avait appelé Tony et l'avait mis en garde. *Les Anges de Boston*, ce n'est pas ma tasse de thé, lui avait-il dit.

Elle lui serra encore le bras.

« Vous ne devriez pas penser à ces choses-là, si vous cherchez la paix. »

Il hocha la tête.

« Tout ce que je peux dire, c'est qu'il savait qu'il avait failli tout perdre. Il savait que c'était l'occasion ou jamais de prendre un nouveau départ.

— Est-ce que vous pensez vraiment que ce genre de personne est capable de changer ? »

C'était précisément la question qui la hantait.

Ce qu'il a fait à votre beau-frère, il a dû le faire à d'autres, lui avait dit Charlie Lee. Il doit y avoir d'autres victimes. C'est seulement qu'elles sont difficiles à trouver. Et il n'en avait découvert aucune, hormis, peut-être, ce garçon à Providence. Julia ne saurait jamais ce qu'il en était réellement. Un jour, elle serait vieille ou malade comme Rice, ou elle connaîtrait une fin différente, et elle mourrait sans avoir la certitude que Raymond Walker était bien un monstre. Elle pouvait reléguer la question dans un coin de son esprit, mais elle était toujours là, prête à ressurgir et à la narguer : *Était-il si mauvais que ça, Julia ?*

« Je deviendrais folle si je pensais à lui, dit-elle avec franchise. C'est pour ça que je me concentre sur ma famille jusqu'à ce que mon cerveau passe à autre chose. »

L'inspecteur Rice poussa un long soupir.

« J'ai l'impression qu'on m'a ôté un éléphant de la poitrine. »

Elle rit et lui serra le bras une dernière fois.

« Je n'avais pas idée de ce que je vous devais.

— Ce n'est rien, dit-il en haussant les épaules.

— Non. C'est tout. »

Ils restèrent silencieux un moment. Une bourrasque fouetta la fenêtre. Elle regarda sa montre. Ce n'était pas que l'heure importait, mais elle avait terminé.

« Je suis navrée, mais il faut que j'y aille. Je n'aime pas conduire la nuit avec la neige, si je peux l'éviter.

— Bien sûr. »

Il s'agrippa aux accoudoirs, et elle se précipita pour l'aider à se mettre sur ses jambes. Il l'accompagna jusqu'à la porte. Julia s'assit sur le banc pour enfiler ses chaussures.

« Vous jardinez ? demanda-t-elle en indiquant les livres.

— Oh oui, répondit-il avec un grand sourire. Ça a toujours été un passe-temps, mais, depuis la retraite, c'est ma principale raison de me lever le matin. Si par miracle je suis encore vivant au printemps, je serais heureux que vous veniez me voir, ici ou ailleurs, si tant est que je sois assez en forme pour faire pousser quoi que ce soit. »

Elle lui adressa un sourire chaleureux.

« Ça me ferait immensément plaisir. »

Un mensonge flagrant. Elle ne pensait pas être capable d'affronter une nouvelle fois le policier. Mais à quoi bon lui dire une chose pareille, alors qu'il ne serait probablement plus de ce monde d'ici là ?

Elle irait à son enterrement. Elle lui devait bien ça.

Elle l'étreignit avant de sortir. Elle se retourna pour fermer derrière elle, mais il l'avait devancée. Il lui fit un signe de la petite fenêtre à côté de la porte, et elle agita sa moufle.

C'était certainement un péché de mentir à un mourant. Mais c'était plus généreux que de lui dire la vérité.

84

Elisa Lariviere, 2016

Il était minuit et demi, le lendemain de la disparition de Raymond Walker. Elisa Lariviere était en avance. Elle préférait ça, d'autant plus qu'une voiture qui attendait à cet endroit n'avait rien de suspect. Elle se gara en marche arrière au fond du parking, l'avant de son Gran Coupe face au bâtiment. Elle était partie du Michigan trois heures plus tôt pour rejoindre la gare routière de Columbus, dans l'Ohio.

On gelait et elle laissa tourner le moteur. Le vent qui hurlait dehors donnait l'impression d'une tempête de neige, alors qu'il ne tombait que quelques flocons. Pourtant, elle préférait encore ce temps à celui du Michigan. Après avoir vécu à Boston pendant plus de vingt ans, elle croyait qu'elle n'aurait aucun mal à s'adapter au climat des Grands Lacs, mais elle se trompait. Les hivers y étaient plus longs, plus sombres et plus humides qu'en Nouvelle-Angleterre. Même si, ce soir, les conditions atmosphériques du Michigan auraient présenté un avantage certain.

Sur la radio publique qu'elle écoutait en sourdine, on entendait s'élever les premiers accords d'une chanson. Elle n'avait pas fait attention à ce qu'avait dit l'animateur – peut-être que c'était la bande-son idéale pour un vendredi soir ? –, en tout cas, aux premiers accords de guitare, elle reconnut la mélodie de « Whiskey in the Jar ». Sa poitrine se gonfla d'une nostalgie en demi-teinte. La vieille chanson irlandaise avait fait ressurgir un souvenir et la coïncidence la fit sourire.

Elle l'avait entendue un an plus tôt, dans un film tiré d'une histoire vraie. *Conviction*. Une femme retournait à l'université pour étudier le droit et consacrait sa vie à innocenter son frère accusé à tort. Le film n'avait pas fait grand bruit à sa sortie : elle l'avait vu à la télé quelques années plus tard. L'intrigue était longue à se mettre en place, mais pour finir elle avait été bouleversée. Elle avait tout de suite pensé au procès de son fils. Même s'il n'y avait que très peu de similitudes entre les deux affaires, les thèmes de la justice, de la famille, et la défense énergique de l'avocate avaient touché chez elle une corde sensible.

Désemparée après l'arrestation de Mathis, début 2005, Elisa avait remué ciel et terre pour lui trouver un avocat pugnace, et elle avait réussi, même s'il ne s'agissait pas de la personne escomptée. Elle avait embauché Clifton Cook, un ténor du barreau, et celui-ci était allé lui chercher une petite soprano du nom de Julia Clark. Elle avait d'abord éprouvé une profonde déception à la vue de ses boucles sages et de son visage enfantin. Elle riait à présent lorsqu'elle repensait à ses premiers échanges avec Julia, qui souriait trop, insistait pour qu'ils coopèrent avec le bureau du procureur, et recommandait moult associations d'intérêt général et programmes d'insertion pour Mathis.

« Ce n'est pas une avocate, c'est une assistante sociale, s'était-elle esclaffée au téléphone de la cuisine blanc immaculé de son gratte-ciel à Boston.

— Clifton dit que le tribunal pour mineurs est particulier, répondit son fils depuis le centre de détention. Et elle est gentille, maman. »

Elle avait levé les yeux au ciel.

« Bien sûr. Et surtout mignonne.

— Même pas », avait-il menti.

La neige s'accumulait sur le pare-brise. Elisa alluma les essuie-glaces. Elle regarda l'heure. Encore dix minutes.

Mathis était idiot de transporter de la cocaïne dans la voiture, même en toute petite quantité, surtout s'il devait franchir la frontière de l'État pour aller voir ses amis dans le Maine. Et le pistolet ! Elisa s'était décomposée lorsqu'elle avait appris qu'il avait été arrêté en possession d'une arme. Par chance, elle n'était pas volée ni rien. Elisa lui avait rendu visite au centre de détention. Ils s'étaient assis à une longue table dans une pièce stérile et ils avaient discuté en chuchotant, tout en jouant aux sept familles, un jeu de cartes d'une simplicité confinant à la bêtise, mis à la disposition des prisonniers. Elle lui avait passé un savon, puis lui avait dit ce qu'il devrait raconter aux avocats.

Elle avait œuvré discrètement en parallèle, bien sûr, mais, pendant l'année qu'avait duré l'instruction de l'affaire, elle avait vu Julia veiller tard et travailler d'arrache-pied pour son fils. Chaque fois qu'ils se rendaient au tribunal, Elisa écoutait Clifton Cook détailler au juge les progrès de Mathis, grâce aux programmes mis en place par la jeune femme. Assise à côté d'elle, Julia se taisait, sans chercher à s'attribuer le moindre mérite.

« Il peut être fier de ce qu'il a accompli, avait-elle déclaré à l'issue de la dernière audience. Vu les circonstances, c'est un résultat inespéré. »

Elisa s'était penchée vers elle.

« Ne négligez pas votre rôle. »

L'avocate avait insisté pour qu'il joue le jeu, en dépit des doutes d'Elisa. Et ses efforts avaient porté leurs fruits.

« Je ne le néglige pas. Mais il a travaillé dur. Il mérite ce qu'il a obtenu aujourd'hui… Il était soumis à une grosse pression. »

Elle lui avait jeté un regard de biais. Les yeux de Julia fixaient un point devant elle.

« J'espère qu'il se sentira libre de décider qui il est et ce qu'il veut dans la vie », avait enfin ajouté la jeune femme.

Elisa n'avait pas bronché.

Dans le couloir, Mathis avait serré Julia dans ses bras. « Appelez si vous avez la moindre question », lui avait-elle dit. Lorsque son fils s'était tourné vers Clifton, Elisa l'avait entraînée à l'écart. Elle souhaitait lui parler.

Elle avait pas mal repensé à Julia quand elle avait vu ce film sur une avocate qui défendait son frère. Le soir même, elle avait été prise d'un besoin presque irrépressible d'essayer son numéro, mais elle s'était retenue. Le lendemain matin, elle l'avait cherchée sur Google et avait été déçue de découvrir qu'elle n'exerçait manifestement plus. Son coup de téléphone peu de temps après lui avait donc fait l'effet d'une coïncidence presque miraculeuse.

Au début du mois, Elisa avait trouvé un message sur sa boîte vocale en sortant de chez le coiffeur. C'était Julia, incohérente et nerveuse, qui ne disait pas vraiment ce qu'elle voulait.

Elle l'avait rappelée dans la journée, mais plus tard, confortablement installée à l'abri de sa véranda. Il faisait un temps d'hiver maussade sur le lac. La pluie dégoulinait paresseusement sur la grande baie vitrée, et au-delà, le gris et la brume s'étendaient à l'infini. Elle s'était assise à côté du petit poêle à bois pour l'appeler.

Quand Julia avait décroché, elle ne semblait pas elle-même. Elle réagissait lentement aux salutations d'Elisa. Elle avait dû changer de pièce et une porte s'était refermée. Aussitôt, sa voix s'était modifiée.

« Merci de m'avoir rappelée.

— Pas de problème. Ça me fait plaisir d'avoir de vos nouvelles.

— Vous êtes partie bien loin de Boston !

— Je suis une dame du lac, à présent. »

Elisa agita gracieusement la main, saluant un public inexistant.

« Comment sont les hivers dans le Michigan ?

— Pourris. Ne me dites pas que vous m'avez appelée pour parler du temps ?

— Non, et je constate que vous êtes toujours aussi directe. »

Elisa entendait le sourire dans sa voix, mais elle savait qu'elle était embarrassée.

« Allez, crachez le morceau », dit-elle, rieuse.

Le silence s'éternisait.

« Julia, ça va ?

— Non », murmura celle-ci.

Alors, elle lui parla de Raymond Walker, et de ce qu'il avait fait à son beau-frère. Elle évoqua également la presse, les problèmes du jeune garçon, les tensions dans son couple.

« Je suis navrée pour vous, sincèrement. »

C'était quand même étrange. Une femme comme Julia ne devait pas manquer d'amies susceptibles de lui offrir une oreille compatissante.

« Je crois que mon mari va faire quelque chose, dit Julia après un long silence.

— Quelque chose ?

— Quelque chose que je ne pourrai jamais réparer. »

Elisa n'avait pas besoin qu'on lui mette les points sur les i.

« Ce n'est pas moi qui vais lui jeter la pierre. Vous vous attendiez à une autre réaction de ma part ? »

Elle plaça la paume au-dessus de la vapeur qui s'échappait de son thé, posé sur l'accoudoir. Elle repensa à leur conversation dans le bureau de Julia. Et aux aveux fiévreux de Mathis, qui avait confié des détails compromettants sur l'histoire familiale à sa jolie avocate.

« Je sais que Mathis vous a raconté des choses.

— Tony ne peut pas faire ça. »

Elisa écarta sa main de la tasse. C'était donc ça.

« En revanche, moi, si ?

— Je pense que je pourrais persuader Walker de partir. Même sans connaître les projets de Tony, il doit se douter qu'il risque une lourde peine de prison, dix ou vingt ans peut-être. Il a dû envisager de s'enfuir, mais il n'a pas de soutien, pas d'argent. Si je lui propose mon aide, je pense pouvoir le persuader de partir… de partir pour toujours, ajouta-t-elle plus bas, les mots tombant comme des pierres d'une falaise.

— Cet homme partira. Pour toujours.

— Peut-être que si je lui…

— Cet homme obsédé par les projecteurs.

— Si je…

— Ce sadique. Vous allez lui rendre sa liberté et il se laissera oublier de son plein gré. Jamais il ne reviendra vous faire chanter. »

Julia ne répondit rien, cette fois. Tant mieux. Elle était trop intelligente pour feindre la naïveté, surtout avec Elisa.

« Alors quoi ? Vous voudriez que je lui loue une chambre avec vue sur le lac ? Que je l'aide à trouver du travail ? Que je lui procure un passeport ? »

Toujours rien.

« Je peux continuer à me moquer de vous si ça vous aide à vous sentir mieux, mais nous savons toutes les deux pourquoi vous m'avez appelée. »

Cette fois, Julia répondit.

« Si… »

Elle s'interrompit, exhala contre le micro.

« Si je voulais votre aide… ce genre d'aide…

— J'étais sincère la dernière fois qu'on s'est vues. Vous avez sauvé mon fils… mon fils préféré, en plus. »

Elle laissa échapper un rire étouffé.

« Vous devez avoir des enfants, à présent. Vous avez toujours adoré les enfants. Alors vous savez de quoi je parle. Vous avez sauvé mon fils et je ferais n'importe quoi pour vous aider. Je suppose qu'à l'époque vous pensiez ne jamais avoir besoin de quelqu'un comme moi. »

À l'autre bout du fil, elle entendit Julia prendre une brusque inspiration entrecoupée de sanglots. Peut-être de résignation, peut-être de soulagement.

« Oui.

— C'est facile d'être une bonne personne quand tout va bien. »

Julia ne dit rien.

La chaleur du poêle était agréable, mais Elisa sentait le froid venant de la vitre dans son dos. Elle changea de position, repliant ses jambes contre elle, les genoux sous le menton. Ses articulations protestèrent, et elle avança les talons de quelques centimètres.

« On a combien de temps ?

— Avant que Tony…

— Oui.

— Pas beaucoup. Il y a une audience le 12 janvier. Il m'a promis de ne rien faire avant. Et s'ils passent un accord, c'est bon.

— C'est bon, c'est à dire ?

— Je n'aurai pas besoin de vous. »

Elisa n'en était pas si sûre, mais il était inutile de le mentionner. Il valait mieux qu'elle se prépare à toutes les éventualités.

« Je suppose qu'il y a peu de chances qu'il accepte de plaider coupable aussi vite et, dans ce cas, il faudrait que ce soit réglé dans la semaine.

— En effet, ça ne nous donne pas beaucoup de temps. Vous pensez vraiment pouvoir persuader cet homme de s'enfuir ? Provisoirement, je veux dire. »

Julia s'éclaircit la gorge.

« Je crois, oui. Le procès nous inquiète, mais on m'a laissé entendre qu'il avait aussi peur que nous. Outre la prison, il risque de se retrouver sur la liste des délinquants sexuels, sans parler de la stigmatisation et de tous les problèmes qu'entraîne ce genre d'accusation. Il semblerait qu'il commence à paniquer, alors si je pouvais lui faire miroiter une autre vie… mais j'ai besoin de vous pour le convaincre que je lui offre tout ce qu'il faut pour redémarrer à zéro.

— Un passeport, de l'argent.

— Oui. Et des billets de transport pour quitter le Maine sous un faux nom.

— Pourquoi se donner tout ce mal ? On pourrait s'occuper de lui sans qu'il ait à aller nulle part.

— S'il lui arrive quelque chose ici, on soupçonnera Tony. Même s'il a un alibi, on pourra toujours dire qu'il a embauché quelqu'un. »

Elisa gloussa.

« À qui le dites-vous, dit-elle, passant le doigt sur le bord de sa tasse. Donc il faut donner l'impression qu'il est parti de son plein gré.

— Oui.

— Très bien, dans ce cas, envoyez-le-moi.

— Chez vous ?

— Non. Une ville pas trop loin, dans le Michigan ou l'Ohio. Ne m'obligez pas à rouler toute la nuit. Dites-lui que je l'attendrai pour l'emmener dans un endroit où il pourra se cacher le temps que les choses se tassent.

— Et après ?

— Après, votre problème sera réglé. Et cet homme aura ce qu'il mérite.

— Je ne suis pas d'accord avec ça. »

Elisa ferma les yeux et laissa échapper un rire brutal.

« Vous en êtes sûre ? »

Julia se tut.

Elisa aurait pu prendre ce silence pour de la faiblesse chez quelqu'un d'autre, une bonne raison pour raccrocher. Mais il s'agissait d'autre chose. Julia était en guerre contre elle-même. Le gentil petit chat domestique qui croyait aux règles et à l'ordre, contre le puma qui savait qu'un beau jour, l'unique loi à laquelle on était soumis, c'était tuer ou être tué.

Et elle était avocate. Réfléchir était sa religion. Elle espérait encore trouver une solution qui préserverait à la fois sa famille et son sens moral. Julia ne comprenait pas ce qui était évident aux yeux d'Elisa : spéculer, peser le pour et le contre, ça ne servait à rien, car au bout du compte on ne pouvait pas se faire meilleur qu'on ne l'était. Et il y avait des choses plus importantes que la bonté.

« Je ne vais pas essayer de vous convaincre, dit enfin Elisa. Vous n'avez pas besoin de ma permission. Vous avez besoin de la vôtre. Et je ne suis pas certaine que vous l'ayez encore.

— En effet. »

Elles parlèrent longtemps des garanties que Julia devrait présenter à Walker pour le persuader de grimper dans un autocar. Elle voulait des faux papiers, des billets achetés sans qu'on puisse remonter la source du paiement, la promesse d'une somme d'argent confortable qui attendrait Walker à l'issue de son voyage et, bien sûr, la véritable fin qu'il trouverait à l'arrivée. Et pour tout cela, elle comptait sur Elisa. Manifestement, Mathis avait été encore plus loquace qu'il ne l'avait avoué à sa mère.

La femme termina son thé, tandis qu'elles réglaient les derniers détails. De temps en temps, Julia s'interrompait pour dire : « Si je décide de le faire », et Elisa répondait « Bien sûr, bien sûr » sans insister, mais elle sentait qu'elle avait fait son choix.

Avant de raccrocher, elles se mirent d'accord pour ne plus se parler au téléphone, sauf en cas de nécessité absolue. Julia avait une explication pour cette conversation, en lien avec son travail, mais cela ne justifierait pas plusieurs appels dans le Midwest si sa famille était soupçonnée. Julia enverrait donc à Elisa une carte postale avec toutes les informations essentielles pour la réservation des billets. Et elle ne la recontacterait que si Walker ne partait pas, pour la prévenir que tout était annulé.

Au cours des jours suivants, Elisa passa plusieurs appels et réunit les documents dont Julia aurait besoin. Une semaine plus tard, elle recevait une carte. Le cachet de la poste indiquait qu'elle venait de Portland, dans le Maine.

Chère tatie Elisa,

Je me réjouis de te rendre visite cet hiver ! J'ai un long voyage qui m'attend. Le 15 janvier, je prendrai le Concord Coach de Portland à Boston, puis le train de 23 h 55 de la gare Sud pour Toledo, même si je vais peut-être acheter un billet jusqu'à Chicago : il paraît que c'est une très belle ville. Je serai à Toledo le samedi 16 janvier à 15 h 25, et de là, je sauterai dans un Greyhound pour Columbus ou tu pourrais venir me chercher. J'arriverai vers minuit et demi, j'espère que ce n'est pas trop tard.

J'ai hâte de te voir. S'il y a le moindre problème, appelle-moi !

Affectueusement,
Ta nièce

Deux jours plus tard, Elisa envoyait en express un paquet à Julia. Il contenait un faux permis, la photocopie du passeport d'un homme décédé, un relevé au nom de cet homme, contenant de l'argent venant de l'un des comptes secrets d'Elisa, et les billets de transport demandés.

Elisa relut une dernière fois la carte postale avant de la jeter dans le poêle. À présent, c'était au tour de Julia.

Voilà comment elle se retrouvait dans sa voiture à Columbus, dans la nuit du 16 au 17 janvier. Son pied battait le plancher devant les pédales, les vibrations se répercutant dans tout son corps. Elle regarda encore sa montre.

Le car apparut avec deux minutes de retard.

Elisa repensa à la carte postale. *S'il y a le moindre problème, tiens-moi au courant !*

Julia ne souhaitait pas savoir quand ce serait fait. Elle voulait seulement des nouvelles si ce n'était pas le cas.

Un homme surgit de derrière le bus. Les lumières au-dessus de la gare routière jetaient une ombre sur son front et ses yeux qui scrutaient le parking semblaient deux trous.

Elisa lui fit un appel de phares et Raymond Walker se dirigea vers la voiture.

Elle n'eut jamais à recontacter Julia.

REMERCIEMENTS

Il y a tant de gens qui ont joué un rôle dans l'écriture de ce roman et sa publication que je crains de ne pas rendre hommage correctement à chacun d'entre eux. Mais la peur de l'échec n'est pas une bonne raison pour se défiler. Voici donc ceux que je tiens à remercier.

Helen Heller, l'agente qui a bouleversé ma vie en l'espace d'une semaine. C'est la meilleure décision professionnelle que j'aie jamais prise.

Mon équipe éditoriale : Pamela Dorman, Jeramie Orton, Clio Cornish, Jill Taylor et Marie Michels. Vous avez fait de ce roman l'histoire que je voulais raconter. Erica Ferguson, ma super-correctrice qui a relevé plus d'erreurs que je serais prête à l'admettre. Tous ceux à Pamela Dorman Books et Michael Joseph qui ont participé à ce projet et m'ont accueillie comme une des leurs.

Saliann St-Clair, Jemma McDonough et Camilla Ferrier, qui se sont démenées pour vendre les droits de ce livre à l'étranger, puis qui ont vaillamment répondu à mes questions les plus idiotes sur les mystérieux formulaires d'impôts. Ari Solotoff, un ancien condisciple qui m'a expliqué chaque contrat et a rassuré l'avocate en moi.

Mes premiers lecteurs, notamment Melissa Martin, Anna Polko Clark, Maureen Milliken et Jeneva Rose, ainsi que tous mes amis du groupe d'écrivains de la bibliothèque de South Portland.

Taylor Sampson, Amanda Bombard et James, qui ont répondu à toutes sortes de questions que je me posais.

Ma tante Cindy et mon oncle John Mina de Curry Printing, à Portland, qui ont imprimé je ne sais combien de brouillons de ce roman au cours des trois dernières années, et qui chaque fois me félicitaient.

Mon amie Chloe qui m'a autorisée à lui emprunter son prénom, et qui a discuté avec moi des lettres à envoyer avec mon manuscrit, jusqu'à ce que je trouve le courage de me lancer. Susan Dennard et Pitch Wars, qui m'ont donné des conseils sur la manière de contacter les agents.

Ma sœur Hannah qui m'a dit de respirer un bon coup et d'essayer de réaliser mon rêve fou de publier un roman. Mes parents, qui m'ont toujours incitée à lire et à écrire. M. Ramsey qui a déclaré à mon père que je devais arrêter de me torturer l'esprit pour choisir ce que je devais étudier à l'université, puisque de toute façon j'écrirais.

Et enfin, Ben. Tu es ma solide Julia quand je pars en vrille comme Tony. Merci pour tout.

Cet ouvrage a été composé par
Fr&co - 61290 Longny-au-Perche

Imprimé en France par MAURY IMPRIMEUR
en novembre 2023
N° d'impression : 273750

POCKET – 92, avenue de France, 75013 Paris

S33387/01